D1595231

AGRICULTURA EN EL PATIO TRASERO

MONA GREENY

© **Copyright 2021 - Todos los derechos reservados.**

El contenido de este libro no se puede reproducir, duplicar ni transmitir sin el permiso directo por escrito del autor o el editor.

Bajo ninguna circunstancia se responsabilizará al editor o al autor por cualquier daño, reparación o pérdida monetaria debidos a la información contenida en este libro, ya sea directa o indirectamente.

Aviso Legal:

Este libro está protegido por derechos de autor. Es solo para uso personal. No puede enmendar, distribuir, vender, usar, citar o parafrasear ninguna parte o el contenido de este libro sin el consentimiento del autor o editor.

Aviso de exención de responsabilidad:

Tenga en cuenta que la información contenida en este documento es solo para fines educativos y de entretenimiento. Se han realizado todos los esfuerzos para presentar información precisa, actualizada, confiable y completa. No se declaran ni implícitas garantías de ningún tipo. Los lectores reconocen que el autor no participa en la prestación de asesoramiento legal, financiero, médico o profesional. El contenido de este libro se ha obtenido de varias fuentes. Consulte a un profesional autorizado antes de intentar cualquier técnica descrita en este libro.

Al leer este documento, el lector acepta que bajo ninguna circunstancia el autor es responsable de las pérdidas, directas o indirectas, en las que se incurra como resultado del uso de la información contenida en este documento, incluidos, entre otros, errores u omisiones. , o inexactitudes.

Tabla de Contenido

AGRICULTURA EN EL PATIO TRASERO

Cultivo de Verduras, Frutas y Ganadería en una Casa Urbana

AGRICULTURA EN EL PATIO TRASERO
Cultivo de Flores y Apicultura en Una Casa Urbana

AGRICULTURA EN EL PATIO TRASERO

*Hacer pan, queso,
agua potable y té en casa*

MONA GREENY

Introducción

A todos les encanta la idea de cultivar y producir alimentos. No solo es más barato, sino también más saludable y de fácil acceso. Si está de acuerdo con esta idea de cultivar sus alimentos y comer comidas saludables y caseras todos los días, entonces la granja en el patio trasero es lo que necesita.

Si tienes un don para la jardinería, entonces definitivamente deberías intentar construir una granja en el patio trasero. Sin embargo, si no lo hace, necesitará un poco de práctica y algo de paciencia para que funcione.

Las granjas del patio trasero están diseñadas para adaptarse y para que usted cultive sus alimentos y otros productos. Es una tendencia creciente que se está volviendo cada vez más popular con el tiempo.

Con este libro, puede preparar su sistema de vivienda en el patio trasero y obtener los beneficios de hacer sus propios productos, como pan, queso, agua potable y té.

Antes de comenzar el proceso de construcción de una casa en el patio trasero, primero echemos un vistazo a los numerosos beneficios que se obtienen al construir una casa en el patio trasero. Debería ser suficiente para convencerte.

¿Qué es Homesteading en el Patio trasero ?

Hay muchas formas de definir una granja. Históricamente, de acuerdo con la Homestead Act de 1962, las granjas eran parcelas de tierra asignadas a ciudadanos estadounidenses que aceptaron establecerse en el oeste y vivir allí durante cinco años mediante la agricultura. Esta definición evolucionó y la gente la percibió como un concepto productivo que se podía lograr en casa. Con el tiempo, la ocupación se alineó con la importancia de vivir un estilo de vida autosuficiente, lo que impulsó el concepto.

Homesteading es la actividad de cultivar alimentos y productos como cultivos, verduras, frutas, pan, miel, agua, té, etc. y usarlo para cocinar sus comidas a diario. La vivienda en el patio trasero es cuando utiliza su patio trasero para construir una granja y realizar estas actividades. En un nivel superior, los expertos en granjas incluso crían animales para carne y ropa. En las granjas se incluyen productos como hierbas medicinales, productos medicinales caseros, plantas y hierbas para el cuidado personal, etc. Básicamente, con las granjas, los propietarios están tratando de 'vivir de su tierra', ahorrar dinero y fomentar un estilo de vida saludable. Se puede llamar estilo de vida agrario.

Por qué debería considerar la construcción de una casa en el patio trasero

Con la agricultura en el patio trasero, no solo se está dando un estilo de vida autosuficiente, sino que también está ingresando a un dominio de vida más saludable, seguro y sostenible.

Aquí hay algunas razones que lo obligarán a preparar su hogar en el patio trasero:

1. Dar y recibir

Le estás dando algo a la tierra y te está devolviendo, es una relación simbiótica. Al construir y mantener una casa en el patio trasero, está contribuyendo al medio ambiente y mejorando el factor de sostenibilidad. Homesteading incluye procedimientos naturales y sostenibles, como compostaje y recolección de agua de lluvia. Al hacer abono, está haciendo que el suelo sea más rico y nutritivo, que a su vez, se devuelve en forma de productos saludables y nutritivos. Al cultivar, está reduciendo la huella de carbono y alentando a las personas a apoyar la sostenibilidad.

Debido a esto, los colonos también son más conscientes del medio ambiente. Están más cerca de la naturaleza y están agradecidos con la tierra que cultiva sus alimentos. Esto naturalmente inculca la sensación de ser consciente del medio ambiente y tomar medidas precisas y sostenibles en todo lo que hacen. Con el aumento del clima, la deforestación excesiva y la contaminación, todas las personas deben tomar medidas sostenibles e incentivos naturales para proteger su entorno. La conciencia y la práctica de construir una casa en el patio trasero se pueden inculcar incorporando un estilo de vida autosuficiente.

2. Promueve un estilo de vida saludable

No hay duda de que cultivar sus alimentos en una granja en el patio trasero proporciona ingredientes saludables. La mayoría de los cultivos y productos que se venden comercialmente están infectados con pesticidas y fertilizantes que son dañinos para nuestro cuerpo. Estos acumulan toxinas, que eventualmente resultan en enfermedades y mala salud. Es por eso que mucha gente está cambiando a productos orgánicos, lo que elimina el uso de fertilizantes y pesticidas artificiales. Con una granja en el patio trasero, puede cultivar y consumir sus productos orgánicos que son perfectamente saludables y nutritivos.

Todos necesitamos alguna forma de actividad física todos los días para mantenernos saludables y evitar la obesidad. Dado que la agricultura es un trabajo intensivo en mano de obra, usted está haciendo muchos ejercicios físicos a diario, lo que aumenta aún más el factor de salud.

Homesteading no solo lo mantendrá en forma y mejorará su salud física, sino que también comenzará a ver cambios en su salud mental. Se observa que los colonos máximos enfrentan menos estrés (especialmente los que viven en el campo) en comparación con aquellos que no practican un estilo de vida autosuficiente. Estos últimos permanecen en áreas urbanas con mucho ruido y contaminación que se suma al estrés, que se puede resolver en parte practicando la agricultura en el patio trasero. Proporciona una sensación de logro y gratitud, que mantiene a raya su salud mental.

3. Construye un estilo de vida autosuficiente

Construir una casa en el patio trasero es la mejor manera de crear un estilo de vida autosuficiente y mantenerlo. No solo puede cultivar sus alimentos y usarlos, sino que también puede conservarlos fuera de temporada. Además, también puede optar por cultivar alimentos y cultivos que sean útiles con fines medicinales, personales o para el cuidado de la piel.

Le ayuda a conectarse con su entorno y el espacio existente en su vecindad. Además, las granjas en el patio trasero le brindan la oportunidad de explorar más opciones que solo cultivar verduras y frutas. Con este sistema, puede hacer pan, agua potable, queso y té también, haciéndolo multiusos y multifuncional.

4. Ahorra mucho dinero

No hace falta decir que al cultivar sus alimentos, también está ahorrando mucho dinero. La única inversión que necesita hacer son las herramientas necesarias para establecer una granja en el patio trasero en la fase inicial y la siembra de semillas. Aunque puede resultar caro al principio (dados los elevados precios del equipo, las herramientas de instalación y los ingredientes), puede ahorrar mucho dinero a largo plazo. Además, al cultivar toneladas de alimentos en su patio trasero, puede venderlos para ganar más dinero.

5. Ingredientes frescos para llevar

Es una gran idea tener una casa en el patio trasero porque puede obtener ingredientes frescos en cualquier momento, todo a su alcance. Con ingredientes frescos y alimentos frescos, estás bendiciendo tu cuerpo y evitando enfermedades y problemas de salud. Los productos agrícolas comprados comercialmente contienen muchas toxinas y fertilizantes dañinos, de los que es difícil deshacerse. Al cultivar sus alimentos, está proporcionando abono natural para que crezcan, lo que los hace frescos y saludables. Además, si vives en el campo, conducir de ida y vuelta a la tienda puede requerir mucho esfuerzo. Sin embargo, con los alimentos que crecen en su patio trasero, ya no tiene que preocuparse por desplazarse al supermercado con tanta frecuencia.

6. Lo convierte en un pasatiempo productivo

Las personas que han estado siguiendo un estilo de vida autosuficiente a través de la agricultura se han convertido en propietarios incondicionales de tiempo completo que tratan de vivir sin desperdicios y cultivar todos sus productos. Es mucho más fácil para las personas que viven en espacios abiertos y en el campo, ya que las áreas urbanas tienen espacios abiertos limitados. Debido a esto, la mayoría de los colonos urbanos lo toman un pasatiempo a pequeña escala y encuentran algo emocionante que hacer al final de su agitado día. Puede considerarse como un escape del ciclo de 9 a 5. Independientemente del lugar donde viva y el área que posea, la construcción de viviendas puede mejorar su estilo de vida por múltiples y ofrece un pasatiempo relajante. También mejora sus habilidades de jardinería.

7. Exenciones

Si vive en los Estados Unidos, se le ofrecen exenciones de vivienda en las que puede mantener el valor de su casa y propiedad y eximirse de pagar cierta cantidad de impuestos. Esta exención continúa incluso cuando un cónyuge fallece, siempre y cuando usted siga viviendo en la propiedad. La ventaja se llama inmunidad de venta forzada, en la que no está obligado a vender su propiedad para cubrir su deuda cuando incumple con un préstamo. Sin embargo, esto no lo hace inmune a ciertas deudas, como la ejecución hipotecaria o los impuestos a la propiedad en mora. Antes de tomar una decisión, consulte a un abogado para comprender todas las cláusulas que se aplican a su estado. Este paso del gobierno ha animado a muchas personas a comenzar su propia casa y vivir un estilo de vida autosuficiente, lo que también ayuda al medio ambiente.

8. Más autoconfianza y vínculos

No olvidemos el inmenso orgullo que tienen los colonos de vivir en sus tierras y cultivar sus alimentos. También inspiran a otros a vivir un estilo de vida autosuficiente; este sentimiento de orgullo y gratitud les hace más seguros de sí mismos y les eleva la moral. Cultivar su comida no es fácil y, al construir una granja, finalmente puede heredar la sensación de poder y autocontrol. También logrará un sentido de progreso y conducta. Además, ayuda a la persona a aprender de sus errores y la hace más capaz de superar los desafíos. Sin embargo, para que este sentimiento lo asimile, asegúrese de no darse por vencido fácilmente. Fallará una vez, fallará dos veces, pero con práctica constante y paciencia, eventualmente lo logrará, y este sentimiento de logro no tendrá precio.

Además, con la ocupación, finalmente tendrá tiempo para vincularse con su familia. Todos luchan por conectarse con su familia debido a los diferentes plazos y horarios ocupados. Al asumir este proyecto, puede conocer y hacer cosas con su familia o cónyuge, lo que lo ayuda a conectarse con ellos a un nivel más profundo. Si tienes hijos, inclúyelos también en esta práctica. Es genial enseñarles a sus hijos el valor de ser conscientes del medio ambiente a una edad temprana. Por último, puede cocinar comidas y probar nuevas recetas con su familia con los productos que cultiva en su granja. Es una forma productiva y motivadora de pasar tiempo de calidad con su familia y conversar sobre su paradero diario.

Verá, hay varias razones por las que debería construir una casa en el patio trasero. Si está intrigado y no puede esperar para construir uno, siga leyendo para recopilar todo el proceso paso a paso para comenzar hoy. Desde reunir las herramientas y equipos necesarios hasta cultivar los suyos propios y criar, preparar y conservar sus alimentos, los siguientes capítulos destacarán cada detalle que necesitará para construir una granja exitosa en el patio trasero. Puede sonar desafiante y abrumador al principio, pero si sigue los pasos con precisión, puede lograr un sistema exitoso de vivienda en el patio trasero en poco tiempo.

Sin embargo, antes de sumergirse en él, piénselo detenidamente y asegúrese de que desea seguir adelante. La idea de construir una casa en el patio trasero seguramente parece atractiva, pero no es tan fácil como parece. Necesita dedicar mucho tiempo, esfuerzo, recursos y dinero (al menos al principio) para comenzar una granja exitosa en el patio trasero. Además, la mayoría de las tareas involucradas en las granjas del patio trasero son intensivas en mano de obra, lo que lo hace más desafiante. Si carece de fuerza física, la granja no es para usted, a menos que tenga a alguien que haga las tareas más laboriosas por usted. Vivir con su pareja es una opción más inteligente, ya que divide las responsabilidades y facilita la gestión. Para ello, asegúrese de que su cónyuge esté totalmente de acuerdo con la idea y las tareas. Las discusiones constantes, los procedimientos de construcción y el cuidado de su hogar se convertirán en una parte regular de sus vidas.

Es difícil pero no imposible. Si está intrigado y decidido, no espere el momento perfecto; empezar hoy. Aprendamos cómo hacerlo desde cero: necesitará los hechos y el conocimiento correctos para implementar este proyecto, de lo que tratan los siguientes capítulos.

Capítulo 1

Recopilación de las Herramientas y el Equipo Necesarios

Planear y preparar una casa en el patio trasero es un proceso largo y engorroso. Hay tantos pasos involucrados y mucho de lo que ocuparse. Sin embargo, si da un paso a la vez, puede lograr fácilmente una granja en el patio trasero con la que muchos sueñan. Para ello, hemos dividido los pasos en capítulos. El primer paso es reunir las herramientas y el equipo necesarios, de lo que trata este capítulo.

Requiere varias herramientas y equipos.

Aquí hay una lista de herramientas que necesitará para preparar su hogar en el patio trasero:

Herramientas manuales

1. Hacha: Si planeas usar una estufa de leña en tu patio trasero, necesitarás un hacha para cortar la leña. Puede comprar madera que ya está partida, pero será demasiado cara y aumentará su presupuesto.

2. Pala: Ya que plantarás y cultivarás hierbas y vegetales en tu patio trasero, necesitarás una pala para cavar. Use una pala con un borde más puntiagudo para excavar las partes más duras del suelo.

3. Juego de herramientas: Un juego de herramientas con todas las llaves, tornillos, taladro, pelacables, cuchillos retráctiles, etc. necesarios, es uno de los equipos más importantes en su lista de verificación. Si no tiene uno, es más prudente invertir en una caja de herramientas de alta calidad, ya que le resultará útil incluso en el futuro.

4. Escuadra de combinación de 12": esta es a menudo una herramienta olvidada que en realidad es muy útil. Una escuadra de combinación es útil para nivelar escuadras, encontrar ángulos, fresar madera o tomar medidas rápidas, etc.

5. Rastrillo: Se utiliza un rastrillo para limpiar el suelo, rastrillar las hojas, quitar la suciedad y nivelar el suelo. También puede

excavar un poco con un rastrillo. Es particularmente útil durante el otoño cuando las hojas son muchas y por todas partes.

Herramientas eléctricas y de construcción

6. Generador: si quiere ir con todo y vivir en una casa pequeña o en un RV para celebrar una vida autosuficiente, necesitará un generador. Mientras que un generador de 2400w funciona, uno de 3000w es aún más poderoso. Sin embargo, considere el factor de portabilidad antes de elegir uno.

7. Aserradero: Si está cortando y preparando su madera, necesitará un sistema de aserradero para facilitar el proceso. Ya sea fresando el centro de la madera o los lados desiguales de una pieza de madera, un buen aserradero eléctrico hará el trabajo por usted.

8. Voltio o amperímetro: este dispositivo simple muestra la fuerza, la corriente y la potencia del flujo eléctrico en una máquina o sistema. También puede leer la resistencia al flujo de corriente en una máquina utilizando este sencillo dispositivo.

9. Madera o PVC: Necesitará madera para construir sus camas de jardín y construir su cerca. Dado que estará expuesto a exteriores severos, necesita madera de alta calidad, como cedro o PVC, que pueda soportar fuertes presiones, clima severo y humedad.

10. Paneles solares: este es un equipo opcional pero altamente recomendado que puede ahorrar mucho dinero a largo plazo. Si

su casa permite la instalación de paneles solares, definitivamente debería considerarlo.

Equipo de seguridad

11. Gafas de seguridad: esto es necesario para proteger sus ojos mientras trabaja con delicadas piezas de madera y equipos eléctricos de alta resistencia. Puede esperar que floten chispas y pequeñas astillas de madera durante el proceso que podrían dañar sus ojos en ausencia de gafas de seguridad.

12. Casco: más parecido a un casco de protección en los sitios de construcción, es necesario un casco para proteger su cabeza de accidentes y golpes fuertes. Incluso si se trata de un proyecto a pequeña escala, se recomienda encarecidamente utilizar un casco.

13. Orejeras: El uso de taladros eléctricos y aserraderos puede producir mucho ruido que a veces es insoportable y podría dañar sus oídos. Compre un par de orejeras de alta calidad que bloqueen los ruidos fuertes y protejan sus oídos.

Jardinería

14. Semillas: Después de decidir el tipo de plantas, vegetales, flores, hierbas y frutas que desea en su granja en el patio trasero, necesitará sus semillas o retoños. Visite un vivero cercano para encontrar mejores opciones si está confundido.

15. Estiércol: Aunque sugerimos el compostaje para productos orgánicos y nutritivos, debe invertir en un poco de estiércol

orgánico al principio hasta que su sistema de compostaje esté listo. Definitivamente necesita abono si no está dispuesto a hacer un sistema de compostaje; es útil para cultivar productos saludables y nutritivos.

16. Regadera: Necesita una regadera para regar sus plantas diariamente.

17. Suelo: Dependiendo del tipo de plantas y vegetación que desee cultivar; necesitará un suelo que se adapte a sus necesidades individuales. Ciertas plantas necesitan un suelo y una textura específicos para crecer. Para ello, debe planificar cuidadosamente su tipo de vegetación y comprar suelo en consecuencia.

Aparte de estos, necesitará:

- Una cinta métrica
- Cable de extensión
- Martillo
- Pistola de grapas de alta resistencia
- Bridas de silicona multiusos
- Correas de trinquete de 1000 lb
- Contenedores de almacenamiento
- Juegos de cinceles
- Escalera
- Palanca
- Lijadora de palma
- Manguera
- Abrazadera en G
- Carretilla
- Humidificador
- Compresor de aire
- Alicates
- Destornilladores

Capítulo 2

Estudiar y Preparar su
Casa en el Patio Trasero

Esta es una fase extremadamente crucial, ya que el éxito de su propiedad depende de la forma en que aborde el análisis y la configuración de su patio trasero. Aunque no existe una fórmula 'exacta' para preparar una granja en el patio trasero (dado que todos los patios traseros, las condiciones climáticas, las regulaciones de la ciudad y la disponibilidad de recursos locales varían), puede hacer su fórmula personalizada al verificar algunos criterios.

Para ello, debe comenzar por evaluar las fortalezas y desafíos de su propiedad, luego estudiar el clima, medir dimensiones, enumerar ideas de proyectos, preparar un presupuesto, diseñar un diseño, construirlo y finalmente hacerlo atractivo. Echemos un vistazo a estos criterios uno por uno para hacer que su fórmula de hogar en el patio trasero funcione.

1. Evaluación de las fortalezas y desafíos de su propiedad

Cada propiedad y patio trasero es diferente, lo que hace que sea un trabajo desafiante idear un diseño de vivienda común. Algunas personas han sido bendecidas con enormes áreas de patio, mientras que los aspirantes a colonos urbanos necesitan diseñar su propiedad en un área pequeña. Para aprovechar al máximo su espacio disponible, primero debe medir su propiedad y evaluar las fortalezas y desafíos de construir su propiedad. Incluso si tiene un espacio más pequeño, puede hacer una granja viable. Todo lo que necesita es una planificación inteligente y creatividad.

Para evaluar las fortalezas y desafíos de su propiedad, considere algunas preguntas.

* ¿Dónde está ubicada la propiedad?

* ¿Qué tipo de propiedad es?

* ¿Ya posee un terreno o está buscando uno?

* ¿Está planeando mudarse a otro lugar pronto?

* ¿Su propiedad es de alquiler o permanente?

Estas son algunas preguntas básicas con las que puede comenzar. Incluso si vive en una propiedad de alquiler pero no planea mudarse pronto, esto no debería permitirle dejar de construir finalmente su propiedad. Todavía puede construir un par de parterres y plantar árboles y cultivos para frutas y verduras. Otras formas de realizar trabajos de granjas en propiedades de alquiler incluyen el uso de contenedores para cultivar sus alimentos, construir un sistema de compostaje y construir un purificador de agua. Sin embargo, asegúrese de que su arrendador lo apruebe y obtenga su permiso (preferiblemente por escrito) antes de comenzar. Podría gustarle la idea e incluso animarle a añadir más sistemas. Incluso si no es tu hogar permanente, no debería impedirte vivir una vida autosuficiente.

Si vive en su propia casa permanente, ¿qué está esperando? Tan pronto como termine de leer este libro, tome su abrigo y obtenga todo el equipo necesario para construir su casa hoy.

Después de encontrar respuestas precisas a estas preguntas, deambule por su trama para evaluar sus fortalezas y debilidades físicas; esto incluirá la calidad del suelo, la funcionalidad y la apariencia general. ¿Puedes visualizar una granja en tu parcela? ¿Se ve bien? Si es así, esa es otra marca en la casilla de una evaluación positiva.

2. Estudiar el clima

Las condiciones climáticas de su región afectarán directamente a su granja en el patio trasero. Determinará el tipo de producto que es adecuado en ese clima (considerando todas las estaciones), la dirección de exposición al sol en su propiedad, la cantidad de lluvia que cae en su región en un día y estación lluviosos promedio, y la dirección del viento. Dependiendo de los resultados, puede determinar qué cultivos y productos serían los más adecuados para su área. La cantidad de luz solar y sombra que caerá sobre las camas de su jardín, la cantidad de agua que puede recolectar a través de la lluvia en su sistema de recolección de agua de lluvia y la dirección del viento que afecta los cultivos delicados son algunas indicaciones seguras, para empezar. Obtendrá una mejor comprensión después de un poco de experiencia.

Muchos propietarios y aspirantes a colonos en el patio trasero cometen el error de sumergirse directamente en la planificación del diseño y la construcción de una granja sin sentarse y observar el clima. Incluso si se necesitan unos días o semanas para determinar las condiciones climáticas precisas en su región, no se preocupe, ya que hará que su proyecto sea exitoso a largo plazo.

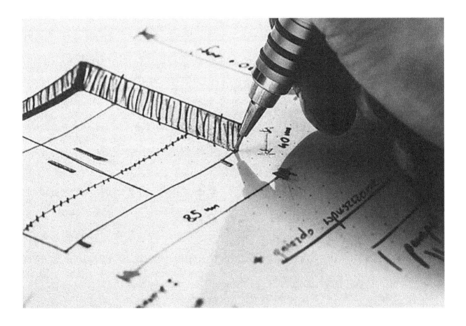

3. Medir dimensiones y tamaños

El tamaño y las dimensiones de su propiedad serán de gran importancia. Busque el plano o plano de su casa, o comuníquese con su arquitecto para que le dé uno si lo ha perdido. Puede determinar las dimensiones exactas de este plan. De lo contrario, puede usar una cinta métrica y pedir ayuda a un amigo o familiar para determinar las dimensiones. Asegúrese de que sean lo más precisos posible.

También es necesario medir dimensiones y tamaños para indicar el nivel de mantenimiento que requerirá. Una parcela de tamaño mediano o modesto seguramente tendrá sus limitaciones en el contexto de cultivar más productos, pero será más fácil de mantener. Concéntrese en la longevidad en lugar de la cantidad.

4. Enumere las ideas de proyectos

Esta sección trata de enumerar las ideas y los objetivos de su proyecto de vivienda en el patio trasero. Incluye principalmente sus requisitos o productos que desea obtener de su hogar.

Empiece por hacer una lista de objetivos o productos que desee desarrollar. Aquí hay algunos ejemplos para comenzar.

- Un huerto de hierbas y vegetales con un sistema de recolección de agua de lluvia

- Una granja en el patio trasero que produce lácteos: queso, lácteos, mantequilla, etc.

- Un huerto o un árbol frutal (también se puede combinar con parterres utilizados para cultivar verduras)

- Un sistema de compostaje con lombrices y un área de compostaje

- Un área dedicada a la preparación de condimentos, especias y algunos condimentos

- Un jardín de plantas medicinales que solo tiene hierbas y plantas que se usan para dolencias naturales, atención médica y cuidado personal.

- Un área que funciona como lecho polinizador

- Un área de apicultura y una despensa dedicada a la extracción de miel.

- Un taller para tejer, coser y trabajar con tintes naturales

- Un sistema de compostaje para hacer té

- Un área para empaquetar y vender sus productos de cosecha propia e ingredientes frescos

- Un área de talleres para enseñar y dar clases para otros aspirantes a colonos en el patio trasero

Estas son algunas adiciones comunes a su hogar en el patio trasero que se pueden considerar. Elija uno o elija una combinación según sus necesidades y deseos. Aparte de esto, también puede agregar sus ideas personales. Vuélvete loco (a menos que sea prácticamente inalcanzable). Estas ideas de proyectos enumeradas anteriormente son ejemplos reales y prácticos que cientos de colonos están siguiendo actualmente.

5. Prepare el diseño

Antes de comenzar a planificar un diseño, tome nota de todas las reglas y regulaciones que sean aplicables dentro de su ciudad, condado o estado. Cuando se trata de cultivar vegetales, recolectar agua de lluvia o criar abejas para la apicultura, cada ciudad tiene diferentes regulaciones que debes cumplir.

Para el diseño, puede, nuevamente, comenzar haciendo algunas preguntas.

- ¿Cuáles son mis requisitos o metas de producción de mi casa en el patio trasero? (Depende de la lista de ideas de proyectos que discutimos anteriormente)

- ¿Es posible colocar todos los productos deseados dentro de la parcela? ¿Es lo suficientemente grande?

- Si no es así, ¿qué productos puedo eliminar y a qué debo ceñirme?

- ¿Cuáles son mis necesidades urgentes durante el día?

- ¿Seguiré esto como un pasatiempo? ¿O quiero trabajar a tiempo completo?

Es aconsejable elegir sólo de una a tres ideas, ya que a la larga puede resultar tedioso y abrumador; prácticamente no es factible, especialmente si tiene un horario agitado. Una vez que lo domine, podrá agregar más proyectos después de uno o dos años de ocupación constante. Para que funcionen varios proyectos, debe ir con todo y ofrecer disponibilidad a tiempo completo. También necesitará ayuda adicional y muchos recursos para múltiples proyectos. Entonces, reflexiona y decide sabiamente. Establezca sus prioridades y tome una dirección relevante. Considere si desea tomarlo como un pasatiempo o si desea sumergirse en él como una profesión de tiempo completo (como vender sus productos o organizar talleres).

Al mismo tiempo, también debe considerar las líneas de tiempo. Por ejemplo, hasta que tenga un sistema de polinizador bien organizado o un jardín de frutas, no debería considerar montar una colmena, ya que va de la mano. Del mismo modo, si no tiene un sistema de recolección de agua de lluvia adecuado que se encargue del riego dentro de la parcela, no debe plantar hierbas o cultivos que necesiten mucha agua. Todo lo que harás es desperdiciar recursos valiosos.

Además, tenga en cuenta las circunstancias que impulsarán su sistema de vivienda en el patio trasero. Por ejemplo, si su casa carece de un sistema de riego bien planeado, las tuberías pueden romperse en cualquier momento. Para ello, tendrás que aprender algunas habilidades de plomería o convertirte en un experto en este aspecto. Del mismo modo, si no sabe cómo conservar grandes cantidades de productos, todo su trabajo duro y los alimentos cultivados se desperdiciarán. Para evitar tales circunstancias, conviértalas en una prioridad, incluso si tiene que aprender habilidades específicas para facilitar el proceso.

Una vez que haya elegido una o dos ideas de proyectos manejables como se mencionó anteriormente y haya adquirido todas las respuestas que afectarán el diseño de su casa en el patio trasero, ahora es el momento de diseñar una.

Si vive en una parcela enorme, puede dividir toda el área en zonas y calcular el sistema en consecuencia. Por ejemplo, dado que las hierbas y las verduras son los ingredientes más importantes para cocinar las comidas diarias, puede ponerlo en la zona 1, que es la más cercana a su casa. Del mismo modo, la instalación para el agua potable debe estar cerca de su casa, ya que la necesitará con bastante frecuencia. Las configuraciones para hacer pan, queso y té se pueden construir fuera de su casa, pero aún deben ser accesibles. Esto se conoce como diseño de permacultura. Aquí, observa los patrones y la viabilidad de su ecosistema más cercano y diseña una granja que funciona en armonía.

Otros factores que influirán en la etapa de planificación incluyen:

Acceso al agua. Necesitará agua en casi todas las etapas de la agricultura, desde el cultivo de plantas hasta la elaboración del pan. Aunque tenga un sistema de recolección de agua de lluvia en las etapas posteriores, necesitará un suministro constante de agua en la etapa inicial. Determine su suministro de agua (lluvia, acceso a un lago o estanque cercano, un pozo, etc.) e impleméntelo en su proyecto.

Barrio y comunidad . ¿Vive en un vecindario que comparte una pared mutua o una línea de suministro de agua? Si comparte algo con su vecino, es posible que desee pedir su consentimiento antes de comenzar su proyecto de vivienda.

Amenazas potenciales. Cualquier tipo de amenaza arruinará su proyecto de vivienda incluso antes de que comience. Las amenazas como los peligros naturales (terremotos o sequías) o los lunares que viven debajo de su suelo pueden dañar su sistema de vivienda.

6. Hacer un presupuesto

La vivienda puede ser costosa, por lo que es crucial preparar un presupuesto antes de comenzar la construcción.

Algunas formas plausibles de ahorrar dinero incluyen:

- Utilizar materiales y equipos de segunda mano o comprarlos a precio reducido. Dado que su equipo y materiales de construcción asumirán el costo máximo de todo el proyecto, es más prudente comenzar a ahorrar desde la etapa inicial. Puede pedir prestado equipo a sus seres queridos o alquilarlo. No gaste dinero extra en la compra de nuevas herramientas, ya que solo necesita usarlas una vez (a menos que decida expandirse).

- Visite tiendas en línea como Craigslist o Nextdoor, donde puede encontrar herramientas a un precio más bajo. Si es necesario, visite las tiendas de segunda mano en su área para obtener una buena ganga.

- Mejore sus posesiones. Esto no solo ahorrará dinero, sino que también proporcionará una alternativa más sostenible. Por ejemplo, si ha usado madera en su garaje o granero, recíclela para construir camas de jardín o para hacer una cerca.

Aunque puede ahorrar dinero de varias formas, siempre es mejor pensarlo dos veces antes de comprar o alquilar un artículo. Ciertas cosas requieren inversión debido a variaciones de calidad. Por ejemplo, una cama de jardín elevada usada se puede comprar a bajo precio en una tienda en línea, pero no durará mucho. También puede ser tóxico o no pasar la prueba de presión. Para reemplazarlo, tendrá que gastar más dinero del que gastó inicialmente, lo cual es una pérdida significativa. Entonces, si es necesario, gaste dinero para evitar costos inesperados, ya que ciertos artículos deben durar mucho tiempo. Piense inteligentemente y sopese la calidad sobre el precio.

Dado que la madera formará la base de las camas de su jardín y otras estructuras, debe asegurarse de que sea duradera, no tóxica y retenga la presión. El mejor tipo de madera (que dura más) es el cedro y la secuoya. Aunque estos son un poco más caros que sus contemporáneos, no tendrá que gastar un centavo más en madera durante unos años, lo que hace que valga la pena la inversión.

Para hacer un presupuesto, haga una lista de todas las herramientas y equipos que necesitaría para comenzar (obtenga ayuda del capítulo anterior donde proporcionamos una lista). A continuación, dependiendo de lo que desee incluir en su hogar, haga una lista de equipos e ingredientes para construir los respectivos sistemas. Por ejemplo, un parche de cultivo de hortalizas necesitará materiales para formar un lecho de jardín, tierra, estiércol y semillas para plantar. Calcule una estimación para cada sistema; este será su presupuesto inicial. Una vez que su propiedad esté lista, prepare una lista de ingredientes y herramientas que necesitará para mantener su propiedad. Calcule el costo mensualmente.

La vivienda puede ser costosa, al menos al principio. Si no tiene un trabajo y planea invertir en el proyecto con sus ahorros, asegúrese de tener un rendimiento adecuado vendiendo los productos de su granja. Es necesario tener una fuente adicional de ingresos para mantener su hogar y continuar viviendo una vida autosuficiente.

7. Fase de construcción

Aunque hablaremos sobre la creación de sistemas de producción específicos para hacer pan, queso, agua potable y té (que son nuestras principales prioridades) en los próximos capítulos, al menos debe tener el conocimiento básico de cómo establecer una granja en el patio trasero.

Frutas y verduras

Aparte de estos productos básicos, definitivamente debería tener un área de frutas y verduras además de un pequeño jardín. Un pequeño huerto de frutas y verduras suena muy bien en un contexto residencial. Proporcionará ingredientes frescos sobre la marcha y podrá tener un lugar tranquilo para relajarse. Dependiendo de lo que cultives, incluso podrías crear un área fresca y con sombra para relajarte también. Dado que los árboles ornamentales y los productos comestibles tardan un tiempo en crecer, debe comenzar con esto primero. Centrarse en un sistema de riego organizado. Dado que la mayoría de los árboles y verduras necesitan mucha agua, un sistema de riego bien planificado debe ser su prioridad.

Sistema de compostaje

Cada finca debe tener un sistema de compostaje (si tiene suficiente espacio). Si puede, comience a compostar, se lo agradecerá más tarde. Incluso si tiene poco espacio, coloque un pequeño sistema de compostaje donde pueda. Comenzar un sistema de compostaje caerá en las categorías de vivir un estilo de vida autosuficiente y sostenible, que es el objetivo principal de la agricultura. Coloque todas las sobras de la cocina y las sobras orgánicas en una caja para preparar su fertilizante natural. Úselo para cultivar frutas y verduras saludables y completamente orgánicas. Le sorprenderá la calidad de los productos al final de cada ciclo.

También conocido como oro negro, el abono natural mejorará la salud de su suelo y proporcionará suficientes nutrientes para cultivos saludables. Además, tienes menos basura de la que preocuparte. Los desechos de alimentos, como posos de café usados, cáscaras de frutas y verduras, cáscaras de huevo, etc., se pueden usar en su sistema de compostaje. Agregue algunas hojas, pasto o plantas desarraigadas naturalmente, y estará listo.

Ahora bien, la construcción de su casa puede alejarlo de su zona de confort, pero esta experiencia le enseñará muchas habilidades nuevas e incluso podría convertirlo en un entusiasta del bricolaje; realmente no es tan difícil. Si lo desea, puede pedir ayuda a sus amigos o contratar a un experto para construir un esqueleto básico. Sin embargo, si tiene todas las herramientas, primero puede probarlo usted mismo. No solo le ahorrará mucho dinero, sino que también le dará una sensación de logro. Además, lograrás ese toque extra de carácter al hacer tu casa desde cero. Por último, no querrá perderse esta increíble experiencia de aprendizaje, ¿verdad? Cuando construye su casa, también puede realizar talleres o clases que enseñen a los aspirantes a propietarios a construir su propia casa en el patio trasero.

8. Consejos para hacerlo estético

Además de construir su casa, también debe asegurarse de que se vea y se sienta bien.

Preste atención a la organización del diseño

Lo más básico que hace que una casa sea estética es la alineación de los componentes. Cuando todo está organizado y arreglado, automáticamente se ve limpio y se siente bien. Para esto, debe prestar atención durante la etapa de planificación del diseño de su casa en el patio trasero. Por ejemplo, alinear las camas del jardín y proporcionar pasillos adecuados para caminar en el medio parece organizado. No solo es necesario garantizar la circulación y el movimiento adecuados del aire, sino que también mejora el atractivo estético de todo el espacio.

Plantar flores

Esta es una de las formas más fáciles de agregar un atractivo estético a cualquier espacio. A pesar de que sus coloridos parterres y vegetales harán que el espacio sea atractivo, agregar una hilera de flores agregará un toque de extravagancia. Cuando esté planificando el diseño, cree un desplazamiento de ancho mínimo en los bordes de su propiedad o patio trasero y dedique esa área para cultivar flores. Su hogar en el patio trasero no solo se verá bien, sino que también se sentirá y olerá increíble. Otro factor digno de mención es que ciertas flores también repelen insectos.

Juega con la iluminación

Teniendo en cuenta que también atenderá su casa en el patio trasero por la noche, tendrá que instalar un sistema de iluminación y de iluminación. En lugar de usar las luces de los accesorios normales, puede llevarlo a un nivel superior y agregar luces colgantes, que mejorarán todo el espacio, brindarán visibilidad y harán que el espacio sea completamente relajante.

NOTA IMPORTANTE: Ya que recién está comenzando con su primer proyecto de vivienda en el patio trasero, es recomendable comenzar con una idea de proyecto pequeña y manejable antes de saltar a varios proyectos a la vez. Incluso si desea elegir solo una idea, no se abrume por exagerar las cosas. Por ejemplo, podría decirse a sí mismo: "Al principio elijo cultivar solo vegetales, entonces, ¿por qué no plantar seis parterres en lugar de tres? ¿Qué tan difícil puede ser?" Este es el primer error que comete. Cíñete a una o dos ideas de proyectos y céntrate en cantidades más pequeñas al principio. ¿Y si no funciona? ¿Qué pasa si no tienes suficiente tiempo para atenderlo? Dado que esta es su etapa experimental, es probable que cometa varios errores, lo que resultará en una gran pérdida de tiempo, esfuerzos y recursos. En su lugar, dirija su atención a uno o dos proyectos en cantidades más pequeñas. Una vez que estos sean exitosos, puede pasar a proyectos y cantidades más grandes.

Si bien está comenzando con algo pequeño y administrando solo uno o dos proyectos a la vez, no olvide dejar espacio para expandirse en el futuro. Aunque solo necesitará un pequeño espacio, para empezar, debe comprender las posibilidades de expansión una vez que la fase inicial sea exitosa. Este espacio adicional también le dará espacio para corregir sus errores. Seguirás aprendiendo sobre la marcha y los errores son inevitables. Debe aprender de sus errores y utilizar el espacio para mejorar sus decisiones. A veces, las cosas no saldrán como esperaba, que es cuando este espacio para el error y el espacio adicional vendrán a su rescate. Los problemas, como la tierra de mala calidad y las tuzas trepando y destruyendo sus productos, están completamente fuera de su control. Además, ¿qué pasa si se despierta un buen día y desea cambiar el diseño o la planificación de su casa en el patio trasero? Entonces, prepárate para lo peor.

Al hacer ajustes a lo largo del camino, está simplificando las cosas. Es una mejor idea dar un paso a la vez en lugar de ir con todo de una vez.

Para hacerlo aún más simple, elija un compañero de hogar o un compañero de trabajo que pueda apoyarlo en el camino. La mejor persona para participar en este proyecto de vivienda en el patio trasero es su cónyuge o compañero de cuarto, ya que siempre están presentes. Cualquier miembro de la familia puede ser un gran socio familiar, ya que necesita la atención y el cuidado constantes de alguien. Además, compartir responsabilidades puede quitarle una carga significativa de los hombros, ya que sus funciones se dividen por igual. Te ayudan a mantenerte motivado incluso cuando no te apetece 'ocupar una casa' en un día en particular.

En los siguientes capítulos, veremos algunos productos no convencionales que se pueden hacer en el patio trasero de su granja, que son pan, queso, agua potable y té. Cultivar verduras y frutas es fácil, y debe tener una idea bastante clara de cómo puede hacerlo. Sin embargo, no muchos saben que también puede fabricar otros productos con su granja, que es de lo que tratan los siguientes capítulos.

Capítulo 3

Haga su Propio Pan

Una vez que tenga lista su casa en el patio trasero, estará listo para comenzar a hacer sus productos. Empecemos por el pan. El pan es el alimento básico de todas las granjas porque es delicioso, fácil de preparar y versátil.

Una hogaza de pan fresco y humeante es uno de los tipos de productos más fáciles y gratificantes que se pueden obtener en una granja en el patio trasero. Ya no tiene que correr a la panadería por la mañana y hacer cola para comprar pan fresco. Puede hacerlo a través de un proceso muy simple, que discutiremos en este capítulo. Una vez que domine el arte de hacer pan, también puede venderlos en lotes frescos para ganar dinero.

Configuración básica

Para hacer pan casero, necesita una configuración básica de una despensa o una plataforma de cocina. Si planea hacerlo en lotes grandes, necesita acceso a un área más grande. Asegúrese de que esté cerca del área de conservación o almacenamiento para mayor comodidad y fácil movimiento.

Herramientas y equipo

Ahora, el pan se puede hacer de dos maneras: amasando con las manos o usando una batidora de masa eléctrica. Ya que estamos hablando de vivir fuera de la red, aprendamos la mejor y más básica forma de hacer pan fresco, que es a mano (porque ahorra energía).

Para hacer pan fresco, necesitará estas herramientas:

- Un tazón grande
- Tazas y cucharas de medir
- Un paño de cocina limpio
- Una cuchara grande para mezclar
- Horno y fuente de horno honda
- Papel de aluminio
- Un plato de servir grande
- Una rejilla de enfriamiento
- Un cuchillo de cortar afilado

Ingredientes

- 3 tazas de harina (para todo uso o integral)

- 1/2 cucharadita de levadura seca activa

- 1 cucharadita de sal

- 1 1/2 tazas de agua tibia

- Mantequilla o aceite (opcional)

Estos ingredientes harán una barra de pan grande que servirá alrededor de 10 a 12 personas. Puede duplicar o triplicar los ingredientes para hacer lotes más grandes y venderlos. El tiempo de preparación de una barra de pan es de unas 2 horas y la preparación previa es de unas 24 a 25 horas.

Proceso

1. Tome un tazón grande para mezclar y agregue todos los ingredientes secos.

2. Agregue un poco de agua y mezcle bien. Agrega el agua poco a poco para evitar que se formen grumos o que quede demasiado pegajoso.

3. Una vez que todos los ingredientes estén bien mezclados, amase con las manos hasta formar una masa redonda y suave.

4. Presione sus dedos en la masa; si la masa rebota y no se pega a los dedos, se amasa.

5. Cubra el recipiente con un paño de cocina limpio y déjelo de 8 a 24 horas. Cuanto más tiempo lo dejes subir, mejores resultados obtendrás. Para obtener los mejores resultados, déjelo durante unas 24 horas. Para esto, necesitará planificación y acción con anticipación.

6. Después de 24 horas, retire el paño. Notarás que la masa ha subido y ahora tiene el doble de tamaño con pequeñas burbujas formadas en su superficie. Se sentirá más suave y esponjoso.

7. Extienda un poco de harina sobre una superficie plana y limpia (la plataforma de su cocina es ideal para esto) y coloque su masa encima. Ponga un poco de harina en sus manos y extiéndalo uniformemente.

8. Levantar la masa y formar una bola. Amasarlo nuevamente para formar una textura uniforme. Una vez que la masa esté en forma de bola, déjala reposar nuevamente por 30 minutos.

9. Mientras tanto, precaliente el horno a 450 F. Engrase la fuente para hornear con mantequilla o aceite. Pasados los 30 minutos, coloca la masa reposada en la fuente para hornear. Cubre la parte superior con papel de aluminio y colócalo en el horno durante 30 minutos.

10. Retire el papel de aluminio con cuidado después de 30 minutos y déjelo hornear durante otros 10 a 15 minutos.

11. Sáquelo del horno y colóquelo en una rejilla para enfriar. Deje enfriar durante 10 a 20 minutos.

12. Cortar la hogaza de pan fresca y tibia con un cuchillo de rebanar afilado y servir con mantequilla o aceite.

Preste máxima atención al proceso de amasado, ya que es la etapa crucial en la que se desarrolla el gluten en su pan. Para amasarlo correctamente, utilice la base de las manos para empujar la masa con la máxima fuerza. Coge la masa, dóblala y repite el proceso. Dóblalo una vez, amásalo y luego jálalo hacia adelante para que quede más suave y esponjoso. Siga girando la masa para ejercer la misma presión y distribuirla uniformemente. Repítelo unas cuantas veces. Continúe el proceso durante unos 12 a 15 minutos antes de dejar que suba. Amasando tu masa correctamente, lograrás un pan esponjoso y suave.

Si no prefiere amasar con las manos o le falta práctica, también puede utilizar una batidora eléctrica. Un tipo de batidora Kitchen Aid es lo más conveniente en este caso. Todo lo que necesita hacer es agregar todos los ingredientes en la batidora y dejar que amase por usted; esto es particularmente útil cuando necesita preparar grandes lotes de pan para vender. Saca la masa de la batidora y amásala con las manos para darle ese toque y fuerza extra. Con batidoras y electrodomésticos de alta potencia, como Bosch, puede poner todos los ingredientes, mantener el ajuste en 1 o 2 y dejar que se amase de 7 a 10 minutos. Retirar la masa de la batidora, dividir según la cantidad de panes que desee y hornear. No tiene que preocuparse de que la masa suba con mezcladores de tan alta potencia, ya que estos permiten que entre aire adicional mientras se realiza el proceso de amasado. Reduce el tiempo de reposo y obtienes un pan suave y esponjoso al final de cada sesión de horneado.

Preguntas Básicas

Hacer pan es un oficio que requiere mucho tiempo y práctica. Implica ciertos pasos científicos que están más allá de nuestra comprensión. Sin embargo, para dominar la habilidad, debe conocer los conceptos básicos sobre estas complejidades. Esta sección se centra en resolver todas las cuestiones básicas y complejas que puedan surgir durante la elaboración del pan.

1. ¿Cuál es la diferencia entre la levadura seca instantánea y activa?

Esta es una de las preguntas más confusas para un principiante, pero en realidad es muy simple. La levadura es un ingrediente activo en la mayoría de los productos de panadería que le dan una textura aireada al pan y lo hace más suave. La levadura es un cultivo, que está inactivo y cobra vida cuando se prueba o se agrega a agua tibia (levadura seca activa). Cuando se agrega a la masa, reacciona con los ingredientes y deja entrar más aire, lo que da como resultado un pan más suave y esponjoso.

La levadura instantánea, como su nombre indica, se puede agregar directamente a su receta, mientras que la levadura seca debe activarse de antemano. Se hace agregándolo a azúcar y agua tibia. La levadura seca activa se alimenta del azúcar para activar. Generalmente, se prefiere la levadura instantánea a la levadura seca activa, ya que es más fácil de usar y no requiere tiempo. Es una versión más fina de levadura seca activa, ya que se disuelve fácilmente y se activa en poco tiempo. También puede encontrarlo con el nombre de levadura de aumento rápido o de aumento rápido. Estos son tipos de levadura instantánea que se muelen en partículas aún más pequeñas para que se disuelvan fácilmente. Estas levaduras también tienen aditivos y enzimas para agilizar el proceso de fermentación.

La levadura de crecimiento rápido es perfecta para proyectos de horneado rápido que deben realizarse en un día y aún así obtener resultados perfectos. Al usar este tipo de levadura, puede omitir la etapa inicial de aumento y pasar al paso de dar forma a la masa.

Por otro lado, la levadura seca activa tiene partículas más grandes y debe activarse en las etapas iniciales de horneado. Por lo general, se vende en paquetes separados y generalmente se encuentra en todas las tiendas de comestibles. También puede encontrar esto en pequeños frascos de vidrio, que, cuando se abren y se usan una vez, deben refrigerarse para mantener activa la levadura.

2. ¿Qué tipo de levadura es preferible para usted?

Depende del tipo de pan que estés horneando. También depende de la cantidad de tiempo que tenga para hornear una cierta cantidad en un lote. Por lo tanto, en última instancia, depende de su situación y las circunstancias de la cocción. Además, cada tipo de levadura produce un efecto diferente en diversos productos horneados, lo que hace que sea aún más difícil encontrar una respuesta definitiva. Intente usar todos los tipos de levadura que pueda conseguir y experimente con diferentes recetas. Compare los resultados y obtenga un tipo específico de levadura que funcione mejor para usted. Al hacer esto, también se familiarizará con el tipo que producirá mejores resultados. Familiarízate con un tipo de levadura que es versátil y fácilmente disponible y úsala en todos tus proyectos de horneado. A menos que alguna receta le sugiera una alternativa, quédese con una levadura. Incluso si no puede encontrar su levadura específica, no se preocupe; Siempre que pueda encontrar cualquier marca de levadura, está listo para comenzar.

La mejor parte de las levaduras es que son intercambiables. Si está acostumbrado a trabajar con levadura instantánea pero no puede encontrar una, puede cambiar fácilmente a la levadura seca activa (siempre que siga el procedimiento). Además, si una receta te pide que uses algún otro tipo, sé flexible y adáptate al cambio ya que producirá mejores resultados.

3. ¿Cómo sube el pan?

Una vez que decidas hacer tu propio pan, también debes conocer los procedimientos científicos y metódicos que están involucrados en el proceso. Uno de los más importantes es el aumento del pan debido a la adición de levadura. Si lo piensa, conocer la razón y la ciencia detrás de la fermentación y el propósito de la levadura no es tan importante. Sin embargo, al conocer los hechos, se está acercando al hecho y se permite acercarse al oficio. Por eso hablaremos del papel de la levadura en la panificación.

Como saben, la levadura es el ingrediente principal que se utiliza para leudar. Es un microorganismo unicelular y existe en alrededor de 1500 tipos de especies de hongos. De estos, usamos solo uno para hornear, que es Saccharomyces cerevisiae (se refiere al tipo de hongo que come azúcar). Este tipo, que es nuestra levadura para hornear, está disponible en diferentes formas, que en su mayoría varían en función de su contenido de humedad. Ya conocemos la levadura seca instantánea y activa (que se usa comúnmente para hacer pan), pero existe un tercer tipo, que es la levadura para pasteles. Como adivinó, la levadura para pasteles se usa para hornear pasteles y se comprime para eliminar el exceso de humedad; esto nos permite formar bloques de levadura para pasteles. Funciona de maravilla al hornear, pero puede estropearse en dos semanas. También realza el sabor de los productos horneados.

Cómo funciona la levadura: cuando preparas la masa amasándola, múltiples burbujas de aire quedan atrapadas dentro de la masa y se extienden por toda su composición interna. La levadura activada se mezcla con el azúcar y el almidón presentes en la harina de masa y los convierte en dióxido de carbono y alcohol. Esta liberación de dióxido de carbono se mezcla con las burbujas de aire ya establecidas y las infla, provocando que el pan se levante. La actividad de la levadura se multiplicará hasta que haya suficientes carbohidratos y aire para alimentarse. Solo se reducirá cuando se exponga al calor del horno, por lo que se recomienda mantener la masa en aumento durante el mayor tiempo posible.

Otro fenómeno interesante que ocurre durante el levantamiento es el crecimiento de bacterias. Es similar al fenómeno del crecimiento de bacterias productoras de ácido láctico en el yogur. Esta bacteria adicional en el pan le da un sabor extra y delicioso.

Ahora, muchas personas suponen que el aumento se produce solo después de que la masa se amasa y se deja reposar. Sin embargo, se desarrolla en dos etapas. La primera es antes de darle forma a la hogaza y amasar la masa, y la segunda es cuando dejas que suba. En la primera etapa, la fermentación produce calor, que queda atrapado en la parte central de la masa. Durante este proceso, la levadura se multiplica y produce gas alcohol y dióxido de carbono, que eventualmente infla las burbujas de aire. En este punto, la levadura activada forma grupos. El proceso continúa en la segunda etapa durante el ascenso, donde la levadura se alimenta de la comida y el aire que aún está presente en la masa. Continuará hasta que coloques la masa en el horno.

Si es flexible con el tiempo y puede dar más de 12 horas para que la masa suba, necesitará menos levadura. A medida que aumenta el tiempo de reposo, menos levadura necesitará. Sin embargo, asegúrese de seguir la receta. Si una receta le pide que agregue 2 cucharaditas de levadura y recomienda solo de 2 a 3 horas de aumento, siga las instrucciones para obtener los mejores resultados. También puede ajustar las medidas según su horario y preferencia. Por ejemplo, si va a salir por un día, reduzca la cantidad de levadura en ½ o 1 cucharadita y déjela reposar durante un día. Déjelo en el refrigerador para completar el proceso de horneado cuando regrese.

Si dejas que la masa se eleve por más de 3 a 4 horas, debes colocarla en el refrigerador para una mejor fermentación. Al hacer esto, está permitiendo que la levadura se alimente en un ambiente deseable sin liberar su sabor terroso. En otras palabras, la fermentación en un lugar fresco desencadena la liberación de sabores más complejos que equilibran o cortan el sabor terroso de la levadura.

4. ¿Qué se puede hacer si su receta de pan rápido no funciona?

Puedes convertirlo en muffins. Cualquier masa de pan rápido se puede convertir en muffins con los mismos ingredientes y medidas. Solo asegúrate de tener la bandeja para hornear adecuada. En caso de que no tenga uno, use el molde para hornear pan para convertir la masa en un pastel. Agrega más leche o yogur para licuar su consistencia, lo suficiente para hacer un pastel húmedo. Use cualquier glaseado simple, como vainilla para cubrir o sirva tal cual. Si el pan está demasiado duro y seco, muélelo en un procesador para formar migas de pan que se pueden utilizar en otras recetas.

5. ¿Qué tipos de moldes para pan son los mejores?

Los mejores tipos están hechos de vidrio, cerámica o hierro fundido, ya que son duraderos y fáciles de usar. Estos permiten que el calor se distribuya uniformemente, lo que da como resultado una cocción uniforme. Además, es más fácil sacar el pan de este tipo de cacerolas. Algunas personas, especialmente los principiantes, optan por los antiadherentes, ya que parecen más fáciles de soltar. Sin embargo, las sartenes antiadherentes no distribuyen el calor de manera uniforme, lo que da como resultado una cocción desigual.

6. ¿Cuál es la diferencia entre el amasado insuficiente y el amasado excesivo?

Como ya sabrá, amasar es un paso crucial en la elaboración del pan. El amasado por encima o por debajo puede hacer que el pan se parta o se seque por completo. El amasado debe ser 'perfecto'. La clave para un amasado adecuado es saber cuándo detenerse. Se permite un poco de amasado por encima o por debajo, ya que aún resultará en una barra de pan esponjosa y perfecta. Sin embargo, hacerlo demasiado o muy poco arruinará todos sus esfuerzos, tiempo y recursos.

Bajo amasado. El amasado inferior es cuando la masa se rompe, se rasga o está flácida. No tiene una textura uniforme y parecerá bastante suelto. Para solucionarlo, sigue amasando hasta conseguir la consistencia perfecta, sencillo. Para determinar si la masa aún está poco amasada, intente darle forma de pan. Si cae o no mantiene su forma, aún no está hecho. Si has amasado la masa y la dejas reposar durante unas horas, aún no mantendrá su forma si no se amasa. Esto se debe a que el gluten que está formando la masa no tendrá suficiente elasticidad para conservar la forma. Para disolver bajo amasado después de que la masa haya subido, dale forma de bola y déjala reposar de 15 a 20 minutos. Repite el proceso hasta que mantenga la forma. También puede separar la masa en bolas separadas para que sea más rápido y fácil. Una vez que todas las piezas separadas mantengan su forma, júntelas y déle forma de pan.

Asegúrese de amasar la masa correctamente, ya que el amasado bajo puede hacer que el pan resultante quede plano incluso después de fijarlo. La textura será más densa y será difícil cortar el pan sin romperlo. Sin embargo, se conservará el sabor. Si no sale como desea, puede utilizar este pan para otras recetas como tostadas francesas o budín de pan.

Sobre amasar . El sobre amasado suele ocurrir cuando se usa una batidora para mezclar y amasar la masa. Es imposible amasar demasiado la masa cuando se amasa con las manos, ya que se necesita mucha energía para hacerlo. Sin embargo, debe tener cuidado ya que es difícil de arreglar, especialmente cuando se usa un electrodoméstico. Presta atención a la batidora eléctrica, ya que no se necesita mucho tiempo para amasar la masa. Deténgalo cada 2 minutos para revisar la masa y tóquelo para determinar la textura; esto es particularmente necesario cuando está probando una nueva receta o es nuevo en la repostería. Si su masa está demasiado amasada, obtendrá una barra de pan que es densa y seca por dentro y dura por fuera.

Si está amasando la masa con las manos, deténgase cuando sienta que se está volviendo densa. La masa demasiado amasada es densa y dura. Además, es difícil de doblar y aplanar. El gluten que se forma durante el proceso de amasado se endurecerá, lo que dificultará el estiramiento. Debido a esto, no puede doblar la masa para amasarla más y eventualmente resultará en un desgarro de la masa. Si bien es difícil de arreglar sobre la masa amasada, aún puede intentar dejarla reposar durante más tiempo del previsto inicialmente. Aunque el gluten sobrecargado es irreversible, puede dejar que la masa se relaje un poco para que conserve la forma. Cortar la hogaza dará como resultado resultados desmenuzables. Si la masa está demasiado amasada, puede usar el pan como pan rallado.

Una vez que comprenda la diferencia y sea capaz de distinguir entre el amasado por encima y por debajo, obtendrá una hermosa barra de pan después de cada sesión de horneado. Simplemente observe y practique todo lo que pueda.

Para lograr un amasado perfecto, puede aprender la prueba del cristal de la ventana, que es una técnica de panadería eficaz para asegurarse de que la masa esté correctamente amasada. Evitará el amasado excesivo o insuficiente del pan. Antes de realizar la prueba del cristal de la ventana, siga su instinto para determinar si su masa ha alcanzado la consistencia adecuada utilizando los consejos mencionados anteriormente.

A continuación, para comprobar su masa mediante la prueba del cristal de la ventana, corte un trozo pequeño, del tamaño de una pelota de golf, de la masa amasada. Colócalo entre tu pulgar y dos dedos. Mientras la bola de masa aún está en su lugar, estire los dedos y el pulgar para que la bola de masa también se estire con ella. Esta masa estirada tomará la forma de una membrana translúcida que se asemeja a un cristal de ventana. Mientras se estira la masa entre los dedos, compruebe si se está rompiendo o no. Si se rompe o se rasga, su masa no está bien amasada. Amasarlo de nuevo y comprobarlo nuevamente con la prueba del cristal. Si se estira y forma una membrana translúcida, vuelva a colocarlo en el lote de masa principal y déle forma para que tenga una textura uniforme. Deja que suba.

7. ¿Cómo puede hacer que su levadura dure mucho tiempo?

Si se deja por un período prolongado, su levadura caducará. Imagínese comenzar a trabajar en un gran proyecto de horneado solo para descubrir que su levadura ha expirado. Decepcionante, ¿verdad? La forma más fácil de sobrellevar estas pruebas es congelar la levadura. Al congelarse, su levadura permanecerá activa incluso después de su fecha de vencimiento; esto se debe a que la congelación pone en suspensión las células vivas de la levadura en lugar de dañarlas. Para aumentar su efecto, guarde la levadura en un recipiente seco y hermético para evitar la entrada de oxígeno y humedad. Un frasco de conservas o un frasco de vidrio hermético normal funcionarán. Para usarlo, sácalo del congelador y colócalo en agua, instantáneamente volverá a la vida.

Para comprobar si la levadura funciona perfectamente, colóquela en agua tibia con azúcar. Si ve que se forman burbujas en unos minutos, puede utilizarlo. Esta prueba evitará que eche a perder los demás ingredientes.

8. ¿Cuáles son algunos consejos útiles para trabajar con levadura?

Usar levadura puede ser complicado para los principiantes. Es uno de los pasos más cruciales en la elaboración del pan, ya que determina la textura y densidad del pan horneado. Como sabemos, los dos tipos más comunes de levadura son: la levadura seca instantánea y la levadura seca activa. Hay otras variedades comerciales de levadura que se utilizan para fines más allá de la repostería, como la elaboración de cerveza, la fermentación de vinagre y salsa de soja y la elaboración de vino. Sin embargo, estos provienen de cepas seleccionadas de la misma levadura que se utilizan para hornear productos.

Idealmente, primero debe probar la levadura antes de preparar su lote de pan. Determinará si la levadura está funcionando o no y evitará que deseche todo el lote. Para ello, se recomienda utilizar levadura seca activa. Aunque implica un paso adicional al comienzo del proceso de horneado, ayudará a determinar si los resultados serán los esperados. Además, la levadura apenas tarda unos minutos y algo de esfuerzo en activarse. Como se explicó anteriormente, todo lo que tienes que hacer es agregarlo en agua tibia y un poco de azúcar. Si comienza a burbujear en unos minutos, funcionará perfectamente. Este es el primer paso para garantizar que la levadura funcione y que el pan salga esponjoso y suave.

En segundo lugar, también puedes comprobar la temperatura de tu espacio de trabajo o cocina para asegurar el correcto funcionamiento de la levadura. Su levadura funcionará mejor cuando se coloque en una habitación con una temperatura entre 70 y 80 F. Si siente que la habitación está más fría o más caliente que eso, mueva la mezcla de levadura a un espacio adecuado que tenga la temperatura adecuada para que funcione. Durante el invierno, puede colocar el tazón de masa sobre un calentador con algunas toallas suaves debajo para un lecho efectivo. Siga revisando el tazón de masa durante el verano, ya que puede subir rápidamente.

Otra cosa a considerar es la cantidad de ingredientes que usa en una receta de pan. Por ejemplo, si está usando azúcar, huevos, mantequilla y leche a la vez, puede aumentar el tiempo de subida. No tiene que preocuparse por la fecha de vencimiento de la levadura. Los ingredientes adicionales solo ralentizan el proceso de la levadura. Cuando use tales recetas, debe darle más tiempo para que se levante.

Con la práctica, aprenderá a manipular la levadura cómodamente y a extraer los mejores resultados. Asegúrese de revolver, golpear y amasar la masa de pan de manera adecuada para liberar el alcohol y otras acumulaciones tóxicas que le dan al pan un mal olor y mal sabor. Al amasarlo correctamente, igualará los puntos calientes y fríos de temperatura dentro de la masa, lo que permitirá que suba y hornee de manera uniforme.

Nota importante: antes de trabajar con levadura, asegúrese de que no esté muerta, ya que podría resultar en un pan plano y sin sabor.

Para determinar si la levadura está viva o no, abra un paquete y huela. Debe tener un olor terroso típico. Para confirmar su estado, colóquelo en agua tibia y mezcle el azúcar. Si no burbujea en 10 minutos, no debe usarlo. Asegúrese de que la temperatura también sea precisa. Si está por debajo de 70 F o por encima de 130 F, la levadura no se activará. No deje que la temperatura suba por encima de los 138 F ya que matará la levadura.

También preste atención a la cantidad de sal, ya que puede afectar su supervivencia. Si agrega sal a la mezcla en la etapa inicial, es decir, antes de que la levadura tenga la oportunidad de multiplicarse, no mostrará su verdadero efecto debido a la deshidratación. La levadura necesita agua para prosperar en un medio ambiente y mejorar su rendimiento.

9. ¿Se necesita una atención especial para dar forma a una barra de pan?

Mucha gente subestima la importancia de dar forma al pan. O tiran el pan en la bandeja del horno sin darle forma o no ponen mucho esfuerzo en darle forma a la masa. Dar forma a la masa es crucial, ya que ayuda a hornear de manera uniforme y le da un atractivo estético.

Esta es la forma más básica y eficaz de dar forma a una barra de pan para sándwich:

- Forme una esfera con la masa con movimientos suaves. Luego, aplana la esfera en un rectángulo empujando suavemente la masa con la palma de tus manos. Use masa extra en la superficie de la mesa o en sus manos para evitar que la masa se pegue. No uses demasiado ya que perderá su forma.

- Una vez que haya formado un rectángulo aproximado, imagine dividirlo en tres partes horizontales. Dobla el tercio inferior sobre sí mismo, como doblar una letra.

- A continuación, doble la parte superior de la masa hacia la parte inferior para superponerla. Por último, dóblalo de nuevo por la mitad.

- La parte donde la capa superior se encuentra con la capa inferior debe cerrarse pellizcándola con los dedos. Repite lo mismo con los lados.

- Una vez que la hogaza esté formada y lista, inviértala en la bandeja para hornear de modo que las costuras queden hacia abajo. Déjalo hornear.

10. ¿Cómo se puede determinar si el pan está horneado o no?

Si bien la forma más fácil de saber que el pan está horneado es mirando su color, generalmente se hornea cuando ve un bonito color marrón dorado sobre su corteza. Sin embargo, a veces puede resultar engañoso. Entonces, para determinar si el pan está horneado o no, usaremos tres técnicas para una verificación completa.

Visual. Como se mencionó, el color de cualquier pan horneado es una indicación importante de su etapa de horneado. Un color marrón dorado profundo con manchas oscuras al azar es un tono ideal para pan horneado. Al mismo tiempo, la corteza suele ser firme y seca. No saque el pan del horno si la parte superior aún se ve pálida. Si está utilizando una receta, se le indicará el color ideal de cada tipo de pan. Si no es así, siga practicando para aprender a distinguir visualmente el pan horneado. Con experiencia, podrá saber si el pan está horneado o no con solo mirarlo. Hasta entonces, utilice también los otros dos criterios.

Usando un termómetro. Otra forma de determinar el resultado es verificando la temperatura interna del pan que está horneando. Coloca un termómetro en el centro de la barra de pan. Si la temperatura es de alrededor de 190 F, es hora de sacarlo del horno, ya que generalmente está bien horneado en esta marca. Las hogazas de pan con ingredientes adicionales como leche, huevos o mantequilla generalmente se hornean a 200 F.

Comprobando la parte inferior . Esta es otra forma sencilla de determinar el estado cocido del pan. Cuando creas que está horneado, saca el pan del horno y colócalo boca abajo. Use su pulgar para golpear la masa con un golpe rápido (como si golpeara la superficie de un tambor). Si escucha un sonido hueco, su pan está horneado. Necesitará algo de práctica con esta técnica, ya que puede ser un poco difícil de dominar. Golpee el fondo del pan al menos de tres a cinco veces después de cada sesión de horneado para determinar si está horneado o no.

Una vez que practique estas técnicas, obtendrá más experiencia para determinar el resultado de forma intuitiva. Practica más para aprender más rápido. Si todavía tiene alguna duda, déjelo un poco más en el horno: cocinar demasiado es mejor que cocinar menos. Aún así, una corteza seca será mejor que tener un pan poco cocido . Sin embargo, en lugar de dejarlo en el horno por 5 minutos más, no cometa el error de dejarlo por más de 15 a 20 minutos ya que podría quemar el fondo.

Si siente que nada funciona y aún enfrenta continuamente el problema del pan poco cocido o demasiado cocido, asegúrese de que su horno esté funcionando correctamente. A veces, los hornos no funcionan a la temperatura que se muestra, lo que podría afectar drásticamente los resultados de horneado. Coloque un termómetro adentro para determinar si el horno está funcionando a la temperatura adecuada o no. Si bien un pequeño cambio en la temperatura no afectará los resultados, debe revisar su horno si hay una diferencia de más de 50 grados.

Conseguirás una barra de pan bonita y bien horneada después de cada sesión de cocción si prestas atención a estos consejos. Con tiempo y práctica, descubrirás la técnica particular que funciona bien contigo.

Tipos

El proceso que aprendió anteriormente es el pan básico. Vamos a llevarlo a un nivel superior. Con una granja en el patio trasero, también puede hacer una variedad de pan como pan focaccia, pan integral sin amasar, pan dulce y salado, etc. En esta sección, veremos tres tipos de pan para comenzar. tu viaje de panificación y convertirte en un maestro. Estos son fáciles de hacer, fáciles de vender e increíblemente deliciosos. Vamos a ver.

Pan Focaccia

Prueba esta increíble receta de pan italiano que le da un giro al pan tradicional. También puede agregar pesto o disfrutar de pan focaccia simple como acompañamiento. O puede omitir el pesto y usar otro relleno de su elección. El pan focaccia es un artículo de panadería típico italiano que generalmente se consume con una comida sabrosa. Es una gran adición a su plato y va bien con el queso que aprenderá a preparar en el próximo capítulo.

Para hacer esto, necesitará alrededor de 40 minutos de tiempo de preparación y 30 minutos de tiempo de cocción.

Equipo:

- Un tazón grande para mezclar

- Tazas y cucharas de medir

- Un paño de cocina limpio

- Una cuchara grande para mezclar

- Horno y una lata poco profunda de 25 cm X 35 cm

- Papel pergamino o bandeja para hornear

- Un plato de servir grande

- Una rejilla de enfriamiento

- Un cuchillo de cortar afilado

Ingredientes:

Las medidas proporcionadas aquí servirán alrededor de 10 a 12 personas.

Necesitará -

- 20 onzas de harina para todo uso o para pan (más un poco más para espolvorear)

- 2 cucharaditas de sal

- 1 1/2 tazas de agua tibia

- 0.25 onzas de levadura instantánea o de acción rápida seca

- 5 cucharadas. de aceite de oliva (más un poco más para engrasar el molde)

- 1 cucharadita de sal marina (es preferible la hojaldre)

- ½ cucharadita de romero o ¼ manojo de romero picado

Instrucciones :

1. Tome un tazón grande para mezclar y agregue toda la harina. Agregue levadura a un lado de la harina y sal por el otro lado. Esta separación inicial evita que la sal mate la levadura.

2. Agregue un poco de agua y mezcle bien. Añádelo poco a poco para evitar que se formen grumos o que quede demasiado pegajoso. Para suavizar el proceso, haga un pequeño hueco en el medio de los ingredientes secos antes de agregar el agua.

3. A continuación, agregue 2 cucharadas de aceite y mezcle bien. Deje de agregar agua cuando sienta que la masa se está poniendo pegajosa. No necesita usar toda el agua.

4. Una vez que todos los ingredientes estén bien mezclados, amase con las manos hasta formar una masa redonda y suave. Presione sus dedos en la masa; si la masa rebota y no se pega a los dedos, se amasa. Utilice el mismo procedimiento de amasado mencionado anteriormente.

5. Cubra el recipiente con un paño de cocina limpio y déjelo de 8 a 24 horas. Como sabemos, cuanto más tiempo dejes reposar tu masa, más blanda quedará. Si desea que el proceso sea más rápido, déjelo durante aproximadamente 2 horas antes de hornearlo.

6. Tome la lata poco profunda y engrase. Extienda un poco de harina por encima. Coloque la masa en el molde y extiéndala uniformemente. Cúbralo con el paño de cocina y déjelo reposar durante otros 35 a 40 minutos para que se asiente.

7. Mientras tanto, precaliente el horno a 450 F. Retire la toalla después de 35 a 40 minutos y presione la masa con los dedos para formar leves hoyuelos en la superficie. Empuje el romero dentro de estos pequeños agujeros para que queden al ras con la superficie.

8. En un tazón pequeño aparte, agregue 1 cucharada de agua, 1 ½ cucharada de aceite de oliva y una pizca de sal marina en escamas. Mezclar uniformemente y esparcirlo sobre la superficie del pan.

9. Colóquelo en el horno y déjelo hornear durante 20 minutos. Debería volverse dorado para este momento. Saque el pan del

horno y colóquelo en una rejilla para enfriar. Rocíe 1 cucharada de aceite de oliva en la superficie del pan mientras aún está caliente. Deje que se enfríe hasta que alcance la temperatura ambiente.

10. Corte la hogaza de pan fresca y tibia en cuadritos pequeños con un cuchillo de rebanar afilado y sirva.

Puedes servir este pan con pesto o simple. Para agregar más sabor , agregue aceitunas y cebollas en la masa antes de hornear. Proporcionará una textura diferente y será una combinación de sabores interesante. El pan focaccia de romero es el tipo más común de pan focaccia italiano. También puedes servirlo con ensaladas.

Pan de Miel y Hierbas

Esta es otra combinación de sabores interesante que funciona mejor en pan. La miel y las hierbas son como una combinación hecha en el cielo, y con una receta de pan, estos dos se destacan por completo. La combinación de sabores dulces y salados funciona bien con cualquier comida y definitivamente complacerá a sus invitados o clientes. La mejor parte es que puedes cosechar miel y hierbas para esta receta en tu casa de campo. Si planeas vender tu pan casero, este seguramente será un éxito. Aprendamos cómo hacerlo.

Equipo:

- Un tazón grande para mezclar

- Tazas y cucharas de medir

- Un paño de cocina limpio

- Una cuchara grande para mezclar

- Horno y una lata poco profunda de 25 cm X 35 cm

- Papel pergamino o bandeja para hornear

- Un plato de servir grande

- Una rejilla de enfriamiento

- Un cuchillo de cortar afilado

Ingredientes:

Las medidas proporcionadas aquí servirán alrededor de 10 a 12 personas.

Necesitará -

- 1 ½ tazas de harina para todo uso o harina de pan (más un poco más para espolvorear)

- 1 ½ tazas de harina de trigo

- 1/2 cucharadita de sal

- 6 cucharadas de agua tibia

- ½ taza de agua normal

- ¼ de taza de miel (más un poco más para rociar encima)

- 2 pizcas de azúcar

- 1 cucharadita de levadura seca de acción rápida o instantánea o levadura seca activa

- 1 ½ cucharada de tomillo fresco

- 4 cucharadas de romero fresco, picado (también puede usar hierbas mixtas)

- Mantequilla (opcional)

Instrucciones :

1. Si está usando levadura seca activa: tome un tazón pequeño y agregue levadura, azúcar y agua tibia. Revuelva bien y déjelo reposar durante unos 10 minutos hasta que esté espumoso.

2. Tome un tazón grande para mezclar y agregue la harina para todo uso, el agua de levadura preparada, la sal y el agua. Mézclalo bien. Agregue el romero y el tomillo y vuelva a mezclar hasta que esté bien combinado.

3. Agregue un poco de agua y mezcle bien. Añádelo poco a poco para evitar que se formen grumos o que quede demasiado pegajoso. Para suavizar el proceso, haga un pequeño hueco en el medio de los ingredientes secos antes de agregar el agua.

4. Una vez que todos los ingredientes estén bien mezclados, amase con las manos hasta formar una masa redonda y suave. Presione sus dedos en la masa; si la masa rebota y no se pega a los dedos, se amasa. Utilice el mismo procedimiento de amasado mencionado anteriormente. Amasar hasta que la masa no se rompa ni se rompa al tirar.

5. Una vez que la masa esté bien amasada, es hora de probarla. Colóquelo en un tazón grande y cubra la parte superior con un paño de cocina húmedo durante 1 hora para probar. Asegúrese de que el recipiente se coloque en un lugar seco y cálido.

6. Mientras reposa la masa, prepare la bandeja de horno. Use una bandeja para hornear o papel pergamino para colocar sobre la bandeja y engrase con mantequilla. Después de que la masa haya

reposado durante 1 hora, amasar de nuevo con manos ligeras y darle forma de cúpula circular.

7. Vuelva a colocarlo en un lugar seco y cálido y cúbralo con un paño húmedo. Déjalo reposar por otros 30 minutos.

8. Mientras tanto , precaliente el horno a 350 F. Retire la toalla después de unos 30 minutos y presione la masa con los dedos para darle forma de cúpula circular. Luego, use un cuchillo afilado para dibujar un patrón entrecruzado en la parte superior de la masa (tres líneas en ángulo en una dirección y dos líneas en la dirección opuesta). La razón detrás de dibujar estas líneas es hacer pequeños comederos que puedan acomodar la miel sin que se derrame.

9. Rocíe la miel en los huecos y coloque la masa con la bandeja de horno en el horno.

10. Deje que se hornee durante unos 35 a 40 minutos. Debería volverse dorado para este momento. Saque el pan del horno y colóquelo en una rejilla para enfriar. Rocíe un poco de miel y aplique un poco de mantequilla en la superficie del pan mientras aún está caliente. Deje que se enfríe hasta que alcance la temperatura ambiente.

11. Cortar la hogaza de pan fresca y tibia con un cuchillo de cortar afilado y servir.

Puedes servir este pan con queso o simplemente simple. También sabe muy bien con un poco de limonada fría.

Pan de durazno y crema

Después de dos recetas saladas, aprendamos a hacer una dulce. Esta receta de pan de melocotón y crema es una delicia de postre y disfrutada tanto por adultos como por niños. Es una combinación de sabores simple que tiende a afectar a todo tipo de paladares y lo convierte en un plato decadente para después de las comidas. Además, esta es una receta de pan rápido que, como su nombre indica, se puede hornear en muy poco tiempo. Pruebe esta receta dulce y húmeda hoy.

Equipo:

- Un tazón grande para mezclar

- Tazas y cucharas de medir

- Un paño de cocina limpio

- Una cuchara grande para mezclar

- Horno y una lata poco profunda de 15 cm X 25 cm

- Papel pergamino o bandeja para hornear

- Un plato de servir grande

- Tejidos absorbentes

- Una rejilla de enfriamiento

- Un cuchillo de cortar afilado

Ingredientes:

Las medidas proporcionadas aquí servirán alrededor de 6 a 8 personas.

Necesitará -

- 2 tazas de harina para todo uso o harina de pan (más un poco más para espolvorear)

- 1 cucharadita de bicarbonato de sodio

- 1 cucharadita de sal

- 3 melocotones grandes

- 3 oz de queso crema

- ½ taza de yogur griego de vainilla (o yogur natural)

- 1 huevo grande

- 1 taza de azúcar

- 2 cucharaditas de extracto de vainilla

- Para el glaseado de vainilla:

- ½ taza de azúcar en polvo

- 1 cucharada de leche

- 1 cucharada de mantequilla derretida

- ¼ de cucharadita de extracto de vainilla

Instrucciones :

1. Tome un tazón grande para mezclar y agregue harina para todo uso, sal y bicarbonato de sodio. Mézclalo bien.

2. Cortar los duraznos en trozos pequeños y secarlos con un paño de cocina o un pañuelo de papel. Batir el huevo en otro bol pequeño.

3. Tome otro tazón más grande y agregue azúcar, huevo batido, extracto de vainilla y queso crema. Mézclalo bien.

4. Cuando la mezcla esté bien combinada, agregue el yogur y los duraznos picados. Agregue esta mezcla en el tazón de harina y vuelva a mezclar. No se requiere amasar en esta receta, ya que es una receta de pan rápido y queremos que esté húmedo.

5. Mientras tanto, precaliente el horno a 350 F. Prepare la bandeja para hornear. Use una bandeja para hornear o papel pergamino para colocar sobre la bandeja y engrase con mantequilla.

6. Vierta la mezcla de masa en la bandeja de horno y extiéndala uniformemente. Deje que se hornee durante unos 55 a 60 minutos.

7. Mientras tanto, prepare el glaseado de vainilla para la cobertura. Tome un recipiente limpio y agregue azúcar, mantequilla, leche y extracto de vainilla. Batir bien hasta que espese.

8. Retire el pan del horno y colóquelo en una rejilla para enfriar. Deje que se enfríe hasta que alcance la temperatura ambiente. Una vez que se haya enfriado por completo, rocíe el glaseado de vainilla sobre él.

9. Cortar la hogaza de pan fresco con un cuchillo de cortar afilado y servir.

Idealmente, este pan se puede servir a la hora del té o como postre. Si no eres fanático de los duraznos o quieres agregar algo de variedad a tu colección de pan, puedes reemplazarlo con otra fruta, como manzanas, coco o plátanos. Para cambiar la combinación, experimente con ingredientes adicionales como chispas de chocolate, queso, canela, etc.

Algunas combinaciones de sabores que funcionan bien juntas incluyen:

Manzana + canela

Plátano + chocolate amargo

Coco + piña

Maní + caramelo

Fresa + nata

Albaricoque + almendras

Estas son solo algunas ideas para motivarte. También puede crear una combinación de sabores personal experimentando y agregándola a su colección.

Preservación

Conservar el pan es muy importante, ya que podría desarrollar moho u hongos si se deja desatendido durante mucho tiempo.

Para usar en casa

La mejor forma de utilizar el pan en casa durante más tiempo es congelarlo. Puede preparar grandes lotes de pan en su día libre y congelarlos para usarlos hasta por 3 meses. Deje que el pan horneado se enfríe por completo y envuélvalo en una hoja de plástico. Envuélvelo nuevamente con papel de aluminio o coloca el pan envuelto en una bolsa para congelador. Ponlo en el congelador.

Para usarlo , sácalo del congelador al menos 12 horas antes y déjalo en la envoltura de plástico para que se descongele. Dentro de 10 a 12 horas, tendrá pan fresco, listo para ser usado nuevamente. Si el pan todavía está un poco duro debido a la congelación, rocíe un poco de agua limpia por encima hasta que se empape. Hornee por 10 minutos a temperatura media. Prepare glaseado fresco y rocíe encima o úselo con mantequilla derretida.

Para la venta de

No hace falta decir que su pan debe estar fresco cuando se coloque para la venta. La mayoría de los panes caducan después de un período de 4 a 7 días, por lo que debe venderlos lo más rápido posible. Cuanto antes los venda, mejor sabrán. Si cree que el pan está a punto de ponerse duro, envuélvalo y congélelo para su propio uso. No lo venda. Sus clientes merecen pan fresco, así que prepare lotes frescos cada 2 o 3 días; esto no solo le dará más clientes, sino que también aumentará su credibilidad.

Una vez que haya sacado del horno su pan al vapor y una hogaza de pan recién hecho, es hora de preparar algunos platos deliciosos con él. La forma más sencilla de utilizar su pan es servirlo como guarnición con pasta o cualquier plato principal. También puede untar mantequilla o mermelada y desayunar. Pero, ¿por qué tomar el camino simple cuando puedes hacerlo más interesante? Puede convertir su barra de pan recién hecho en recetas deliciosas, como un sándwich de focaccia de pesto y queso, una hamburguesa vegetariana, un budín de pan de plátano y chispas de chocolate, etc.

Dado que está construyendo una granja y planea vivir un estilo de vida autosuficiente, también podría vender sus productos, pan casero, queso y té. Para ello, puede invertir en una batidora de alta resistencia y una panificadora para que las cosas sean más fáciles y concisas para usted. Puede obtener fácilmente el retorno de la inversión en unos pocos meses. A estas alturas ya deberías haber aprendido todos los conceptos básicos y consejos para hacer tu pan. Ahora todo lo que necesitas es algo de práctica y dedicación. Si continúa practicando a diario, dominará el oficio en poco tiempo.

Capítulo 4

Haz tu Propio Queso

¿Quién no ama el queso? Imagina tener un taller de quesos donde elaboras y almacenas tu queso a diario. Suena intrigante, ¿no? Con su granja en el patio trasero, ya no tiene que visitar la tienda de quesos y evaluar las variedades de quesos. Al elaborar tu queso podrás disfrutar de diferentes tipos de queso según tu preferencia y estado de ánimo, y ahorrarás mucho dinero. Aunque requiera un poco de esfuerzo, es una actividad divertida que puede convertirse en tu pasatiempo o incluso en tu profesión. Sin olvidar la cantidad de dinero que puede ganar haciendo y vendiendo su queso. Ya sea un bloque de queso cheddar dorado o unas deliciosas bolas de mozzarella, ahora puede tener el queso de su elección en la comodidad de su patio trasero.

Además, podrás disfrutar de una gama de quesos gourmet perfectamente saludables y elaborados con los mejores ingredientes. Algunos tipos comerciales de queso suelen estar hechos de leche casi en mal estado o inyectada con hormonas, lo que puede ser perjudicial para la salud. Sin embargo, al hacer su queso, tiene total libertad para elegir sus ingredientes y hacer queso fresco cuando lo desee.

Configuración Básica

Dependiendo de los tipos y la cantidad de queso que desee hacer, necesitará un espacio de trabajo amplio que pueda equipar todos los pasos necesarios para hacer queso.

Hay cientos de variedades de quesos que provienen de diferentes partes del mundo. Si bien algunos necesitan mucho procesamiento y envejecimiento, otros tipos son más fáciles de producir y se pueden preparar en casa.

Para su configuración básica, necesitará un espacio de trabajo donde pueda realizar el proceso de elaboración del queso desde cero. Puede trabajar en su cocina o preparar una pequeña despensa en su patio trasero que sea accesible al área de almacenamiento. También debe tener suficiente espacio en la plataforma para colocar varios ingredientes a la vez y realizar procedimientos complicados como separar la cuajada y presionarla.

Además de la configuración básica de hervir la leche, separar la cuajada y presionar los bloques de queso, necesitará una bodega y una cueva de queso para almacenar y envejecer sus quesos, que se explica detalladamente en una de las próximas secciones de este capítulo.

Herramientas y equipo

Para hacer queso en su despensa o espacio de trabajo en la cocina, necesitará el siguiente equipo, para empezar:

- Una caldera doble

- Una estufa o quemador

- Un termómetro para alimentos

- Una gasa o un paño de muselina

Estas son algunas de las herramientas y equipos básicos necesarios para hacer queso sencillo en casa. Sin embargo, si planea preparar varios tipos de quesos y en lotes más grandes, también necesitará el siguiente equipo junto con los mencionados anteriormente:

Tazas y cucharas de medir . Use tazas y cucharas medidoras de vidrio o acero inoxidable, ya que no son corrosivas y son más fáciles de desinfectar. No use plástico ya que puede formar rayones, lo que dificulta su desinfección.

Termómetro . Dado que la cuajada se separa de la leche a una cierta temperatura, se puede observar con un termómetro con mayor precisión. Un termómetro para alimentos de buena calidad también será útil para hacer pan. Para obtener mejores resultados, invierta en un termómetro para lácteos. Para verificar su calibración, hierva agua y verifique la temperatura; debe leer 212 F. Si no es así, debe recalibrarlo.

Una olla de queso . Una olla para hervir leche estándar funcionará perfectamente bien. Sin embargo, al comprar uno, asegúrese de que esté hecho de un material no reactivo, como vidrio resistente al calor o acero inoxidable. No utilice teflón o aluminio, ya que pueden dar lugar a determinadas reacciones químicas que arruinarán el resultado. Comprueba también el tamaño de la maceta. Si planea hacer lotes más grandes, elija una olla que acomode grandes cantidades de leche y le permita remover y cortar la cuajada cómodamente.

Desnatador de leche . No hace falta decir que una espumadera de leche de buena calidad con poros es eficaz para remover la leche y separar la cuajada formada. Use una batidora de cuajada de acero inoxidable para una desinfección adecuada.

Moldes de queso . Los moldes para queso son la forma más fácil de darle forma al queso. Estos moldes tienen agujeros que drenan toda el agua extra de la cuajada. Los dos moldes de queso más básicos se fabrican con plástico de calidad alimentaria o acero inoxidable, ya que son más fáciles de manipular y desinfectar. No opte por los moldes de PVC, ya que pueden producir toxinas en su queso.

Colador . Utilice un colador grande que esté hecho de acero inoxidable o esmalte y lo suficientemente grande para colar grandes cantidades de cuajada de queso.

Cuchillo de cuajada . Aunque esta es una herramienta opcional, tener un cuchillo para cuajada definitivamente facilitará el proceso. Se usa un cuchillo de cuajada para raspar la cuajada de la olla sin dañar su textura o forma. También puede usar un cuchillo de cocina, pero debe tener mucho cuidado debido a sus bordes afilados. Elija un cuchillo de acero inoxidable que tenga una hoja larga para llegar al fondo de cualquier olla.

Bandeja de goteo . Esta es otra herramienta opcional pero útil que hace que el proceso de elaboración del queso sea más manejable y más limpio. Una bandeja de goteo de queso drena el exceso de suero del queso cuando se presiona debajo de un molde. Puede colocar la bandeja de goteo al lado del fregadero de la cocina para que el suero se drene directamente en el fregadero.

Olla de depilación y cepillo . El encerado es el proceso de recubrir un bloque de queso completo con cera para proteger su superficie durante el proceso de envejecimiento. Para ello, necesitará una olla para encerar y un cepillo para cubrir la superficie del queso con cera. Si bien se aconseja un baño maría para calentar la cera, puedes optar por una olla calefactora para calentarla con medidas de precaución directamente. Un cepillo de cerdas es la mejor opción para lograr una extensión uniforme. Asegúrate de que las cerdas sean naturales y no sintéticas para evitar que se derrita. Límpielo inmediatamente después de encerar su bloque de queso y guárdelo en una bolsa con cierre hermético después de cada uso. No lo use para ningún otro propósito.

Cera de queso . Como se mencionó, la cera protege la superficie del queso y mejora el proceso de envejecimiento debido a la retención de humedad y equilibrio. Las ceras de queso están disponibles en una variedad de colores, siendo las opciones más obvias: amarillo, rojo, negro y transparente. Aunque la cera roja se usa popularmente, debes optar por la cera amarilla, ya que proporciona visibilidad y te permite ver el interior.

Envolturas de queso . Suelen ser láminas de envoltura transparentes y transpirables que se utilizan para almacenar queso y mantenerlo fresco. Puede elegir entre envolturas individuales transpirables o sábanas de dos capas. Estas capas atrapan cantidades adecuadas de humedad al tiempo que permiten el intercambio de gases para obtener los mejores resultados.

Equipo para probar pH y ácido . Los profesionales suelen utilizar este equipo. Sin embargo, si desea convertirse en un quesero profesional en la comodidad de su patio trasero, puede utilizar este equipo para lograr los mejores resultados. Los niveles de pH y acidez varían mucho durante el proceso de

77

elaboración del queso, lo que puede comprobarse y controlarse con este equipo. Es particularmente útil cuando se hacen grandes lotes de queso después de seguir una receta específica.

Prensa de queso . Esta es otra herramienta opcional que puede producir resultados profesionales si está listo para realizar la inversión. Para hacer queso, debe presionar con fuerza la cuajada para mantener la forma y drenar el exceso de suero; aquí es cuando una prensa de queso viene a su rescate. Asegúrese de que su prensa de queso sea fácil de mantener, limpiar y ensamblar. También encontrará un manómetro para comprender la cantidad de presión requerida para presionar un determinado tipo de queso. Si no tiene un presupuesto adicional, simplemente puede usar pesos pesados, jarras y libros para presionar su queso.

Esteras de queso . Por último, necesitará tapetes de queso para drenar el exceso de suero y permitir que se seque. Por lo general, están hechos de plástico fino de calidad alimentaria o cañas para permitir la transpiración y el paso del aire. Los tapetes para escurrir el queso son necesarios para bloquear la acumulación de humedad, lo que permitirá un secado y envejecimiento más rápido.

Estas son algunas de las herramientas básicas y profesionales que se utilizan para elaborar y añejar el queso. Aparte de estos, piense también en los factores de limpieza y mantenimiento. Para ello, necesitará un conjunto de líquidos desinfectantes de alta calidad para matar las bacterias y proporcionar un entorno seguro para que crezcan los mohos. Al mismo tiempo, necesita que las bacterias buenas crezcan en el mismo entorno. La limpieza y desinfección de las superficies reduce la competencia entre bacterias buenas y malas, lo que permite que las bacterias buenas hagan su trabajo y mejoren los resultados. Asegúrese de limpiar y desinfectar también el equipo, los estantes de almacenamiento y las superficies de trabajo para matar las bacterias malas.

Ingredientes

Los ingredientes más básicos necesarios para elaborar quesos sencillos en casa son:

Leche (siga el siguiente apartado para conocer los criterios para elegir la leche de mejor calidad): Puede elegir entre leche cruda, leche pasteurizada, leche homogeneizada, leche ultrapasterizada, línea de nata, leche en polvo en polvo, entera y no láctea tipos de leche.

Paquetes de cultivo . Los paquetes de cultivo de iniciación son el secreto para un queso delicioso. Estos son un grupo de microbios amigables que aumentan los niveles de acidez de la leche y separan la cuajada. Puede comprarlos en paquetes separados y están disponibles en forma liofilizada. Si está congelado, puede usarlos durante aproximadamente 2 a 3 años.

Cuajo . El cuajo es otro ingrediente esencial que se utiliza para hacer queso. Es una enzima que solidifica las proteínas de la leche y la coagula. El cuajo está disponible en forma de polvo, tableta y líquido y se puede encontrar fácilmente en los supermercados.

Aditivos . Además de estos ingredientes básicos, también necesitará ciertos aditivos para mejorar el sabor y la textura de su queso, como sal de queso, hierbas y especias, colorante para alimentos, ácidos, cloruro de calcio y cenizas (carbón activado que se usa para controlar los niveles de ácido). .

Proceso

El proceso que discutiremos en esta sección es una de las formas más simples de hacer queso en su casa de campo. Se divide en tres partes: desinfección, preparación de la cuajada y almacenamiento del queso para que envejezca. Echemos un vistazo a estos individualmente.

Higienización

Antes de comenzar con el paso real de hervir la leche y hacer queso, es necesario tener un ambiente seguro que esté libre de microbios dañinos e higiénico para obtener resultados adecuados. También es necesario que las bacterias buenas prosperen y aceleren el proceso de maduración de la leche para separar la cuajada.

Comience por desinfectar las herramientas y el equipo que se utilizarán en el proceso de elaboración del queso. Para ello, puedes llenar tu cazuela de queso con agua y llevarla a ebullición durante 15 minutos. Coloque todo el equipo que pueda en la olla para queso y déjelo hervir más; esto esterilizará sus herramientas y evitará problemas de salud. Asegúrese de que la superficie en la que coloque estas herramientas también esté esterilizada.

Puede usar un líquido esterilizante o mezclar lejía casera con agua destilada para matar los microbios dañinos. Utilice toallitas desinfectantes o un paño limpio para limpiar las superficies. Enjuague bien, ya que la lejía también puede matar las bacterias buenas y el cuajo, lo que dará como resultado un queso malo. No solo debe limpiar y esterilizar la superficie y el equipo al comienzo del proceso de elaboración del queso, sino también después de que esté terminado y antes de almacenarlos.

Preparando el queso

Ahora, echemos un vistazo al proceso principal de elaboración del queso. Esta etapa es la parte más crucial de todo el proceso y se puede dividir en tareas numeradas para que sea más fácil de entender y seguir correctamente.

1. Preparando la Leche

La forma en que hierve y prepara la leche es importante porque esta etapa es un factor primordial para decidir el sabor y la textura del queso final. Elija un tipo de leche que se adapte a sus necesidades (la siguiente sección lo ayudará a elegir un tipo de leche que sea adecuado para sus necesidades) y agréguelo en una olla grande para calentar. Si está haciendo un tipo específico de queso, siga las instrucciones de temperatura que se dan en la receta. Si no, déjelo calentar a fuego lento. Hay tres formas diferentes de hacer esto:

- **Método de baño maría o baño maría**. Llene su fregadero con agua tibia y coloque su olla llena de leche en el fregadero. Asegúrate de que el agua no entre en la olla.

Verifique la temperatura del agua con un termómetro y agregue agua hirviendo si la temperatura no es la adecuada. Debe leer 10 F más que la temperatura de su leche. Este método es eficaz para calentar la leche de manera uniforme y evita que se queme o queme.

- **Método de calentamiento directo** . La forma más fácil de calentar la leche es colocar la olla directamente sobre la estufa. Preste atención a la temperatura de la leche usando un termómetro ya que las posibilidades de sobrecalentamiento son altas. Para evitar que se sobrecaliente o se queme, use una olla con una base más gruesa.

- **Revestimiento de agua** . Esto está más alineado con el método de baño maría, donde la olla de leche se coloca en un baño de agua que se coloca directamente sobre el fuego. Asegúrese de que la olla más grande sea lo suficientemente profunda para contener suficiente agua para calentar la leche en la olla interior. Proporciona una distribución uniforme del calor y evita que hierva o se sobrecaliente.

Idealmente, la leche debe calentarse a una temperatura de 176 F a 200 F.

2. Hacer la cuajada

Este paso implica agregar varios ingredientes que separarán la cuajada de leche del suero. Ahora, la forma más sencilla de hacer queso en casa es usar solo dos ingredientes adicionales, que son la sal y un componente ácido (jugo de limón o vinagre).

- Cuando la leche se esté calentando, agregue una pizca de sal y apague la llama cuando alcance la temperatura deseada.

- Agregue un poco de jugo de limón o vinagre en la leche (alrededor de 1 cucharada por litro de leche) para separar la cuajada del suero. Notará que la leche se cuaja o se coagula. Déjelo reposar durante al menos 10 minutos para que toda la leche se separe en cuajada.

- Coloque un paño de muselina sobre una olla vacía y cuele la mezcla de leche para acumular la cuajada en el paño. Déjalo colar durante una hora. Envuelva la tela de muselina con la cuajada adentro y apriétela para eliminar el exceso de agua. Vuelva a ponerlo a colar durante otros 30 minutos.

La cuajada restante es su queso, que sabe a requesón. Dale forma al queso con un cuchillo para queso o con un poco de presión fuerte para formar un bloque de queso.

Para tipos específicos de quesos, es posible que deba agregar ciertos ingredientes, como colorantes para alimentos, paquetes de cultivo, cuajo y cloruro de calcio.

Paquete de cultivo de inicio . Dependiendo de su receta de queso, se le indicará el tipo de cultivo iniciador y cuajo que debe agregarse a la leche calentada. También se le dará el tiempo y la temperatura a seguir. Antes de mezclar el cultivo con la leche, déjelo reposar en la superficie durante uno o dos minutos para rehidratarlo y evitar que se apelmace; esto le dará una mezcla y textura uniformes.

Añadiendo cuajo . Dependiendo de su receta, se le pedirá que agregue cuajo. Para mezclarlo uniformemente en la leche caliente, agregue el cuajo en agua fría y destilada y mezcle bien. Agregue esta mezcla de cuajo y agua en la leche. Siga el tiempo, la temperatura y el período de reposo según la receta.

Añadiendo polvo de molde . Algunos quesos, como Camembert, Brie, etc., necesitan formación de moho. Para ello, deberá agregar un polvo de moldeo cuando agregue el cultivo en la leche calentada. El tiempo y la temperatura exactos dependerán del tipo de queso que estés elaborando y de su receta. Puedes encontrar varios polvos para mohos que varían según sus propiedades y cantidades. Algunos de los tipos de polvo de moho más utilizados son la ropa de cama de bacterias rojas, el polvo de moho blanco y el polvo de moho azul.

Añadiendo ácido cítrico . Algunas recetas de queso también requieren la adición de ácido cítrico y se usa típicamente en quesos frescos como ricotta y mozzarella. Aumenta el nivel de acidez en la leche sin la ayuda de cultivos iniciadores. Para una distribución uniforme en la leche, agregue una pequeña cantidad de ácido cítrico en agua destilada y fría y mezcle bien. Vierta esta mezcla en la leche caliente y vuelva a mezclar bien.

Añadiendo lipasa . La lipasa es un agente que mejora el sabor que generalmente se usa en quesos que tienen un sabor suave. Los polvos de lipasa se extraen de animales. Dos polvos de lipasa de uso común son el polvo de lipasa suave (ternera) y el polvo de lipasa fuerte (cordero). Debe agregarse a la leche calentada antes de agregar cuajo (también si está usando un paquete de cultivo con cuajo). Para una distribución uniforme en la leche, agregue una pequeña cantidad de lipasa en agua destilada y fría y mezcle bien. Déjelo reposar durante unos 20 minutos. Vierta esta mezcla en la leche caliente y vuelva a mezclar bien.

Añadiendo cloruro de calcio . El cloruro de calcio se usa para formar cuajadas más espesas y cremosas. Por lo general, esto es útil cuando usa leche pasteurizada comprada en la tienda que carece de cremosidad como en la leche cruda. Este ingrediente debe agregarse antes de agregar su cultivo y cuajo a la leche. Para una distribución uniforme en la leche, agregue una pequeña cantidad de cloruro de calcio en agua destilada y fría y mezcle bien. Vierta esta mezcla en la leche caliente y vuelva a mezclar bien. No agregue este ingrediente al hacer quesos elásticos, como provolone o mozzarella, ya que arruinará la textura y la consistencia.

Añadiendo colorante de queso . Esto es completamente opcional pero aún se puede considerar. Como suele decirse, primero se come con los ojos. Si desea que su queso se vea tentador y rico en sabor, necesita un color intenso. Los quesos de colores como el cheddar pueden usar unas gotas de colorante de queso. Si desea usar colorante de queso, agréguelo a su leche, una gota a la vez, y mezcle bien. Debe agregarse antes de agregar su paquete de cultivo inicial, cuajo y cloruro de calcio . Agregue una o dos gotas, mezcle bien y repita hasta que haya alcanzado el tono deseado. Debe usar alrededor de 20 a 50 gotas por cada galón de leche. Para una distribución uniforme en la leche, agregue unas gotas de colorante para queso en agua destilada y fría y mezcle bien. Vierta esta mezcla en la leche caliente y vuelva a mezclar bien.

Agregue uno o más de estos ingredientes, según el tipo de queso que esté preparando. Deje que la leche alcance la temperatura deseada y agregue los ingredientes correspondientes en consecuencia. Deje que la leche se coagule y forme cuajada, luego déjela reposar un rato hasta que todo el suero se separe de la cuajada. Para una mejor comprensión práctica, hay 4 tipos de recetas de queso en la próxima sección.

3. Acumulación y corte de cuajada

Después de dejar reposar la leche coagulada un rato, notarás que la cuajada y el suero se han separado por completo. Los quesos secos generalmente requieren cuajadas más pequeñas, y los quesos húmedos generalmente necesitan y forman grupos más grandes de cuajada. El primer paso es cortar la cuajada, para lo cual necesitarás un cuchillo para cuajada. Antes de comenzar a cortar la cuajada, debe asegurarse de que la cuajada formada tenga un "corte limpio". Una ruptura limpia es cuando la cuajada se separa fácilmente cuando se corta. Para verificar si hay una ruptura limpia, inserte el dedo o la punta de su termómetro en la cuajada y verifique si obtiene una ruptura limpia o no. Si se separa, ya está listo. De lo contrario, déjelo reposar por otros 5 a 10 minutos hasta que logre una separación clara.

A continuación, debe cortar la cuajada con el cuchillo para cuajada. Para ello, comience cortando líneas verticales en la cuajada. Asegúrese de que estén espaciados uniformemente para lograr mejores resultados de textura. Gírelo hacia los otros lados y corte líneas verticales perpendiculares que estén igualmente espaciadas. Obtendrá cubos iguales de cuajada, como un tablero de ajedrez. Al hacer esto, debe notar una clara separación entre la cuajada y una división adecuada entre el suero y la cuajada.

Después de cortar la cuajada, es posible que notes algunas 'ballenas' en tu olla de cuajada. Las ballenas son trozos más grandes de cuajada que tienen un tamaño desigual. Para arreglar las ballenas, deja reposar la cuajada de 5 a 10 minutos para que quede más firme y más fácil de cortar. Asegúrese de que estos no sean demasiado blandos ya que podrían desintegrarse durante el corte. Una vez que lo dejes reposar durante unos minutos, revuélvelo y sigue cortando las ballenas a medida que aparecen.

4. Cocine la cuajada

Algunas recetas de queso quieren que cocines la cuajada para separar completamente la cuajada del suero. También equilibra los niveles ácidos y lo hace más firme. Cuanto más se cuece la cuajada, más pequeño se vuelve de tamaño. Siga la receta del queso que está haciendo para lograr la temperatura y el tiempo necesarios para cocinar la cuajada. Mientras que algunos quesos necesitan algo de humedad para dejar la cuajada, otros necesitan que esté absolutamente seco. El tiempo de cocción dependerá del nivel de humedad y sequedad requeridos en el queso. Cuando cocine la cuajada, comience a fuego lento y aumente en 2 F cada 5 minutos; esto evitará que la cuajada se queme y se cocine demasiado. Asegúrese de no suministrar demasiado calor a la cuajada, ya que podría formar una piel y atrapar la humedad, lo que puede resultar en una distribución desigual de la humedad en la cuajada.

Revuelva la cuajada continuamente mientras se cocina para evitar que se apelmace y se pegue al fondo de la olla. No revuelva demasiado, ya que la cuajada es delicada en la etapa inicial. Romperlos con fuerza dará como resultado una textura desigual. Dependiendo del tipo de queso que esté haciendo, es posible que deba dejar la cuajada en la olla para que se asiente después de cocinarla. Déjelo enfriar antes de colarlo.

5. Escurrido de la cuajada cocida

Algunos quesos frescos, como el ricotta y el requesón, no necesitan que la cuajada se cocine ya que el nivel de humedad y la textura son adecuados. Todo lo que tienes que hacer es dejar que la cuajada se asiente un rato y que el suero se drene. También puede exprimir la cuajada en un paño de muselina para eliminar el exceso de suero. Veámoslo en detalle.

El proceso de drenaje dependerá del tipo de queso que esté elaborando.

Para quesos duros . Forre un paño de muselina en su colador y colóquelo en un fregadero. Use un cucharón para transferir la cuajada de la olla al colador. Deje que el suero se escurra en el fregadero durante el tiempo que sugiera la receta. Déjalo reposar un rato hasta que la cuajada se separe por completo del suero. Sigue revisando la cuajada de vez en cuando. Debido a las superficies irregulares, algunos bordes de la cuajada pueden ser más anchos. Raspe los lados de las mugre y mezcle suavemente para lograr un drenaje uniforme.

Para quesos blandos . Forre un paño de muselina en su colador y colóquelo en un fregadero. Use un cucharón para transferir la cuajada de la olla al colador. Ate la tela de muselina para formar un paquete pequeño y cuélguelo en el grifo del fregadero para que drene. Coloque una olla debajo para recoger el suero o déjelo escurrir directamente en el fregadero. También puede colocar el colador con una olla debajo en el refrigerador. Aunque tardará un poco en drenar el suero, al final conseguirás una gran consistencia. Sigue revisando la cuajada de vez en cuando. Debido a las superficies irregulares, algunos bordes de la cuajada pueden ser más anchos. Raspe los lados de las mugre y mezcle suavemente para lograr un drenaje uniforme.

Para quesos con moho . Forre un paño de muselina en su colador y colóquelo en un fregadero. Use un cucharón para transferir la cuajada de la olla al colador. Déjelo escurrir un rato para que la cuajada se separe por completo del suero. Las cuajadas de queso moldeadas no necesitan mucho tiempo para escurrirse ya que necesitan humedad. Déjalo reposar unos minutos y luego puedes transferirlo directamente a un molde de queso. La cuajada se comprimirá debido a su propio peso. Coge un escurridor y coloca encima los moldes de queso. Coloque una olla grande debajo de la rejilla de drenaje o colóquela directamente en el fregadero para que se escurra el suero adicional. Notarás que la compresión de la cuajada reducirá su tamaño original a la mitad. Llene los moldes de queso hasta el tope y déjelo escurrir más. Después de un tiempo (según el tipo de queso que hagas y la receta que sigas), voltea el queso en el molde según las instrucciones. Si su receta requiere ingredientes adicionales como hierbas secas o ceniza, agréguelo en el molde cuando esté medio lleno. Una vez que lo agregues, llena el resto del molde con cuajada hasta arriba.

El escurrido es una etapa crucial ya que determina la textura y consistencia del queso resultante.

6. Presionar y dar forma al queso

Para moldear su cuajada, elija la forma y el tamaño de los moldes según sus necesidades. También dependerá de la cantidad de queso y de la cantidad de lotes que esté haciendo. Forre su molde con un paño de muselina y viértalo en la cuajada. Llénelo hasta la parte superior ya que la cuajada se reducirá a la mitad con la compresión. Coloca un seguidor en el molde para empacarlo. A continuación, debe eliminar las arrugas tirando de los bordes de la tela de muselina.

Ahora, necesitas presionar tu queso. Si tiene el lujo y planea hacer varios lotes de queso, es más prudente invertir en una prensa de queso, ya que es eficiente y hace que el proceso sea mucho más fácil. De lo contrario, puede utilizar objetos pesados como libros y sartenes para presionar el queso. El prensado de queso elimina el exceso de suero de la cuajada y lo comprime. El bloque de queso se reducirá de tamaño pero tendrá una textura uniforme y una mejor consistencia. Dado que la cuajada formará una unión más estrecha, también tendrá un sabor más rico.

Dependiendo del tipo de queso que esté haciendo, tendrá que dejar el queso en la prensa entre 10 minutos y 2 horas o más. Voltea el queso para repetir el proceso.

7. Salar el queso

Por último, salará su queso antes de prepararlo para su almacenamiento y envejecimiento. Salar el queso fomentará la formación de corteza y equilibrará el desarrollo de ácido en el queso; este proceso se conoce como salmuera. Aunque la salmuera no es realmente necesaria para el queso blando casero, puede ofrecer un nivel adicional de protección para los quesos duros, especialmente si planeas venderlo comercialmente.

El proceso de salmuera dependerá del tipo de queso que esté haciendo. Por ejemplo,

> **Para quesos duros** . Tome una olla no reactiva y llénela con una solución de salmuera hasta la parte superior. Para hacer una solución de salmuera, mezcle 1 galón de agua, 1 cucharada de cloruro de calcio, 2 ¼ libras de sal y 1 cucharadita de vinagre blanco. Revuelva bien y agréguelo a la olla. Coloque su bloque de queso prensado en la solución de salmuera. Dependiendo de la densidad del bloque de queso, podría flotar en la olla. Como necesitamos una inmersión total, puede agregar una pizca de sal en su superficie. Después de unos minutos u horas de salmuera

(según el tipo de queso duro y los requisitos de la receta), déle la vuelta al otro lado para obtener una salmuera uniforme.

Para quesos blandos . Para salar quesos blandos en salmuera, no es necesario colocarlo en una olla con solución de salmuera. Simplemente puede agregar un poco de sal a la cuajada mientras se escurre; esto también obligará a eliminar el exceso de suero. Preste atención a la cantidad de sal que está agregando, ya que podría hacer que el queso sea extremadamente salado y arruinar su sabor.

Para quesos con moho . Cuando coloque su requesón en el molde, puede aplicar sal en su exterior para equilibrar los niveles de acidez y drenar el exceso de suero.

Envejecimiento y almacenamiento

Una vez que tenga su queso blando o duro listo, es hora de almacenarlo y envejecerlo. Los quesos frescos se pueden almacenar fácilmente en el refrigerador, ya que no necesitan añejarse. Todo lo que necesita es envoltura de queso y recipientes herméticos para almacenarlos.

Para quesos duros y añejos, siga el método proporcionado en la siguiente sección que habla sobre la conservación y envejecimiento del queso.

Básicamente, después de presionar y poner sal en salmuera los moldes de queso, déjelos secar al aire por un tiempo. Sácalos del molde o del paño de muselina y colócalos sobre un tapete para secar queso. Use una gasa o un paño de muselina para cubrir su superficie cuando se coloque para secar. Después de dejarlo secar al aire durante un tiempo, voltéalo hacia el otro lado y cúbrelo nuevamente con la tela de muselina.

Antes de almacenar los bloques de queso para añejar, considere encerarlos para una protección adicional (siga la siguiente sección para ver todo el proceso). Aunque la depilación con cera es la opción más fácil para retener la humedad en el queso, también puede considerar vender ciertos quesos como el cheddar. Para vender su bloque de queso, corte dos piezas circulares de tela de muselina (lavada y desinfectada) que sean un poco más grandes que la parte superior de sus bloques de queso. Remoja estos trozos de tela en agua tibia y colócalos en la parte superior e inferior del bloque de queso. Vuelve a colocarlo en el molde y reprime con el paño. Déjelo presionar durante una o dos horas. Una vez que esté bien presionado, corte la muselina en las dimensiones de la circunferencia del bloque de queso. Remojarlo en agua caliente y colocarlo sobre la circunferencia del queso. Extiéndalo de manera uniforme para que no se formen arrugas ni pliegues. Coloque en el molde y vuelva a presionarlo, esta vez déjelo en la prensa de queso durante la noche.

Por último, puede aplicar aceite de oliva o cualquier otro aceite de grado alimenticio a sus quesos duros para una protección adicional. Esto es útil para proteger el queso de los contaminantes externos. Antes de engrasar su queso, asegúrese de que esté completamente seco y limpio. Elimine cualquier contaminante o moho que haya crecido en la superficie del queso. Deje que se seque al aire una vez más. Una vez hecho esto, aplica aceite de oliva en la superficie del queso con un cepillo de cerdas. También puede mezclar hierbas, cacao en polvo u otros agentes aromatizantes para realzar el sabor. Ahora está listo para ser almacenado y envejecido.

Preguntas Básicas

La elaboración de queso es un proceso largo que puede volverse complejo en algunos casos. Te enfrentarás a ciertos por qué y cómo a mitad de camino. Para ayudarte a convertirte en un maestro quesero , esta sección responderá todas las preguntas básicas y complejas para despejar todas las dudas.

1. ¿Cómo se puede determinar la calidad de la leche para hacer queso?

Como se mencionó anteriormente, el queso barato comprado en la tienda a menudo está hecho de leche de mala calidad o inyectada con hormonas, lo que puede ser malo para la salud. Si eres un amante del queso y planeas hacer y vender tu queso desde la comodidad de tu patio trasero, necesitarás materiales de alta calidad. No solo protegerá la salud de su familia, sino que también le ayudará a ganar credibilidad como productor y vendedor de queso. El ingrediente principal que se necesita para hacer queso y debe ser de alta calidad es la leche. Pero, ¿cómo se puede determinar la calidad de la leche, asumiendo que la compró en el supermercado más cercano?

No hace falta decir que la calidad de la leche afecta la calidad del queso producido. Además, se basa en criterios específicos, como la forma en que se procesa la leche, cuándo se produce, su tipo, etc. También depende del tipo de animal del que se extrae la leche, como vaca, búfalo, cabra u oveja, etc. Esto se debe a que la composición y la calidad nutricional del queso resultante diferirán enormemente. De hecho, la calidad de la leche utilizada también diferirá según la raza de un tipo de animal.

Tomemos cada criterio que afecta la calidad de la leche y comprendamos brevemente.

- Tiempo: El tiempo que se tarda en ordeñar al animal, desde que se seca hasta que se refresca.

- Temporada: La temporada en la que se ordeña el animal también afecta la calidad de la leche debido a la diferencia en los sólidos lácteos que se producen.

- Ejercicio, dieta y salud del animal: los animales que carecen de ejercicio producirán leche de mala calidad en comparación con los animales que hacen ejercicio. La dieta (piensos y pastos) que se le da al animal también es importante.

- Ubicación: aunque el tipo y la raza del animal son similares, seguirá habiendo una diferencia en la calidad de la leche debido a las diferentes ubicaciones.

- Manejo y cuidado: Los animales criados en granjas a pequeña escala versus los criados en grandes cobertizos comerciales varían mucho en la cantidad y tipo de leche producida. Por ejemplo, se atiende personalmente a grupos más pequeños de animales en las granjas, lo que brinda más cuidado y atención a cada animal.

- Procesamiento o tratamiento: Diferentes procesos o tratamientos también afectan la calidad. Existe una gran diferencia entre la leche cruda y la pasteurizada.

- Ordeño: La forma en que se ordeñan los animales, a través de las manos o del equipo automatizado, también marca la diferencia.

- Almacenamiento: Si se enfría y se almacena adecuadamente, la leche producida conservará su sabor y textura. Además, también depende de la forma en que se almacene la leche, individualmente o en grandes tanques de almacenamiento.

- Transporte: La leche traída de las granjas se ordeña recientemente y es más fresca que la leche transportada desde grandes instalaciones de producción de leche.

Después de observar estos criterios, puede determinar la calidad de la leche adecuada para preparar sus lotes de queso. Debes prestar especial atención a estos si planeas hacer grandes lotes y venderlos, ya que la calidad de tu queso se verá afectada significativamente.

Si ciertos criterios son difíciles de descifrar, también puede obtener ayuda de estos parámetros para comenzar a trabajar:

- Sabor de la leche: Pruebe diferentes tipos de leche de buena calidad y elija la que tenga el mejor sabor y sabor.

- Procesamiento: No compre leche pasteurizada a una temperatura superior a 168 F ya que no es adecuada para hacer queso. La leche debe pasteurizarse a 162 F o menos y debe mantenerse durante al menos 16 a 20 segundos en este rango de temperatura.

- Vencimiento: Compre leche más fresca y lejos de la fecha de caducidad.

- Costo: suponiendo que va a producir queso por un período más largo, debe optar por un tipo de leche que sea de bajo costo y asequible, ya que podría afectar su presupuesto a largo plazo.

Por último, experimente con algunos tipos de leche. Si está confundido y no puede elegir un tipo, este enfoque práctico determinará un ganador sólido. Haz pequeñas tandas de queso con la misma técnica y tiempo pero con diferente leche. El que tiene mejor sabor y textura es el claro ganador. Si eres un principiante, debes optar por leche pasteurizada de buena calidad, ya que está libre de microbios y para una elaboración óptima del queso. La leche cruda tiene un mayor contenido de grasa, pero su uso puede ser riesgoso debido a la presencia de microbios no deseados y podría causar riesgos para la salud. Incluso si desea optar por la leche cruda debido a una mejor formación de cuajada y una textura excelente, asegúrese de obtenerla directamente de una granja cercana y usarla dentro de 2 a 3 días. Después de consumir leche cruda, si se produce alguna irritación o malestar, consulte a su médico.

2. ¿Cuáles son los criterios para seleccionar buenas envolturas de queso?

La mayoría de los principiantes en la elaboración de queso a menudo olvidan la importancia de seleccionar una buena envoltura de queso, ya que afecta el almacenamiento y la frescura del queso durante un período prolongado. Si bien una envoltura de queso debe proteger su contenido de un entorno hostil, también debe dejar entrar aire fresco y salir humedad para una maduración adecuada. Una envoltura de queso ideal está hecha de un material transpirable de una sola capa (que generalmente es celofán) que proporciona un ambiente controlado para que el queso envejezca y se mantenga fresco al mismo tiempo. Dado que este tipo de envoltura de queso es transparente, se puede ver el proceso de envejecimiento y observar los cambios en la superficie.

Los mejores tipos de envolturas de queso para quesos blandos y maduros con moho son transparentes y tienen poros mínimos para disminuir la evaporación. Sin embargo, la cantidad mínima de poros presentes en esta envoltura de queso permite que escape el gas (que se acumula durante el proceso de envejecimiento). Para el queso de corteza lavada, puede optar por envolturas transparentes que sean transparentes pero más porosas. Esto es para mantener la humedad alejada del queso, ya que puede arruinar el proceso de envejecimiento.

Otro tipo de envoltura de queso es una envoltura de dos capas, que brinda más protección. Si está vendiendo su queso en una plataforma profesional, esta envoltura debería ser su opción. No solo mantiene alejada la humedad, sino que también es capaz de manejar un manejo brusco en la compra minorista. La capa interna de esta envoltura de queso absorbe la humedad de la superficie del queso y la capa externa retiene la humedad pero no la deja escapar; este fenómeno ocurre en la etapa inicial de maduración. A medida que el queso madura más y alcanza su etapa posterior, utiliza la humedad atrapada por la segunda capa según sea necesario. Use una envoltura de queso de dos capas de alta calidad para un equilibrio de humedad adecuado. Si la capa interna absorbe humedad excesiva, podría arruinar el queso al adherirse a su superficie.

Esta envoltura de queso de dos capas también varía según el tipo de queso que esté almacenando. Por ejemplo, los quesos madurados con moho como el brie, el camembert y el queso de cabra se pueden almacenar en envoltorios de queso de dos capas que están hechos de papel pergamino (capa interna) y un papel de polipropileno microperforado (capa externa). La capa interior se recubre con parafina y se une a la capa exterior, lo que mantiene la humedad y el moho lejos de la superficie del queso. Puede encontrar otro tipo de envoltura de queso de dos capas que es útil para el queso de corteza lavada. La hoja sulfurizada a prueba de grasa, que es la fina capa interior, mantiene la humedad alejada de la superficie del queso, y el papel de polipropileno microperforado, que es la capa exterior, mantiene intacto el flujo de gas. Estas dos capas están selladas herméticamente y ofrecen transparencia y visibilidad. Además, estas envolturas se especializan en prevenir la formación de cristales, que es un problema común en las cortezas granuladas.

Para queso húmedo o húmedo, la envoltura ideal es una hoja de papel encerado normal. Reduce la humedad del contenido; se envuelve y ofrece el equilibrio perfecto de sabor y textura.

¿Por qué y cómo debe encerar el queso?

El queso encerado proporciona una capa de protección al queso para mantener intacto su nivel de humedad y evitar el crecimiento de moho. Puede comprar cera de queso, que suele ser un tipo de cera microcristalina y segura para los quesos. Es resistente a las grietas y evita que el queso forme protuberancias debido a una mala manipulación, y también facilita la manipulación y el mantenimiento. Algunos queseros utilizan parafina y cera de abejas para encerar el queso. Sin embargo, estos pueden agrietarse fácilmente y permitir la formación de moho durante el envejecimiento.

Para encerar su queso, retire todo el moho de su superficie y límpielo a fondo con un lavado con vinagre o con salmuera. La mejor manera de encerar queso es a baja temperatura, ya que las esporas de moho están vivas y formarán moho incluso después de encerar el queso. Coge un bol o una olla y colócalo en la cera para calentar. Use una caldera doble para evitar que la cera se caliente directamente. Una vez que la cera esté completamente derretida, use un cepillo de cerdas naturales para encerar la superficie del queso. Intente cubrir la superficie del queso lo más rápido posible antes de que la cera se solidifique, pero asegúrese de hacerlo con precisión. Cúbralo con una capa uniforme de cera, pero no lo cubra. Tome una superficie a la vez. Encerelo y déjelo solidificar. Vuelve a calentar la cera y aplícala en otra superficie del bloque de queso. Repite hasta que hayas cubierto todo el bloque de queso con cera.

Tome medidas de precaución al calentar y derretir la cera, ya que el vapor producido podría encender un fuego y provocar situaciones de peligro para la vida. Aunque un método de calentamiento a baño maría no mata las esporas de moho, es más preferible debido al factor de seguridad. A veces, es posible encontrar moho en la superficie del queso incluso después de encerarlo. Esto se debe a una limpieza inadecuada de la superficie con vinagre o una capa de cera inadecuada que podría haber causado un agujero en la superficie.

4. ¿Cómo funcionan los cultivos iniciales?

Como se mencionó, se trata de un grupo de bacterias amigables que separan la cuajada de la leche al fermentar el contenido de lactosa presente. Este fenómeno produce ácido láctico, que cambia la composición interna de la leche que se utiliza. Dependiendo del nivel y grado de fermentación, el contenido de minerales y humedad cambia en consecuencia; esto, a su vez, determina el sabor y la textura del queso resultante producido. Puede seguir una receta y agregar el paquete de cultivo de inicio según las instrucciones o usar sus instintos después de practicarlo varias veces. Para obtener resultados precisos, anote la temperatura de la leche cuando se deja hervir y agregue el paquete de cultivo en consecuencia. Los paquetes de cultivo muestran efecto solo a una cierta temperatura, por lo que debe verificarlo una y otra vez. Esto permitirá un entorno adecuado para la producción y el desarrollo de ácido, lo que mejorará el proceso de formación de la cuajada.

5. ¿Cuáles son los diferentes tipos de paquetes de cultivo de inicio y cuál es más adecuado?

En general, hay dos tipos de cultivos iniciadores: mesófilos y termófilos . Estos varían según su diferencia de tolerancia a la temperatura. Mientras que los cultivos mesófilos necesitan un calor bajo para activarse, los cultivos termófilos operan a una temperatura más alta. Si se calientan más, los cultivos mesófilos mueren ya que no pueden tolerar altas temperaturas. Estos dos cultivos se dividen además en varios tipos de cultivos, que se utilizan individualmente o como una combinación de 2 a 4 para hacer queso.

Debe elegir un tipo de cultivo en función del tipo de queso que está haciendo y la temperatura a la que necesita hervir la leche. La mejor manera de determinarlo es siguiendo las instrucciones mencionadas en su receta. Puede utilizar un cultivo de serie directa (utilizado directamente en la leche) o un cultivo recultivable (necesita que cree una cultura madre al principio). La forma más fácil y conveniente de utilizar una cultura de inicio es eligiendo un conjunto de culturas directo, ya que requiere menos esfuerzo e implica menos tecnicismos . Algunos conjuntos de cultivos directos también contienen cuajo para facilitar el proceso.

Para utilizar un re- cultivables cultura, calentar la leche para llegar a 72 F para mesófila cultura o 110 F para termófila cultura. Tan pronto como alcance la temperatura deseada, agregue el paquete de cultivo. Selle el recipiente y déjelo reposar de 6 a 8 horas. Este entorno proporciona un entorno adecuado para que los microbios se multipliquen y formen una cultura madre. Abra el sello y encontrará una consistencia similar a un gel, que es la cultura de su madre. Para almacenarlo, divídelo en una bandeja de hielo y congela los cubitos. Una vez congelados, guárdelos en bolsas herméticas para congelar en el congelador y úselos según sea necesario.

6. ¿Cómo actúa el cuajo y cuáles son sus diferentes tipos?

Como se mencionó, el cuajo solidifica las proteínas de la leche y las coagula para separar la cuajada del suero. Incluso si no agrega cuajo, se solidificará si se deja afuera por un par de horas debido a la producción de ácido. Sin embargo, también creará un sabor desagradable al mismo tiempo. Para conservar su sabor dulce, se agrega cuajo para solidificar la leche antes de la producción excesiva de ácido, que también conserva su textura.

Hay muchos tipos y formas de cuajo: animal, vegetal, líquido, en tabletas, en polvo y cuajo. El cuajo animal, que se extrae del cuarto revestimiento del estómago de los terneros, se usa con más frecuencia. Esto se debe a la presencia de enzimas pepsina y renina.

Sin embargo, con la creciente preocupación de crueldad animal, las personas se están cambiando a cuajo a base de vegetales, que se deriva de varias fuentes, incluyendo Fig, Mucur miehei , ortiga, Mallow, centaurea, Yarrow, y cardo. Las formas comunes de cuajo incluyen líquido, tabletas y polvo. El cuajo líquido es la mejor opción para los principiantes, ya que es fácil de medir y usar. Basta con medir, verter la leche y revolver. Puede conservarse en nevera y puede durar de 4 a 12 meses (según el tipo de cuajo). Cuanto antes lo use, mejores resultados obtendrá. Aunque no se estropea rápidamente, debes usarlo lo antes posible, ya que podría perder su potencia. Si el cuajo se almacena durante un período prolongado, puede duplicar la cantidad para lograr resultados efectivos.

El cuajo en polvo necesita un rango de temperatura entre 38 y 45 F para el almacenamiento y dura alrededor de un año. Si vive en un lugar tropical con días más calurosos, debe elegir cuajo en polvo en lugar de cuajo líquido, ya que es más fácil de medir y no es propenso a fluctuaciones constantes de temperatura. Si su uso es limitado y no tan frecuente, puede optar por el cuajo en tabletas, ya que es de larga duración y puede usarse hasta cinco años si se congela o hasta un año si se almacena en el refrigerador. Asegúrese de triturar y disolver las tabletas de cuajo en agua antes de agregarlo a la leche para distribuirlo uniformemente. La cuajada es otra forma de cuajo en tabletas que es mucho más débil que el cuajo normal y es ideal para hacer quesos blandos.

Tipos

Después de aprender el proceso de hacer queso simple, ahora, profundicemos en varios tipos de quesos que se pueden preparar fácilmente en su hogar, como mozzarella, ricotta y mascarpone.

Así es como puede hacer estos quesos en casa:

Queso Mozzarella

La mayoría de las personas se apegan a la mozzarella comprada en la tienda debido a la sensación intimidante de prepararla en casa y no lograr resultados perfectos. Sin embargo, si se lo propone y sigue esta guía paso a paso, puede lograr palitos de mozzarella cremosos y elásticos en su patio trasero todos los días en 30 minutos.

Ingredientes

- ¼ de taza de agua (sin cloro)
- galón de leche (puede usar 1 por ciento, 2 por ciento e incluso leche descremada)
- ½ tableta de cuajo
- 2 cucharaditas de ácido cítrico

Estos ingredientes harán queso que servirá de 6 a 8 personas.

Equipo

- Tazas y cucharas de medir
- Olla hirviendo
- Cucharón

- Mortero y majadero

- Una olla grande

- Termómetro para lácteos

- Un colador o un paño de muselina

- Cucharas para mezclar

- Estufa o Inducción

Instrucciones

1. Limpie y esterilice su aparato y estación de trabajo antes de comenzar el proceso principal.

2. Utilice el mortero para triturar las tabletas de cuajo en un polvo fino. Agréguelo a un tazón pequeño y agregue agua. Revuelve hasta que se disuelva por completo.

3. Agregue la leche en una olla para hervir y agregue el ácido cítrico. Revuelva bien. Caliéntalo hasta que alcance los 88 F. Notarás que la leche comienza a cuajar.

4. Una vez que la temperatura haya alcanzado los 88 F, agregue el polvo de cuajo triturado y siga revolviendo la solución de leche hasta que la temperatura de la leche alcance los 105 F. Retire la olla del fuego y notará la formación de grandes trozos de cuajada. El suero, que luego se separa líquido en la leche reaccionada, aparecerá en forma de un líquido transparente y verde.

5. Coloque un paño de muselina o un colador de queso en un tazón grande vacío y saque la cuajada con un cucharón. Exprime la cuajada con las manos o con una cuchara para eliminar el exceso de agua. Déjalo colar durante una hora.

6. Transfiera la cuajada a un tazón de vidrio grande y cocine en el microondas durante 1 minuto. Una vez hecho esto, retíralo y presiona la cuajada con una cuchara con toda su fuerza. No use las manos porque la cuajada estará demasiado caliente.

7. Este fenómeno de presión eliminará el suero adicional que aún está atrapado en la cuajada. Repita hasta que la cuajada se enfríe. Vuelve a colocarlo en el microondas y déjalo cocer durante 35 minutos. Repita el proceso de prensado.

8. Necesita tres rondas de microondas y prensado. Una vez que haya drenado todo el suero extra, solo le quedará una bola de queso. Amasar como una masa de pan hasta que pierda un poco de su suavidad.

9. Vuelve a colocarlo en el microondas durante 10 segundos para quitarle la dureza. Retirar y amasar de nuevo. Repita hasta que el queso forme una textura exterior suave y brillante. Mientras amasa el queso, agréguele una pizca de sal.

10. Ahora, este paso es clave para una mozzarella larga, suave y elástica. Tienes que tirar del queso como una cuerda y doblarlo. Hazlo repetidamente hasta que el queso adquiera una consistencia suave, sedosa y elástica. Si el queso se

rompe en medio del proceso de estiramiento , colócalo de nuevo en el microondas y cocínalo durante 10 segundos a temperatura alta.

11. Cuando creas que has logrado una consistencia suave y elástica, dale forma de bola y sírvela como quieras. También puede agregar hierbas mixtas o hojuelas de chile durante el proceso de amasado para darle un toque extra de sabor.

Ahora puede preparar una ensalada Caprese fresca o servir queso mozzarella fresco casero a sus invitados. Con un poco de práctica, puede dominar la habilidad y agregar mozzarella a su gama de quesos de venta comercial.

Mascarpone

El mascarpone es un queso suave y fresco que se elabora con nata. Se utiliza como ingrediente principal del tiramisú y como acompañamiento para ensaladas y comidas. Este queso es un manjar rico y cremoso que también se puede comer para untar.

Ingredientes

- 1 cuarto de crema espesa pasteurizada

- ¼ de cucharadita de ácido tartárico

Estos ingredientes harán queso que servirá de 6 a 8 personas.

Equipo

- Tazas y cucharas de medir

- Olla hirviendo

- Cucharón

- Mortero y majadero

- Una olla grande

- Termómetro para láctcos

- Un colador o un paño de muselina

- Cucharas para mezclar

- Estufa o Inducción

Instrucciones

1. Limpie y esterilice su aparato y estación de trabajo antes de comenzar el proceso principal.

2. Preparar a baño maría colocando una cacerola sobre una olla para calentar la nata. Caliéntalo hasta que alcance una temperatura de 180 F.

3. Una vez que alcance la temperatura deseada, retíralo del fuego y revuélvelo durante 2 minutos. Agrega el ácido tartárico y deja cuajar la nata.

4. Mientras tanto, coloque un paño de muselina o un colador de queso en un tazón grande vacío y saque la cuajada con un cucharón. Déjelo reposar durante unas 12 horas en un lugar

fresco. También puedes colocarlo en el nivel inferior de tu nevera hasta que se enfríe por completo.

5. Utiliza cuatro cuadrados (de aproximadamente 9 pulgadas) y coloca el mascarpone preparado en el centro de estos cuadrados. Doble cada lado y superponga para formar pequeños paquetes de queso mascarpone. Refrigere por 12 horas o más y sirva.

Ricotta

El ricotta es otro queso fácil de hacer en casa. Sabe muy bien con pan y ensaladas. Apenas toma unos minutos prepararlo y puede considerarse como un elemento básico de la casa.

Ingredientes
- ½ galón de leche (puede usar 1 por ciento, 2 por ciento e incluso leche descremada)

- 2 tazas de suero de leche

Estos ingredientes harán queso que servirá de 4 a 6 personas.

Equipo

- Tazas y cucharas de medir

- Olla hirviendo

- Colador

- Bandas de goma

- Cucharón

- Una olla grande

- Termómetro para lácteos

- Un colador o un paño de muselina

- Cucharas para mezclar

- Estufa o Inducción

Instrucciones

1. Limpie y esterilice su aparato y estación de trabajo antes de comenzar el proceso principal.

2. Agregue la leche y el suero de leche en una olla hirviendo y revuelva bien. No dejes que la mezcla hierva. Mientras se calienta durante los primeros cinco minutos, revuélvalo continuamente para evitar que se sobrecaliente o queme la mezcla de leche.

3. Revuelva hasta que alcance una temperatura de 100 F. Notará que la leche comienza a espesarse y cuajarse.

4. Retire la olla del fuego cuando la temperatura alcance los 175 F, y notará la formación de enormes trozos de cuajada. El suero, que es el líquido separado en la leche reaccionada, aparecerá en forma de un líquido transparente. Déjelo reposar de 5 a 10 minutos.

5. Coloque un paño de muselina o un colador de queso en un tazón grande vacío y saque la cuajada con un cucharón. Exprime la cuajada con las manos o con una cuchara para eliminar el exceso de agua. Déjalo colar durante una hora.

6. Una vez que se escurre el suero, tome los extremos de la tela de muselina y átelos con una banda de goma para formar una pequeña bolsa. Átelo al mango del cucharón y déjelo colgar sobre una olla para recoger el suero escurrido. Déjelo escurrir por otros 30 minutos.

7. Su receta de ricotta está lista para servir. Refrigere y úselo dentro de 3 a 4 días hasta que esté fresco.

Queso Cheddar

Aparte de estos quesos blandos y frescos, echemos un vistazo a cómo hacer un queso duro en casa para comenzar. El cheddar es uno de los quesos más sabrosos que disfrutará preparar y comer. Aunque es un proceso largo, el resultado hará que valga la pena el esfuerzo.

Ingredientes

- ¼ de taza de agua (sin cloro)

- 2 galones de leche entera

- 1 paquete de cultivo mesófilo de fraguado directo

- ½ cucharadita de cuajo líquido o ¼ de cucharadita de cuajo líquido de doble concentración

- 1/8 cucharadita de cloruro de calcio

- 2 cucharadas de sal marina

Estos ingredientes harán queso que servirá de 6 a 8 personas.

Equipo

- Tazas y cucharas de medir

- Olla hirviendo

- Cuchillo largo para cuajada

- Cera de queso

- Tapete para escurrir queso

- Cucharón

- Una olla grande

- Termómetro para lácteos

- Un colador o un paño de muselina

- Cucharas para mezclar

- Prensa de queso

- Estufa o Inducción

Instrucciones

1. Limpie y esterilice su aparato y estación de trabajo antes de comenzar el proceso principal.

2. Vierta la leche en una olla y caliéntela hasta que alcance una temperatura de 85 F. Agregue el cloruro de calcio en este punto (puede disolverlo en un poco de agua y agregarlo a la leche para una distribución uniforme). Agregue el cultivo iniciador una vez que la leche alcance los 85 F nuevamente, y el cloruro de calcio se haya disuelto correctamente.

3. Revuelva bien, cúbralo con una tapa y déjelo fermentar durante unos 60 minutos. Remueve nuevamente y agrega el cuajo (puedes disolverlo en un poco de agua y agregarlo a la leche para una distribución uniforme). Revuelva bien y retire la olla del fuego.

4. Déjalo reposar durante una hora. Sigue revisando la olla para notar que la cuajada se separa del suero. Debe ser distintivo. Una vez que la cuajada y el suero estén completamente separados, use el cuchillo para cuajada para cortar la cuajada en cubos iguales de ¼ de pulgada.

5. Déjelo reposar por otros 5 minutos. Es hora de cocinar tu cuajada. Asegúrese de cocinar la cuajada a fuego lento ya que podría quemarse o desintegrarse, lo que arruinaría la composición y textura del queso. Ponlo a fuego lento y revuelve continuamente hasta que alcance una temperatura de 100 F; este paso tardará unos 30 minutos.

6. Retirar del fuego y dejar enfriar unos 20 minutos. Vierta la cuajada en un colador y drene el exceso de suero en el fregadero. Vuelva a colocarlo en la olla de queso. Déjelo reposar durante 15 minutos hasta que se escurra el suero adicional. Retire la cuajada de la olla y colóquela sobre una tabla de cortar.

7. Córtelo en rodajas y vuelva a colocarlas en la olla. Cubra con una tapa. Ahora formaremos una chaqueta de agua o un baño maría llenando el fregadero con agua tibia que lea 102 F. Coloque la olla con la cuajada dentro del fregadero para que la cuajada alcance una temperatura de 100 F. Voltee los lados de estos quesos cada 15 minutos. Continúe este proceso durante unas 2 horas. Preste atención a este paso, ya que determinará el sabor del queso resultante.

8. Al final de este proceso, obtendrá rodajas de cuajada firmes y brillantes. Córtelos en cubos iguales que midan cubos de ½ pulgada. Transfiera estos cubos nuevamente a la olla y colóquelos en el fregadero con agua tibia que lea 102 F.

9. Déjelo por unos 10 minutos, revuelva suavemente y déjelo nuevamente por otros 10 minutos. Repite dos veces más. Retire la olla del agua tibia y colóquela en un lugar seco. Agregue un poco de sal y revuelva bien.

10. Es hora de prensar el queso. Prepare la prensa de queso forrando una gasa sobre ella. Transfiera la cuajada de la olla a la prensa de queso. Cubre todas las superficies de la cuajada con la gasa. Presione la cuajada a 10 libras de presión durante unos 15 minutos.

11. Una vez que esté listo, retírelo de la prensa de queso, gírelo del otro lado y vuelva a colocarlo debajo de la prensa. Asegúrese de desenvolver y volver a envolver el queso con la gasa con cada vuelta. Use una gasa fresca la segunda vez. Aplique una presión de 40 libras esta vez y déjela presionar durante aproximadamente 12 horas. Repite todo el paso de voltear y presionar una vez más. Sin embargo, aplique una presión de 50 libras esta vez y déjela por 24 horas.

12. Una vez que el queso esté completamente presionado, retírelo de la prensa y colóquelo en un lugar fresco para que se seque al aire durante al menos 2 a 3 días. Sigue revisando el queso de vez en cuando y dale la vuelta a intervalos regulares.

13. Por último, encerar el queso para darle un extra de protección y dejarlo en bodega para que envejezca. La temperatura de la cueva o bodega de queso debe estar entre 55 F y 60 F. El queso tardará alrededor de 60 días o más en madurar.

Preservación

Entre otras cosas, el queso necesita un cuidado y una atención especiales para su conservación. Algunos quesos se conservan para envejecer, ya que huelen y saben mejor después de cierto tiempo. Ya sea que esté produciendo su queso para el consumo en casa o produciéndolo en grandes cantidades para vender, debe preparar un entorno adecuado para conservar y envejecer su queso para todos los propósitos.

Para usar en casa

Los quesos caseros caducan rápidamente, especialmente si se colocan en un ambiente cálido. Para ello, debe refrigerar sus quesos para aumentar la vida útil. Dependiendo del tipo de queso que esté haciendo, envuélvalo en una envoltura y etiquételo con la fecha de producción. Compre algunas cajas de queso para almacenar sus lotes de queso de forma segura; esto le ayudará a controlar su frescura. También puede pegar una fecha de vencimiento o una etiqueta de "caducidad". Utilice estos quesos mientras estén frescos y conserven su mejor calidad.

Antes de meter sus lotes de queso en el refrigerador, asegúrese de limpiar el compartimiento del refrigerador con un desinfectante, vinagre o vino, ya que pueden estropearse debido a la contaminación. También puede poner un vaso de agua en su caja de queso para retener la humedad. Al colocar diferentes tipos de quesos en su refrigerador, asegúrese de que estén a una distancia adecuada para evitar la contaminación cruzada. Revise los quesos todos los días y aplique aceite de oliva o aceite de coco si se están secando.

Para la venta de

Hacer una cueva de queso en su patio trasero es una excelente manera de conservar y envejecer su queso. Los quesos se han almacenado y envejecido en cuevas literales durante siglos debido a la perfecta humedad y temperatura en el interior. Hoy en día, los queseros crean cobertizos altos que se asemejan al entorno de una cueva para que su queso envejezca a la perfección. La buena noticia es que puede hacer su propia cueva de queso en su patio trasero para almacenar su queso para añejarlo.

Considere estas tres condiciones para hacer su cueva de queso:

- Una temperatura interna constante de 45 F a 58 F

- Nivel de humedad del 80 al 98 por ciento (según los tipos de queso almacenados)

- Un poco de aire fresco para evitar la formación de productos no deseados.

Aquí hay algunas formas de hacer su cueva de queso:

1. Use un refrigerador viejo

Esta es la forma más fácil y conveniente de almacenar y envejecer su queso en lotes grandes. Modifique su refrigerador viejo o compre uno nuevo para almacenar solo queso. Aunque los refrigeradores están regulados a una temperatura más baja (de 10 a 15 grados por debajo de la temperatura de la cueva), puede usar recipientes herméticos para evitar que el queso se seque y también para retener la humedad. Al elegir un recipiente hermético, asegúrese de que sea mucho más grande que el bloque de queso y proporcione un 60 por ciento de espacio vacío para el aire. Arrugue una toalla de papel húmeda y colóquela en una esquina del recipiente para controlar la humedad. También puede utilizar una cacerola llena de agua y una tapa colocada encima. Use un higrómetro para verificar el nivel de humedad dentro del refrigerador porque los niveles de humedad variarán mucho a medida que cambie la temporada. Estos se pueden controlar con una toalla húmeda o rociando agua.

2. Construyendo su bodega de queso

Si quiere ir con todo, puede construir una bodega de queso en su patio trasero o dentro de su despensa. Un sótano de 15 'X 25' con una habitación de 6 'X 15' es suficiente para almacenar sus lotes de queso. Coloque una pared aislada con una barrera de vapor alrededor de la habitación de 6 'x 15' para proporcionar una temperatura y humedad óptimas. Para evitar la luz solar, coloque una puerta aislada (hecha con uretano colocado entre paneles de madera contrachapada) en la dirección norte. La temperatura interna debe permanecer entre 52 y 54 F, y la humedad alrededor del 85 al 90 por ciento en la habitación de 6 'X 15' (que también es su cueva de queso real). Sin embargo, si se encuentra en un lugar que hace demasiado calor durante el verano o demasiado frío durante el invierno, es posible que deba colocar un calentador en el sótano más grande durante el invierno o un aire acondicionado durante el verano para regular la temperatura. Puede usar el espacio de la bodega más grande para secar el queso antes de colocarlo en la cueva para que envejezca.

Construye algunos estantes en el sótano y la cueva para colocar tu queso. La mejor combinación de madera para construir estos estantes es pino y fresno, ya que es fácil de trabajar y se puede limpiar fácilmente. Asegúrese de que sean resistentes y puedan soportar el peso de estos bloques de queso durante un período prolongado. Además, estos deben colocarse a una distancia adecuada para manipular y mover los bloques de queso con comodidad. También debe proporcionar una circulación y un movimiento óptimos del aire. Para regular los niveles de humedad, use un humidificador.

Considerándolo todo, cuide estas consideraciones para hacer una cueva de queso eficaz en su patio trasero.

Control de temperatura . Una temperatura constante entre 45 y 55 F es ideal para su cueva de queso. La temperatura se puede controlar usando la dirección de su cueva (para evitar la luz solar), la línea de escarcha, la dirección y los tipos de aberturas, el calor generado y liberado por las luces y el queso, y el nivel de aislamiento. También puede utilizar sistemas de calefacción y refrigeración artificiales para regular la temperatura interna.

Humedad . Necesitamos una humedad relativa entre 85 y 95 por ciento, que se puede lograr mediante humidificadores, la presencia de agua fría dentro de la cueva y el nivel de permeabilidad de las paredes internas.

Circulación de aire . A medida que el queso envejece, emite productos no deseados como dióxido de carbono, amoníaco y otros gases. Estos deben soltarse y retirarse de la cueva del queso, ya que pueden arruinar el sabor y el olor del queso. Para esto, es necesaria una circulación de aire adecuada y se puede lograr abriendo y cerrando la puerta de la cueva de vez en cuando o usando un dispositivo para traer aire filtrado. Considere la cantidad y velocidad del flujo de aire, la cantidad de queso presente y la entrada y salida de aire dentro del ambiente interno.

Saneamiento y mantenimiento . Por último, asegúrese de mantener limpias la bodega y la cueva, ya que también podría afectar la calidad del queso. Verifique la calidad y los componentes de los agentes de limpieza que está utilizando, la ubicación de los desagües y el área de lavado, las regulaciones locales y la limpieza periódica de los estantes y el equipo utilizado para hacer el queso.

Algunas recetas básicas

Se pueden hacer algunas recetas muy interesantes con queso. Echemos un vistazo a algunos de ellos.

1. Ensalada Caprese: rodajas de mozzarella fresca, tomates y hojas de albahaca cubiertas con sal, pimienta y aceite de oliva

2. Palitos de mozzarella: cuboides de queso mozzarella recubiertos de harina y pan rallado y fritos.

3. Bollos de queso con suero de leche: bollos horneados bañados en suero de leche y rellenos de queso.

4. Tarta de queso de Nueva York: use su queso crema casero fresco para hacer una tarta de queso horneada con salsa de moras o chocolate negro.

5. Pizza Quattro Formaggi: pizza fresca horneada con la receta de pan mencionada anteriormente y cubierta con cuatro tipos de quesos caseros de su elección.

Consejo adicional: haga una cocina funcional a la que se pueda acceder fácilmente desde su cobertizo para hacer queso o desde el área de trabajo, esto es particularmente útil cuando también está cultivando verduras y frutas frescas en su casa de campo. Puede experimentar con nuevas recetas de queso y guardarlas en su despensa. Si planea hacer su queso en la cocina, asegúrese de tener un espacio amplio y cómodo para trabajar, ya que a veces puede ser un proceso agitado.

Capítulo 5

Haga su Propia Agua Potable

Una granja funcional en el patio trasero también es capaz de producir agua potable. Ya no tiene que pagar por botellas de agua de plástico voluminosas. Puede seguir métodos específicos de purificación de agua para que la recolección de agua de lluvia sea potable; este es un enfoque sostenible que ahorra mucho dinero y recursos. En este capítulo, veremos algunos de estos métodos de purificación de agua que funcionan y convierten con éxito el agua no apta en agua potable.

Antes de echar un vistazo a las técnicas de purificación de agua, aprendamos cómo recolectar agua de lluvia para que sea un enfoque completamente sostenible y económico. Sin embargo, para recolectar y usar agua de lluvia, su ubicación debe tener suficiente lluvia anual. De lo contrario, debe depender de otras fuentes de agua como lo ha estado haciendo, como el agua del grifo. También puede considerar el ciclo ascendente de aguas grises.

Aquí hay un método simple pero efectivo de recolección de agua de lluvia que puede preparar en su hogar y para uso diario:

- Coloque una canaleta en el borde de su techo. Conecte el extremo de la canaleta con un tubo que esté conectado a la pared de abajo. La tubería llevará el agua de lluvia desde la canaleta hasta el suelo. Si ya tiene canaletas en el techo, asegúrese de que estén limpias y sin hojas ni polvo. Lo mismo implica para sus tuberías también.

- Compre un barril grande o use un recipiente existente para recolectar el agua del extremo de la tubería. Asegúrese de que el barril o recipiente esté completamente limpio desde el interior.

- Cortar el bajante y colocarlo directamente en el recipiente para que reciba el agua de lluvia.

- Antes de insertar el bajante en el contenedor, corte un pequeño orificio en el fondo del contenedor y coloque un grifo para facilitar el acceso. Con esto, puede buscar agua de lluvia para purificarla con facilidad.

- Coloque el recipiente debajo de un cobertizo para regular la temperatura del agua recolectada.

Una vez que recoja el agua de lluvia, es el momento de purificarla. Puede utilizar una o más de las siguientes técnicas para purificar el agua de lluvia y hacerla apta para el consumo.

1. Hervir el agua

Hervir el agua es una de las formas más fáciles y convenientes de purificar el agua y hacerla apta para beber. También es bastante simple. Todo lo que tienes que hacer es verter el agua impura en una olla para hervir y calentarla hasta que hierva. Déjelo hervir durante al menos 10 a 15 minutos. Hierva el agua todo el tiempo que pueda, ya que la hará más pura y segura para el consumo. Sin embargo, hay una desventaja de hervir el agua. Hervirlo eliminará todo el oxígeno presente, lo que arruinará su sabor. Si está de acuerdo con el agua de sabor plano, hervir puede ser su técnica principal de purificación de agua. Si no es así, eventualmente te acostumbrarás. Para arreglar el sabor, también puede agitar el agua purificada para retener algo de su sabor. Por último, agregar una pizca de sal por litro de agua le dará un toque extra de sabor.

2. Destilación

La destilación es un proceso de recolección de vapor calentando agua y convirtiéndola nuevamente en líquido para su consumo. En comparación con los contaminantes y microbios presentes en el agua, este último tiene un punto de ebullición más bajo, lo que hace que la destilación sea una técnica de purificación eficaz. El agua se hierve y se deja en su punto de ebullición durante un período prolongado. A continuación, el vapor convertido se recoge en un condensador y se enfría. Los contaminantes y sustancias nocivas presentes en el agua se dejan en el recipiente de ebullición. Aunque es un proceso lento, eliminará todas las bacterias, gérmenes y metales pesados dañinos como el arsénico, el mercurio y el plomo. También requiere una fuente de calor confiable.

Para hacer su sistema de filtración de arena lenta en casa:

- Haga un baño maría agregando 8 tazas de agua en una olla grande y colocando una olla más pequeña dentro de manera que flote. Asegúrese de que haya suficiente espacio alrededor de los bordes de la olla más pequeña para una circulación de aire adecuada.

- Coloque la olla grande a fuego medio-alto y deje que el agua hierva a fuego lento (no hierva) a una temperatura de 180 a 200 F.

- Una vez que el agua comience a hervir a fuego lento, coloque una tapa sobre la parte superior de la olla grande en posición invertida. Esto permitirá que el vapor gotee por el centro de la tapa y lo recoja en la olla más pequeña.

- Mientras tanto, coloque unos cubitos de hielo sobre la parte superior de su tapa, acelerará el proceso de condensación.

- Después de unos 30 a 45 minutos, notará que se acumula un poco de agua en la olla más pequeña, que ahora se destila.

La destilación es un proceso largo y que consume mucha energía, pero da resultados prometedores.

3. Cloración

Este proceso utiliza cloro como ingrediente principal para purificar el agua y se utiliza normalmente en muchos hogares. Es una sustancia química fuerte que mata los patógenos dañinos, los gérmenes y otros organismos presentes en el agua que la hacen no apta para beber. Puede usar cloro líquido o tabletas de cloro para purificar el agua. Póngalos en agua caliente (siga las instrucciones para la cantidad) y déjelo disolver cuando el agua alcance alrededor de 70 F o más. Ciertas personas con problemas de salud, como tiroides o problemas relacionados, deben consultar a sus médicos antes de profundizar en este método.

4. Filtración lenta de arena

Como su nombre indica, este método utiliza arena para filtrar el agua contaminada y, por lo general, lo utilizan los agricultores comerciales, lo que lo convierte en una técnica de purificación de agua económica, sostenible y eficaz . En este método, utiliza diferentes capas de arena que producen una sustancia similar a un gel en la superficie, que filtra el agua y elimina las impurezas. Es una excelente configuración de bricolaje que no se adapta a mucho espacio y se puede preparar e instalar fácilmente en su hogar en el patio trasero. Además, estos no requieren piezas químicas, mecánicas o soporte para su funcionamiento.

Para hacer su sistema de filtración de arena lenta en casa:

• Corte una botella de plástico desinfectada por la mitad y déle la vuelta para que quede sobre su tapa. Retire la tapa y envuelva la boca con un filtro de café y asegúrelo firmemente con una banda de goma.

• Prepare un soporte para el plástico, ya que permanecerá en esta posición durante un período prolongado.

- Preparar la primera capa con arena fina y nivelarla. A continuación, vierta arena gruesa en la parte superior e iguale: esta es la segunda capa.

- Para la tercera capa, coloque guijarros pequeños y extiéndalos uniformemente.

- La última y última capa tendrá rocas o grava enorme. Asegúrese de limpiar y desinfectar estos guijarros y rocas antes de usarlos.

- Coloque una olla recolectora debajo de la botella y vierta agua contaminada sobre ella a través de un colador. Deje que se filtre y gotee en el recipiente colector.

5. Desinfección solar

Este método es una forma sostenible de desinfectar el agua. Este sistema utiliza energía solar para purificar el agua en lugar de mantenerla bajo un calor extremo, como el agua hirviendo. Para ello, debe llenar algunas botellas de plástico limpias con tres cuartas partes del agua contaminada. Agítelo durante unos 20 a 30 segundos y llene la parte restante de la botella con el agua contaminada. Cierre las tapas y coloque las botellas bajo la luz solar durante 6 a 8 horas.

Si la ebullición, la destilación o cualquier otro método no le funciona, puede utilizar la desinfección solar, ya que es extremadamente económica.

Almacenamiento de agua purificada

La mejor forma de conservar el agua potable se inspira en una forma tradicional utilizada en las zonas rurales de Asia, que son las vasijas de barro. Mucha gente todavía usa este método hasta la fecha. Las ollas de barro están hechas de arcilla roja que tiene propiedades refrescantes y proporciona un sabor distintivo. Al almacenar agua en ollas de barro, puede obtener agua fría durante el verano. Si conserva agua en una olla de barro durante unos días, puede lograr un sabor distintivo que es favorecido por muchos. Además, no necesita un refrigerador específicamente para agua fría. Puedes comprar vasijas de barro de varios tamaños en línea o en cualquier tienda que venda vasijas artesanales.

Otra forma de conservar grandes cantidades de agua potable es un tanque que recolecta agua purificada directamente del sistema. Asegúrese de desinfectar y limpiar su tanque con regularidad para prevenir enfermedades y el crecimiento de microbios que podrían causar posibles amenazas a la salud.

Capítulo 6

Haga su Propio Té

El siguiente en nuestra lista de productos para hacer sus propios productos incluye el té. Imagínese tomando una taza de té caliente en un día lluvioso mientras está sentado en su bonito patio trasero. Parece surrealista, ¿no? Con una casa en el patio trasero, puede preparar su té preferido. Ya sea té verde, negro, blanco o oolong lo que devora, ahora puede cultivar y preparar su té en casa con esta sencilla guía.

Antes de profundizar en el proceso de cultivo de su té, entendamos qué es realmente el té. Al conocer su planta, puede comprender sus características y lograr mejores resultados. La planta del té es Camellia Sinensis, o simplemente C. Sinensis, de la que se pueden extraer diferentes variedades de té. Si no se poda, su planta de té crecerá hasta una altura de 20 a 30 pies de altura. Sin embargo, debes podarlo con regularidad. Dos tipos diferentes de té son inherentes a la planta de té C. Sinensis, uno de los cuales proviene del sur de China (se cultiva en climas más fríos) y el otro se cultiva en Assam, India (uno con hojas más grandes). Existe otro tipo llamado Camellia assamica, que se encuentra principalmente en África.

Configuración básica

Puede desarrollar camas de jardín y llenarlas con suelo arenoso y bien drenado para obtener los mejores resultados. Si su ubicación es demasiado fría, es posible que deba invertir en teteras móviles que puedan contener plantas altas. Si hace demasiado frío afuera, simplemente puede llevar sus teteras adentro. Los colonos que viven en la Zona 8 (que se encuentra en el Medio Oeste y el sur de los Estados Unidos) pueden cultivar fácilmente varias plantas de té en sus patios traseros debido a las condiciones climáticas perfectas.

Preparando el suelo

Debe prestar atención mientras prepara la tierra porque eventualmente decidirá la salud de sus arbustos de té. Los tipos de suelo preferidos incluyen suelo suelto o ligeramente arenoso que drene bien. Si su suelo contiene demasiada agua, no hará mucho bien a sus arbustos. Si no puede encontrar suelo suelto o arenoso, también puede optar por un suelo franco y poroso que tenga un mayor nivel de acidez. Sin embargo, asegúrese de que el suelo que elija tenga un menor contenido de calcio. Tres factores que debe tener en cuenta para proporcionar condiciones de crecimiento óptimas para su arbusto de té son:

- Suelo poroso, suelto o arenoso
- Menor nivel de calcio
- Suelo con mayor nivel de acidez

Una vez que tengas las manos en la mezcla de tierra, es hora de transferirla a la maceta del jardín, donde cultivarás tus arbustos de té. Agregue una pequeña cantidad de musgo sphagnum a su suelo para aumentar su calidad nutricional.

Elegir y plantar el arbusto de té

Cuando la tierra y la maceta estén listas, es el momento de plantar los arbustos de té en ellas. Puede comprar una planta de té real en su vivero cercano o elegir una variedad de tés en función de sus diferentes partes, como hierbas, flores, raíces o tallos, etc.

Puede cultivar una o todas estas semillas y plantas de las que puede extraer diferentes variedades de té:

1. Camellia Sinensis

Como ya sabemos, este es el arbusto de té más auténtico que producirá el té real con su esencia original. Puede elegir entre plantas de té de hojas grandes y pequeñas según la disponibilidad y las condiciones climáticas de su área. Es fácil de manejar, ya que crece hasta una altura de solo 3 a 6 pies cuando se poda regularmente. Estos arbustos son estéticos a la vista y se convierten en plantas ornamentales en la temporada de otoño. Puede comprar semillas o plántulas de Camellia Sinensis en su vivero más cercano. A medida que crecen, se asemejan a un arbusto, pero si no se manejan y se podan adecuadamente, pueden comenzar a parecerse a un árbol. Necesita mucha paciencia al cultivar té, ya que esta planta puede tardar hasta 3 años en madurar por completo. Tan pronto como estos crezcan, use un mortero para triturar los cogollos jóvenes o presiónelos entre sus manos para hacerlos bebibles. Con esta planta obtendrás té blanco, negro, verde y oolong.

2. *Rosa mosqueta*

Los escaramujos se extraen y se cultivan a partir de las vainas de semillas de rosas silvestres y se consideran bayas. La gama de sabores de los escaramujos varía según el tipo de vaina de la que ha crecido. Puede esperar hojas de té de rosa mosqueta que tengan un sabor demasiado suave o súper dulce. Además, el té que crece a partir de esta planta es muy nutritivo y contiene nutrientes esenciales como la vitamina A, E y C. Algunas personas usan hojas de té de las hojas de una planta de rosas de jardín. Sin embargo, estos generalmente se rocían con productos químicos y no deben usarse. Las plantas de rosa mosqueta se cultivan idealmente en lugares soleados, por lo que si su ubicación es calurosa casi todo el año, esta planta debe ser su elección principal. Un suelo bien drenado es la mejor opción para esta planta. Incluso si no tiene el suelo o la ubicación adecuados, puede cultivar la planta en una maceta y optimizar su entorno para obtener los mejores resultados. Arranca los escaramujos secos o frescos para preparar tu té. Sin embargo, tenga cuidado al cosechar té de esta planta, ya que generalmente está lleno de espinas. Dado que los escaramujos contienen cero cafeína, el té de esta planta no es amargo. Aún puede fortalecer su sabor aumentando el número de escaramujos.

Siga estos pasos para usar los escaramujos para hacer té:

- Seleccione las hojas y los brotes más jóvenes y tritúrelos entre las palmas.

- Vierta un poco de agua en una olla y caliéntela hasta que alcance una temperatura de 190 F.

- Añada las hojas de rosa mosqueta trituradas en esta agua caliente y déjelas cocinar un rato.

- Cuela en una taza y agrega miel o limón para servir.

Además de ser sabroso y refrescante, el té de rosa mosqueta también mejora su salud. Contiene 20 veces más vitamina C que las naranjas, lo que es excelente para la salud inmunológica.

3. Raíz de diente de león

Este tipo de planta generalmente se considera un desperdicio en el césped. Sin embargo, las raíces de esta planta pueden ser una taza de té deliciosa y saludable. Contiene muchos antioxidantes que eliminan las toxinas del cuerpo y lo limpian por dentro. Además, ayuda a fortalecer el sistema inmunológico y a reducir las posibilidades de formación de tumores y también se sabe que promueve un hígado sano. Además, este té es ideal para personas que padecen una infección del tracto urinario. Las raíces del diente de león se pueden cultivar en primavera y otoño. Sin embargo, existen múltiples argumentos que afirman que es la temporada ideal para cultivar raíces de diente de león. Se encuentra que el verano no es el mejor momento ya que su crecimiento se enfoca más en cultivar y nutrir las flores y las hojas.

Tenga mucho cuidado al cosechar raíces de diente de león para hacer té. Usa tus manos para sacar las hojas y usa un tenedor para sacar las raíces. Tome la corona de la planta como referencia y excave tres pulgadas de espacio a su alrededor. Una vez que puedas extraerlo, quita la parte superior de la planta y sepárala de sus raíces cortándola. En lugar de tirar la parte superior de la planta, puedes usarla en tinturas y ensaladas.

Para usar las raíces para el té:

- Lávelo bien para deshacerse de la tierra. Frote las raíces con un cepillo para verduras para limpiarlas a fondo y eliminar la tierra enterrada.

- Una vez que estén limpios, córtelos en rodajas iguales (casi ¼ de pulgada de largo).

- Usa un deshidratador o mete estas rebanadas en el horno para secarlas.

- Retirar del horno y dejar enfriar a temperatura ambiente durante unas horas.

- Están listos para usarse. Transfiera en un recipiente hermético y colóquelo en un lugar seco y fresco. Puede usarlos hasta por 1 año.

Para preparar té para beber:

- Vierta 2 tazas de agua en una olla y caliente hasta que alcance una temperatura de 190 F.

- Agregue 2 cucharaditas de rodajas de té de raíz de diente de león secas en esta agua caliente y déjelas cocinar durante unos 15 minutos.

- Cuela en una taza y agrega miel o limón para servir.

4. Semillas de cilantro

El cilantro a menudo se confunde con el cilantro. Aunque estos dos proceden de la misma planta, tienen propiedades y sabores diferentes. Toda la planta se conoce como cilantro y las hojas son cilantro. Puede cultivar cilantro a partir de semillas o mediante plantas de inicio. El cilantro crece mejor en climas más suaves, como primavera y otoño. No debe mantenerse bajo la luz solar directa. Esta planta es fácil de cultivar y manejar si se cuida todos los días.

Necesitas semillas de cilantro para usar en un té. Para cosecharlos, corte las cabezas de semillas que aún estén verdes y colóquelas en una bolsa de papel para que se sequen. También puede cosechar semillas secas directamente de la planta. Puede guardarlos en un recipiente hermético para un uso frecuente o congelarlos para un uso prolongado.

Para hacer té bebible con semillas de cilantro:

- Vierta 2 tazas de agua en una olla y caliente hasta que alcance una temperatura de 190 F.

- Agregue algunas semillas de cilantro en esta agua caliente y déjela cocinar durante unos 15 minutos. También puede verter esta agua caliente directamente sobre algunas semillas de cilantro. Déjelo reposar durante unos 5 a 7 minutos.

- Cuela en una taza y agrega miel o limón para servir.

Al igual que otros tés, se sabe que el té hecho con semillas de cilantro previene problemas digestivos y cura otras dolencias relacionadas con el estómago, como la intoxicación alimentaria.

5. *lavanda*

Este es uno de los tipos de té más aromáticos y sabrosos de todos. Por su agradable aroma, se utiliza para calmar los nervios y es una de las principales vías de tratamiento en aromaterapia. Ofrece un efecto calmante y ayuda a reducir la ansiedad y aumentar la concentración. Además, las plantas de lavanda están repletas de nutrientes como vitamina A, vitamina C, calcio y aminoácidos esenciales. También es excelente para estimular su sistema inmunológico. El sabor y el olor característico de esta planta se deben a la presencia de alcanfor en sus flores y realza la dulzura del té.

La lavanda es otra planta fácil y despreocupada que se puede cultivar en la comodidad de su patio trasero. Puede cultivar esto en una maceta o plantarlo directamente en el jardín de su patio trasero. Asegúrese de que el suelo drene bien y que las macetas se coloquen bajo la luz solar directa. En lugar de cultivarlo desde cero, es más prudente que los principiantes lo cultiven a partir de plantas de lavanda. Vigila tu planta de lavanda y poda de vez en cuando para un crecimiento saludable. Durante el verano, florecerán múltiples cogollos de lavanda, que se pueden arrancar y usar para hacer té. Para cosechar los cogollos para el té, simplemente córtelos, lávelos y guárdelos en un recipiente hermético.

- Para hacer té bebible con cogollos de lavanda:

- Vierta 2 tazas de agua en una olla y caliente hasta que alcance una temperatura de 190 F.

- Agregue 2 cucharaditas de yemas frescas de lavanda en esta agua caliente y déjela cocinar durante unos 15 minutos. También puede verter esta agua caliente directamente sobre los cogollos de lavanda. Déjelo reposar durante unos 5 a 7 minutos.

- Cuela en una taza y agrega miel o limón para servir. También puede agregar otros ingredientes refrescantes como menta, manzanilla o bayas para realzar el sabor.

Si constantemente enfrenta problemas de salud, como tos y resfriados o malestar estomacal, debe beber una taza de té de lavanda todos los días.

Proceso

En aras de una mejor comprensión, dividiremos el proceso en dos partes: cultivar té y cosecharlo y procesarlo.

Té creciente

Como se mencionó, puede preparar su suelo y verificar las pautas locales para conocer las condiciones climáticas adecuadas. Decide el tipo de té que quieres cultivar y prepara el suelo en consecuencia. A estas alturas, ya tiene una idea clara de cómo debería ser el suelo ideal. Preparar las macetas, plantar las semillas o plantar y regar con frecuencia; este paso necesita paciencia y observación constante. Dependiendo del tipo de planta que tenga en crecimiento, la planta de té o sus partes tardarán entre 6 meses y 3 años en crecer.

Cosecha y procesamiento

Cuando su planta de té haya crecido por completo, es hora de cosecharla y procesarla. Siga esta guía paso a paso para cosechar y procesar cinco tipos de tés, que son verde, negro, blanco, oolong y rooibos.

1. Té verde

- Seleccione las hojas y cogollos más jóvenes y colóquelos sobre una superficie plana con papel secante.

- Séquelos bien con el papel secante y déjelos a la sombra para que se sequen al aire.

- Coloque una olla en la estufa y vierta agua para calentar. Coloque las hojas en una vaporera y cocínelas al vapor

141

durante unos 60 a 80 segundos. Si desea un buen sabor tostado, omita el vapor y áselos en una sartén por el mismo tiempo.

- Mientras tanto, prepare su bandeja para hornear. Una vez que las hojas de té estén asadas o al vapor, colóquelas en la bandeja para hornear y colóquelas en el horno a una temperatura de 250 F. Deje que se sequen al horno durante unos 20 minutos.

- Una vez hecho, sacar del horno y dejar enfriar. Transfiera a un recipiente hermético y colóquelo en un lugar seco y fresco.

2. Té negro

- Seleccione las hojas y los brotes más jóvenes y tritúrelos entre sus palmas hasta que formen un color negro. A medida que las hojas se enrollan y trituran, notará que los bordes se volverán rojos.

- Preparar una bandeja y esparcir las hojas trituradas. Déjelos secar a la sombra durante al menos 2 a 3 días.

- Mientras tanto, prepare su bandeja para hornear. Una vez que las hojas de té estén secas, colóquelas en la bandeja para hornear y colóquelas en el horno a una temperatura de 250 F. Deje que se sequen al horno durante unos 20 minutos.

- Una vez hecho, sacar del horno y dejar enfriar. Transfiera a un recipiente hermético y colóquelo en un lugar seco y fresco.

3. Té Oolong

- Seleccione las hojas y cogollos más jóvenes y colóquelos sobre una superficie plana, sobre una toalla al sol durante unos 45 minutos. Notarás que las hojas se han marchitado después de 45 minutos.

- Colóquelos en el interior y déjelos enfriar un rato. Revuelva las hojas de vez en cuando para que se enfríen uniformemente.

- Como las hojas se secarán y enfriarán, notará que los bordes se volverán rojos.

- Mientras tanto, prepare su bandeja para hornear. Una vez que las hojas de té estén secas, colóquelas en la bandeja para hornear y colóquelas en el horno a una temperatura de 250 F. Deje que se sequen al horno durante unos 20 minutos.

- Una vez hecho, sacar del horno y dejar enfriar. Transfiera a un recipiente hermético y colóquelo en un lugar seco y fresco.

4. Té blanco

- Seleccione las hojas y brotes más jóvenes y colóquelos sobre una superficie plana con una toalla en un área sombreada durante unas 72 horas. Notarás que las hojas se han marchitado después de este proceso.

- Colóquelos en el interior y déjelos enfriar un rato. Revuelva las hojas de vez en cuando para que se enfríen uniformemente. Para obtener mejores resultados, seque estas hojas con aire caliente o al vapor. La clave es procesarlo durante un período menor en comparación con el té negro, ya que tiene un sabor más suave.

- Transfiera a un recipiente hermético y colóquelo en un lugar seco y fresco.

5. *Rooibos*

- Seleccione las hojas y cogollos más jóvenes y déjelos fermentar un rato hasta que los bordes se pongan rojos.

- Apile los tallos, hojas y cogollos para permitir una fermentación más rápida. Al fermentar, notará que toda la pila se ha vuelto roja.

- Coloque las hojas de té fermentadas en una bandeja y extiéndalas uniformemente. Déjalos secar un rato.

- Transfiera a un recipiente hermético y colóquelo en un lugar seco y fresco.

Preguntas básicas

1. ¿Cuánto té puedo esperar cosechar en una temporada?

Debe cuidar bien sus plantas de té al principio con una poda y una forma adecuadas. Al hacer esto, puede esperar una cosecha ligera en la segunda temporada. Si continúa cuidando sus plantas, puede esperar una cosecha abundante en la cuarta o quinta temporada. También dependerá del tipo de suelo y clima en su ubicación. Si las plantas están maduras, puede esperar una cosecha de aproximadamente media libra de hoja por planta. Si es un principiante, puede esperar que la cosecha sea de alrededor de un cuarto de libra de hoja por planta. Sin embargo, todavía es suficiente para satisfacer sus necesidades diarias.

2. ¿Cuánto té puedo procesar después de cosecharlo?

Con la práctica y el equipo de procesamiento adecuados, puede esperar que cada libra de hoja cruda se procese en una quinta parte de una libra de té terminado. En palabras más simples, cada cinco libras de hojas de té crudas se pueden convertir en una libra de té procesado. La pérdida se debe a la evaporación del agua que se produce durante las etapas de procesamiento.

3. ¿Qué tipo de clima y clima es adecuado para cultivar té?

Dado que el té necesita condiciones ambientales y un clima estrictos para crecer, debe considerar el clima de su ubicación antes de decidir cultivar su té. Las plantas de té no pueden sobrevivir a un clima extremadamente frío, que está por debajo de 0 F y hasta 15 F. Si vive en un lugar frío, un invierno severo arruinará todos sus esfuerzos durante todo el año de cultivar y cuidar sus plantas de té. Para confirmar las condiciones climáticas y el comportamiento de las plantas en su área, puede consultar las pautas de plantas del USDA para determinar el comportamiento de su arbusto de té. Si no vive en ninguna de estas zonas sugeridas, aún puede cultivar su arbusto de té en un invernadero.

El mejor suelo para cultivar arbustos de té es un poco más alto en el nivel ácido y muy arenoso. Su suelo también debe estar bien drenado.

Receta s

Como sabemos, la mejor forma de tomar té es agregar una pizca de limón y jengibre. Es una receta sencilla y saludable que refresca el paladar y aleja los antojos. Puede comprar bolsitas de té y llenarlas con té seco o simplemente usar un infusor de té para preparar té en agua caliente. Agregue otros ingredientes interesantes como flores de hibisco o jazmín en verano para proporcionar un sabor refrescante.

Sin embargo, hay muchas más recetas que puede preparar con té, algunas de las cuales incluyen los productos de la granja de su patio trasero.

Té helado simple

El té helado es una de las bebidas más sabrosas durante los días de verano, y con tu té casero, tendrá un sabor aún más delicioso. Es una receta sabrosa y sencilla que apenas te llevará unos minutos preparar. Hacer té helado también es una forma sencilla y alentadora de comenzar. También es un excelente y más saludable reemplazo del té helado embotellado que contiene mucha azúcar. Es una alternativa más económica, saludable y autosuficiente que se puede realizar a cualquier hora del día.

Equipo: una jarra, un frasco de conservas resistente al calor o una olla hirviendo y vasos para servir.

Ingredientes:

Para hacer ½ galón de té helado: 6 bolsitas de té o 6 cucharadas de té de hojas sueltas por 8 tazas de agua

Para preparar 1 galón de té helado: 12 bolsitas de té o 12 cucharadas de té de hojas sueltas por 8 tazas de agua

Para cambiar las medidas según el requisito, use 2 cucharadas de té de hojas sueltas por 2 tazas de agua.

- ½ limón
- Cubitos de hielo
- Azúcar (opcional)
- Hojas de menta (para decorar, opcional)

Instrucciones :

1. Vierta el agua en el frasco de conservas resistente al calor o en la olla hirviendo y deje que hierva. Cambie las medidas del agua a hervir según sus necesidades.

2. Agregue la cantidad proporcional de hojas de té o bolsas (como se explicó anteriormente) al agua hervida. Déjelo reposar durante unos 15 a 20 minutos.

3. Agrega azúcar si quieres que sea dulce. También puede reemplazarlo con opciones más saludables como miel, jarabe de arce o azúcar morena.

4. Colar la mezcla. Déjelo enfriar hasta que alcance la temperatura ambiente.

5. Mientras tanto, prepare su jarra agregando cubitos de hielo. Una vez que la mezcla se haya enfriado, exprima un poco de jugo de limón.

6. Vierta la mezcla en la jarra y estará lista para servir. Usa hojas de menta para decorar.

Puede preparar grandes lotes de té helado y conservarlo en su refrigerador con una tapa en sus jarras. Sin embargo, le recomendamos que prepare té helado recién hecho cada vez que lo desee, ya que sabe mejor, es fácil de preparar y apenas toma unos minutos.

Conclusión

Siguiendo estos pasos, ahora está listo para construir su casa en el patio trasero y hacer sus productos. Es una excelente manera de salir de las deudas y construir un estilo de vida autosuficiente. Puede sonar abrumador al principio, pero una vez que lo dominas, no hay vuelta atrás. No se preocupe si no tiene un pulgar verde; simplemente sigue practicando y sigue el procedimiento con precisión. El resto caera en su lugar. Es un oficio que necesita consistencia, cuidado, paciencia y práctica para dominarlo. Simplemente comience, aprenda sobre su camino y continúe haciéndolo sin pensarlo dos veces. Incluso si las cosas no funcionan al principio, no se detenga. La agricultura en el patio trasero no es un juego de niños; uno está destinado a fallar sin experiencia previa. Sin embargo, no se detenga simplemente por ese pequeño fallo. La mayoría de los propietarios exitosos de viviendas en el patio trasero fracasaron al principio, pero no se detuvieron. Usted puede hacerlo también. Imagina los resultados al final y mantente motivado. Habla con otros propietarios de viviendas en el patio trasero para inspirarte.

Como hemos estado enfatizando la importancia de comenzar poco a poco, debe prestarle especial atención. No se lance a proyectos que parezcan inalcanzables. Es más prudente terminar un proyecto pequeño con resultados exitosos que comenzar un proyecto grande y dejarlo incompleto. Dé un paso a la vez y TENGA PACIENCIA. Aprenda de sus errores y siga adelante.

Haga un uso adecuado de ese patio trasero suyo. Estudie y prepare su patio trasero hoy para construir su casa. Estás a solo un paso. ¡Buena suerte y feliz finca!

Referencias

https://thehouseandhomestead.com/easy-no-knead-homemade-
bread/

http://homesteadinghomemaker.blogspot.com/2020/01/bread-
making-101-family-homestead.html

https://www.bbcgoodfood.com/recipes/focaccia

https://tastykitchen.com/recipes/breads/honey-herb-bread/

https://butterwithasideofbread.com/peaches-and-cream-
bread/#wprm-recipe-container-34580

https://www.thekitchn.com/whats-the-difference-between-active-
dry-yeast-and-instant-yeast-54252

https://www.thekitchn.com/bread-baking-clinic-under-knea-
157484

https://www.thekitchn.com/longer-lasting-yeast-store-dry-yeast-in-
the-freezer-179315

https://www.thekitchn.com/active-dry-instant-yeast-best-tips-for-working-with-yeast-180312

https://www.thekitchn.com/fresh-baked-how-to-tell-when-b-106715

https://www.finecooking.com/article/the-science-of-baking-with-yeast-2#:~:text=As%20bread%20dough%20is%20mixed,causing%20the%20bread%20to%20rise .

https://cheesemaking.com/blogs/learn/how-to-select-cheese-wrap

https://cheesemaking.com/blogs/learn/finding-good-milk-for-cheese-making

https://cheesemaking.com/blogs/learn/how-to-make-a-cheese-cave

https://cheesemaking.com/blogs/learn/how-to-wax-cheese

https://cheesemaking.com/blogs/learn/equipment-for-cheese-making

https://cheesemaking.com/blogs/learn/ingredients-for-cheese-making

https://www.thespruceeats.com/30-minute-fresh-mozzarella-cheese-recipe-1806489

https://www.thespruceeats.com/homemade-mascarpone-cheese-recipe-1806499

https://cheesemaking.com/blogs/learn/the-cheese-making-process

https://www.thespruceeats.com/homemade-ricotta-cheese-recipe-591554

https://www.culturesforhealth.com/learn/recipe/cheese-recipes/cheddar-cheese-recipe/

https://www.thespruceeats.com/growing-tea-at-home-766090#:~:text=For%20planting%2C%20Camellia%20sinensis%20likes,before%20you%20start%20harvesting%20leaves.

https://www.johnquinnrealestate.com/growing-tea-at-home/

https://www.cnet.com/how-to/how-to-make-distilled-water-at-home-for-free/

https://www.schultzsoftwater.com/blog/4-methods-to-purify-your-water

https://mikespatio trasero nursery.com/2013/07/8-ways-to-purify-water-at-home/

https://homesteading.com/best-homesteading-tools/

https://purelivingforlife.com/homestead-tools/j

AGRICULTURA EN EL PATIO TRASERO

Cultivo de Verduras, Frutas y Ganadería en una Casa Urbana

MONA GREENY

Introducción

La agricultura en el patio trasero se está volviendo popular rápidamente entre la gente de las áreas urbanas. Aún así, el concepto ha existido durante bastante tiempo. Aunque es ampliamente conocido como homesteading en el patio trasero, también puede referirse a ella como agricultura en el patio trasero, propiedad urbana o propiedad suburbana. Pero no importa cómo lo llame, los conceptos básicos de la granja en el patio trasero son bastante sencillos: tome el espacio en su hogar y comience a cultivar alimentos y criar ganado para vivir una vida suficiente.

Una cosa que encuentro interesante acerca de la agricultura en el patio trasero es que se convirtió en algo así como una tendencia alrededor de 2014. Mucha gente lo considera la próxima moda en la que saltar como si fuera un descubrimiento revolucionario. Sin embargo, el hecho es que la vivienda en el patio trasero es un concepto que ha sido parte integral de la experiencia humana de otra manera. Mire hacia atrás a la gran depresión cuando la gente tuvo que tomar conejos para su carne, y se dará cuenta de cuánto ha sido la granja en el patio trasero una parte de la vida probada y auténtica.

La idea del patio trasero o de una granja urbana es ayudarlo a comenzar a vivir una vida autosuficiente, una en la que pueda proporcionar a su familia alimentos frescos directamente de la fuente. Por lo tanto, si está listo para dar el paso pero no sabe por dónde empezar, este libro fue escrito para usted.

Agricultura en el patio trasero contiene toda la información, las pautas y los consejos que necesita para comenzar su propia granja en el patio trasero y comenzar a obtener alimentos frescos directamente de la fuente. Necesariamente, hay cinco pasos que debe seguir para comenzar con la agricultura en el patio trasero. El primer paso es iniciar un jardín; el segundo es comenzar a compostar; el tercero es criar pollos, específicamente para sus huevos; el cuarto es criar otros animales para que te sirvan de fuente de carne; y finalmente, el quinto paso es llevar la mezcla de su patio trasero a su hogar. Sé que se está preguntando qué significa la última parte, pero todo se revelará en el libro.

Puede ser tentador considerar la construcción de una casa en el patio trasero como una nueva tendencia para subirse, pero no debería hacerlo. Si entra en la práctica con la mentalidad de que esto es solo otra cosa de Internet en la que necesita participar, para sentirse parte de la comunidad en línea, es más que probable que fracase en la agricultura en el patio trasero. La agricultura en el patio trasero está destinada a integrarse en su vida para que se convierta en parte de usted y su familia; debe tomarlo en serio. Por lo tanto, si usted es alguien que está buscando otra tendencia a la que saltar, le sugiero que pase a otro libro; este es un asunto serio. Sin embargo, si está buscando un libro que le enseñe a vivir una vida genuinamente autosuficiente, este es el libro perfecto para usted.

Este libro cubre todo lo que necesita saber sobre la agricultura en el patio trasero, desde el cultivo de frutas y verduras de hoja verde hasta la cría de ganado para carne y huevos. En la primera parte, analizamos los diversos beneficios de la agricultura en el patio trasero para ayudarlo a asimilar por completo el nivel de perjuicio que le estaría haciendo a usted y a su familia si considera que la ocupación en el patio trasero es simplemente otra tendencia de Internet. La primera parte también se concentra en cómo puede planificar y comenzar su propio huerto para la plantación de frutas y verduras. En otras partes del libro se tratan consejos, técnicas y métodos de cultivo, cría de ganado, así como la cosecha y conservación de los alimentos que se cultivan. En general, este libro proporciona pautas detalladas sobre cada paso que debe seguir para poner en marcha su granja en el patio trasero de su hogar urbano. Promete ser una lectura informativa y educativa para las personas que desean una guía completa sobre cómo pueden vivir una vida autosuficiente.

Entonces, si está listo para comenzar a producir toda la comida que necesita en ese pequeño espacio en la parte trasera de su apartamento, ¡tome asiento en su silla favorita para comenzar!

PARTE I

Vivienda en el Patio Trasero

En el lenguaje más sencillo, la ocupación se refiere a un estilo de vida de autosuficiencia y autosuficiencia. Aunque este libro se enfocará en el aspecto de la agricultura que tiene que ver con la agricultura de subsistencia, en realidad involucra todo, desde la agricultura de subsistencia hasta la conservación de alimentos y la elaboración de artesanías domésticas. Según Wikipedia, la ocupación es "un estilo de vida de autosuficiencia, que se caracteriza por la agricultura de subsistencia, la preservación de los alimentos en el hogar y puede o no involucrar la producción a pequeña escala de textiles, ropa y artesanía para uso doméstico".

La agricultura familiar se ha vuelto más popular entre los estadounidenses como resultado de los problemas que afectan la seguridad alimentaria y la salud y el bienestar. Muchas personas están encontrando formas de volverse más autosuficientes debido a estos problemas, y la ocupación de viviendas ofrece la solución perfecta. Dependiendo de a quién le plantee la pregunta, es posible que obtenga diferentes definiciones de lo que significa homesteading. Hacer una granja puede significar algo para usted y algo completamente diferente para otra persona. Todo depende de lo que estés dispuesto a integrar en tu estilo de vida. Pero en realidad, la ocupación se trata básicamente de la autosuficiencia, y puede practicarla sin importar dónde se encuentre.

Sin embargo, en los principales medios de comunicación de hoy en día, la ocupación se considera un acto de mantener un extenso huerto de frutas y verduras al mismo tiempo que se cría ganado para complementar y, en última instancia, proporcionar suficientes alimentos para el consumo familiar. Algunas personas a menudo deciden vender parte de sus productos obtenidos directamente de su jardín trasero. Básicamente, las personas que han hecho de la vivienda en el patio trasero un estilo de vida producen todo lo que necesitan para sobrevivir en cuanto a alimentos. A medida que las granjas se vuelven cada vez más populares entre la gente, muchas familias en los suburbios están aprendiendo a comenzar sus propias pequeñas granjas e incluso a incursionar en la cría de animales. Esto es principalmente por lo que decimos que el concepto de vivienda en el patio trasero enseña a las personas a vivir una vida de autosuficiencia incluso en sus hogares urbanos.

Aunque es posible que algunas personas hayan intentado convencerlo de que la ocupación es realmente fácil, debe saber que es exigente si desea llevarlo a cabo a gran escala. Si planta a gran escala sin asegurarse de poder manejar las demandas de ser un granjero urbano , es dudoso que tenga éxito en su empresa de granjas. Esta es la razón por la que no debe ver la agricultura en el patio trasero como una tendencia más en la que participar; debe considerarlo un asunto serio, algo para asegurar su supervivencia y mejorar su bienestar. Lo mejor es comenzar lentamente para evitar abrumarse con las actividades y tareas que conlleva ser un granjero. Incluso si reside en un apartamento, hay consejos que puede utilizar para comenzar con actividades prácticas y fáciles antes de pasar a aspectos más desafiantes de la ocupación cuando se mude a una nueva casa.

La forma más cómoda y sin estrés de comenzar a cultivar en el patio trasero es comenzar a producir algunos de los alimentos que consume. Puede comenzar por plantar un huerto económico y asegurarse de que los miembros de su familia participen cuando sea el momento de cosechar los productos. Si vive en un apartamento, puede perfeccionar rápidamente sus habilidades de vivienda. Esto lo ayudará a comprender cómo es antes de obtener su propia propiedad y convertirse en un verdadero granjero.

Ahora, cuando se trata de convertirse en un microprocesador en un hogar urbano, la gente siempre tiene diferentes excusas sobre por qué no puede comenzar a ocupar un hogar. Personalmente, me tomó un par de años antes de tener las pelotas para comenzar el viaje. Hay muchas razones por las que la gente opta por dejar pasar las oportunidades de vivir en sus hogares. Es comprensible que algunas personas tengan miedo de cometer errores. En contraste, otros simplemente tienen miedo de ser el "raro" del vecindario. Para muchas otras personas, la sola idea de convertirse en un microprocesador es simplemente abrumadora. Esto generalmente los hace procrastinar y luego darse por vencidos por completo. Sin embargo, aparte de estas razones, hay otras razones por las que muchas personas todavía piensan que la ocupación no es algo tan ideal para los residentes urbanos.

La razón principal se debe a la gran cantidad de conceptos erróneos que existen sobre la ocupación. En la mayoría de los casos, algunos de estos conceptos erróneos son totalmente falsos, mientras que otros se malinterpretan. Es probable que haya escuchado al menos uno de estos conceptos erróneos y probablemente incluso haya creído en algunos de ellos. Es esencial corregir los conceptos erróneos y los mitos, ya que son la razón por la que muchas personas todavía se sienten disuadidas de la idea de comenzar un huerto y una granja de ganado en una pequeña granja.

Uno de los conceptos erróneos más extendidos sobre la ocupación de viviendas es que se necesitan toneladas de tierra para hacerlo. Como resultado, muchas personas no creen que se pueda iniciar una granja o criar animales en un hogar urbano. Algunas personas incluso piensan que necesitas vivir en una zona rural si quieres practicar la ocupación. En el pasado, los estadounidenses equiparaban la vivienda a la vida en el país. Creen que no se puede tener un jardín a menos que viva en el campo. Sin embargo, la verdad es que no necesita toneladas de espacios terrestres para ser autosuficiente, solo necesita ser creativo con la forma en que usa el poco espacio que tiene. Ya sea que viva en un área rural o suburbana, puede comenzar a vivir en el patio trasero dondequiera que esté.

Según un estudio publicado por algunos investigadores de la Universidad de Londres, Inglaterra, un acre de un jardín suburbano en realidad puede proporcionar el triple del tamaño de productos que obtendría de un acre de tierra de cultivo. Esto se debe a que una familia puede intimar rápidamente con el acre que tiene e idear diferentes formas de navegar por él. Cuando tenga solo un acre de tierra para cultivar su jardín, seguramente conocerá rápidamente las necesidades de ese jardín y las mejores formas de administrarlo para obtener los resultados deseados. Algunas personas comienzan su estilo de vida de granjas con la cría de pollos; otros comienzan primero un huerto. No importa con qué empieces, el punto es empezar a proporcionarte comida. Siempre que esté preparando su comida desde cero y cultivando alimentos en su propia mini granja urbana, es autosuficiente.

Otro concepto erróneo que la gente tiene sobre las granjas urbanas es que arruina el aspecto de su casa. Como resultado, muchas personas piensan que solo debes cultivar alimentos en tu entorno. Bueno, cultivar alimentos en su hogar puede ser mucho más creativo que simplemente plantar un jardín cuadrado de aspecto sencillo en filas. Y ni siquiera necesita limitar su jardín al patio trasero. Los huertos de frutas se pueden cultivar en el patio delantero, lo que se sumará a la belleza de su hogar. Con las hileras de hermosas frutas, flores y hojas, nadie puede decir que la agricultura arruina el aspecto de una casa. De hecho, el paisaje comestible se suma a la belleza del hogar. Sin duda, siempre hay dos formas de hacer cualquier cosa: la forma de alto mantenimiento o la de bajo mantenimiento. El enfoque que adopte depende de su presupuesto y de la cantidad que tenga que invertir en su proyecto de vivienda.

Si vive en los suburbios, apuesto a que no pensó en la agricultura cuando eligió su propiedad. ¿Cuántos habitantes de los suburbios eligen una propiedad por su ventaja agrícola de todos modos? Como resultado, la mayoría de los suburbios tienen propiedades que plantean desafíos específicos al estilo de vida agrícola. Por ejemplo, algunas propiedades tienen terrenos en pendiente. Al mismo tiempo, hay demasiadas áreas sombreadas en algunas, lo que hace imposible que el sol brille realmente. Si bien la mayoría de la gente piensa que las tierras inclinadas son una desventaja que hace imposible el cultivo, la verdad es que las tierras inclinadas o montañosas le brindan la oportunidad de cultivar una variedad de plantas. Además, un jardín con sombra es excelente para producir una diversidad de verduras, incluidas verduras de hoja verde y tubérculos. Por lo tanto, el hecho de que viva en los suburbios no es realmente la desventaja que mucha gente piensa que es. En cambio, es una oportunidad que puede aprovechar para producir una gran cantidad de productos cada año.

Un concepto erróneo muy interesante sobre la microempresa o la agricultura en el patio trasero es que no puedes cultivar más allá de las verduras y las frutas si quieres ser un granjero en el patio trasero. Por supuesto, no es mentira decir que cuanto más tiempo inviertas en hacer que algo funcione, más beneficios obtendrás. Esto también se aplica a la jardinería en el patio trasero y la agricultura. Sin embargo, no significa que solo pueda cultivar verduras y frutas. El espacio es lo único que puede impedirle ampliar el jardín de su patio trasero para incluir otras cosas que no sean frutas y verduras. Debe ser realista sobre el espacio que tiene para su viaje de propiedad, pero seguramente puede comenzar con cualquier espacio, sin importar cuán pequeño sea. Para aprovechar al máximo su jardín, debe hacer de la jardinería una parte integral de su rutina diaria. Incluso si son solo 15 minutos, dedíquelo a su jardín todos los días. Esto le facilita seguir el método, incluso cuando no tenga ganas de hacer nada en un día en particular. Si no comienzas por invertir unos minutos y sigues esperando el día, tendrás una fila de horas ininterrumpidas que quizás ese día nunca llegue. Los pequeños pasos que das son los que eventualmente te llevarán a tus metas.

Por alguna razón, mucha gente cree que la agricultura en el patio trasero no es una granja hasta que agrega algunos animales de granja a su micro-granja. Eso es falso. Si quieres ser un agricultor tradicional hasta la médula, siéntete libre. Sin embargo, no se sienta obligado a incluir animales de granja en su plan de propiedad a menos que realmente lo desee. El objetivo de la granja en el patio trasero es para que pueda cultivar las cosechas que desee y producir los alimentos que come usted mismo. Si no desea criar ganado, puede limitarse a cultivar frutas y verduras. Pero si desea criar ganado como fuente de huevos y carne, sepa que también puede hacerlo. Se trata de deseos, preferencias y elecciones.

Hay muchos enfoques que puede adoptar para la agricultura en el patio trasero. Pero no importa el método que desee utilizar, comprenda que puede empezar donde quiera que esté, ahora mismo. Siempre que sepa cómo ocuparse de la agricultura en el patio trasero, no tiene que posponer las cosas ni rehuir las cosas. Además, ayuda a hacer la transición lentamente cuando comienzas. No es necesario que empieces de golpe o que lo hagas por completo de una vez. Si todavía no quiere comprometerse con ese estilo de vida por completo, no tiene que hacerlo, simplemente tome todo paso a paso. Si no puede soportar atender a muchas frutas y verduras diferentes todos los días, puede comenzar cultivando solo una o dos verduras o frutas simples y acumularlas gradualmente.

Lo bueno de empezar a cultivar en el patio trasero es que puedes inspirarte en aquellos que lo han convertido en un estilo de vida. Hay cientos de miles de personas que han comenzado con éxito e incorporado la homestead en sus vidas. Además, puede comenzar rápidamente donde quiera que esté y cuando quiera. No tiene que esperar para perfeccionar ninguna habilidad específica; simplemente adquiera lo básico y estará listo para comenzar . Incluso si el espacio que tiene es solo en su balcón, puede comenzar a trabajar en el jardín allí con los conocimientos y los consejos adecuados.

El siguiente capítulo explica los beneficios de la agricultura en el patio trasero en un intento de ayudarlo a comprender por qué la ocupación es adecuada para usted.

Capítulo 1

Los Beneficios de la Agricultura en el Patio Trasero

Si le pregunta a cualquier colono cómo los hace sentir, probablemente le dirá que se siente bendecido. Y la verdad es que no sabrá cuán afortunados se sienten hasta que usted mismo se convierta en un granjero. Empieza a cosechar los beneficios de obtener su comida directamente de la granja de su patio trasero. Los muchos beneficios de la agricultura en el patio trasero son razones suficientes para que usted comience a vivir en el patio trasero si todavía está indeciso. Sin lugar a dudas, hacer la transición de obtener su comida de la tienda de comestibles a obtenerla de la granja de su patio trasero no siempre es fácil para los principiantes en la agricultura. Sin embargo, mejora con el tiempo.

Y luego, está todo el asunto de convencer a su familia sobre la nueva visión y metas que tiene. A la mayoría de las personas les resulta difícil convencer a sus familias de lo beneficioso que sería su nuevo estilo de vida una vez que comiencen. En esta época, es fácil inventar diferentes excusas de por qué la agricultura familiar puede no ser el estilo de vida adecuado para usted. Por ejemplo, algunas personas no quieren ser colonos porque creen que eso hará que la gente los vea como hippies. Otros simplemente no quieren los inconvenientes que conlleva ser un granjero en el patio trasero, a pesar de que el estilo de vida está lejos de ser un inconveniente.

"¿Por qué comenzar una granja microurbana cuando puedes conseguir tu comida en la tienda de comestibles?" Bueno, puedo asegurarle que obtener los alimentos que consume usted mismo, en su propia granja, es mucho más satisfactorio y útil que comprar alimentos rancios en su supermercado local. El mejor momento para comenzar a trabajar en su plan de vivienda en el patio trasero es AHORA, y no debe dejar que nada lo detenga. Incluso si tienes que empezar dando pequeños pasos. Y si experimentas contratiempos, si la gente pensará que eres extraño porque has decidido ser un agricultor urbano, debes saber que siempre acaba valiendo la pena. Entonces, si necesita un impulso adicional para comenzar a trabajar hacia sus objetivos, aquí hay algunos beneficios de la granja en el patio trasero que deberían convencer a su familia e incluso a usted.

Conciencia alimentaria

Como era de esperar, muchas personas en la sociedad desconocen de dónde vienen los alimentos y cómo llegan a la mesa. Los niños, en particular, no tienen la menor pista o pista de dónde vienen sus comidas favoritas. La granja es la clave para educar a sus hijos y su familia sobre la comida y de dónde viene. Una granja microurbana lo alienta a desarrollar una conexión íntima con el ciclo de producción de alimentos. Este conocimiento es algo que todo ser humano, sin importar cuán joven o viejo, debería tener. Le ayuda a comprender y apreciar el logro aparentemente trivial de poder poner comida en su mesa. Algo es satisfactorio en saber de dónde viene tu comida. Te ayuda a comprender más la naturaleza.

En cierto modo, la experiencia de la granja también es una lección de humildad. Los colonos suelen comprender rápidamente cuán finita es la vida. Como principiante en la agricultura urbana, cometerá muchos errores. Estos errores pueden resultar abrumadores. Tu ganado morirá. Los cultivos aparentemente sanos también morirán. Las estructuras pueden colapsar y su plan puede fallar más de una vez. La experiencia es humillante para muchas personas. Si tiene pollos, es probable que los depredadores los ataquen y se los coman. Pero, independientemente de los fracasos y las lecciones, continuará con la agricultura si está realmente interesado en ello. Si alguien te dice que hay una manera de practicar la agricultura en el patio trasero sin cometer ningún error, debes saber que esa persona está jugando con tu ingenuidad. Por lo tanto, como la ocupación es un camino de humildad para las personas, ayuda a desarrollar la perseverancia. La ocupación urbana es la construcción de carácter.

Con la vivienda en el patio trasero llega un nivel de libertad que la mayoría de la gente no ha logrado en su vida. Debido al estilo de vida autosuficiente, muchos colonos tienden a volverse relativamente independientes, generalmente más de lo que nunca lo han sido. Convertirse en un granjero urbano lo libera del suministro de alimentos centralizado. La mayoría de los colonos no se preocupan de que la gente se queje de la inflación de los productos lácteos en el mercado. Si tienes una vaca, ¿por qué tienes que preocuparte por el aumento del precio de la leche? Incluso si la carne de res se encarece, los colonos no se preocupan porque saben que tienen su ganado. El mayor nivel de libertad frente al alza de precios en el mercado hace que su corazón se sienta mareado y feliz. Es razón suficiente para convertirse en un granjero urbano hoy.

Seguridad

Hasta cierto punto, la ocupación ofrece seguridad durante tiempos extremos. No importa si su problema es una preocupación pequeña o significativa; siempre puede contar con la homesteading para proporcionar un nivel de seguridad en términos de alimentos y habilidades. Si conoce a algún agricultor, probablemente sepa que todavía tiene un suministro de alimentos a mano porque: 1) cuando cultiva sus alimentos, siempre hay más para conservar y almacenar. 2) Muchos colonos no pueden evitar tener frascos de conservas y suministros para enlatar. Aunque sus técnicas personales de conservación de alimentos pueden necesitar un poco de pulido cuando se convierta en un granjero, el hecho es que siempre tendrá suficiente suministro de alimentos para que le duren meses, en la despensa, alacenas, sótano y congelador. Además, algunas de las habilidades que perfeccionas al convertirte en un granjero pueden ser realmente útiles en escenarios extremos de supervivencia.

Ética de trabajo

Como era de esperar, la ocupación también ayuda a afinar su ética de trabajo. Estará de acuerdo en que una cosa que falta actualmente en la cultura mundial es una sólida ética de trabajo. Regrese a los tiempos de nuestros antepasados, y encontrará que los niños comenzaron a aprender todo sobre cómo proporcionar su propia comida, ordeñar vacas y cultivar cosechas desde los seis y siete años. En aquellos tiempos, los niños ya sabían alimentar a los animales y adiestrar bueyes. Sin embargo, hoy en día el entorno es completamente diferente. La verdad es que los niños se vuelven capaces y prosperan en cualquier situación que los anime a participar en actividades que merecen la pena. Si bien debe estar agradecido de que sus hijos no tengan que pasar por un trabajo tan intenso en esta edad (gracias a la tecnología y los avances), no puede negar que la ocupación puede ayudar a sus hijos a desarrollar una sólida ética laboral. No importa lo poco que hagan. Si hay algo que pueda ayudar a los niños a prepararse para desarrollar una sólida ética de trabajo, es la responsabilidad que acompaña al cultivo de alimentos. Les enseña a ellos ya usted mucho y viene con la responsabilidad de asegurar que todos puedan comer y sobrevivir; y el ganado que crías depende de ti para su propia supervivencia, día tras día.

Comida sana y sabrosa

La comida que proviene directamente de su propia granja sabe mejor que la comida del supermercado. Los huevos que provienen de sus propias aves de corral se ven mucho más saludables y saben mejor que los huevos comprados en la tienda, por buenas razones. Si conoce a alguien que tenga gallinas, entonces debe saber cuán brillante y hermosa es la yema de las gallinas sanas de traspatio. El sabor es siempre incomparable. La profundidad de la diferencia entre la comida de cosecha propia y la comida convencional es simplemente increíble. La comida de la granja sabe bien.

Homesteading también te enseña a apreciar lo que tienes. Cuando comprende el nivel de trabajo que implica cultivar sus propios alimentos, desde plantar las semillas hasta cuidar las plántulas y nutrirlas hasta que maduren, es difícil no mostrar aprecio y estar agradecido. Nada nutre más la gratitud y la satisfacción que saber la cantidad de trabajo arduo que implica proporcionar a su familia y seres queridos alimentos para comer. Sin darse cuenta, esto también le enseña a tratar mejor sus cultivos y apreciar sus valores.

Hay muchos más beneficios de la granja en el patio trasero, pero esto debería ser suficiente para convencerlo a usted y a cualquier otra persona a la que le gustaría convencer sobre las razones por las que la granja en el patio trasero es ideal para su familia. En el próximo capítulo, discutiremos cómo puede comenzar con la agricultura en el patio trasero. ¿Qué es lo primero que hace para comenzar a construir una casa en su hogar urbano? Averigüemos en el capítulo siguiente.

Capítulo 2

Planificación y Primeros Pasos

Ahora que comprende por qué debería convertirse en un granjero urbano; puede que se pregunte por dónde empezar exactamente. Averiguar por dónde empezar a cultivar una granja puede ser un gran desafío, especialmente cuando no tiene ningún conocimiento previo sobre la agricultura o la propiedad de la tierra. El objetivo de este capítulo es ayudarlo a desmitificar todo el proceso y brindarle una idea de los pasos concretos que debe tomar para comenzar su viaje de ocupación.

Sin embargo, antes de comenzar con la agricultura, debe estar convencido de que es un estilo de vida que realmente desea. Mucha gente tiene esta percepción idealizada de cómo debería ser la ocupación en su cabeza. Aún así, a menudo resulta, a diferencia de lo que imaginaban en su cabeza. En serio, debe tomarse un tiempo para reflexionar sobre las actividades, tareas y quehaceres diarios que tendrá que completar como colono. Cuidar los cultivos y el ganado es mucho más difícil de lo que la mayoría de la gente piensa. Las actividades requieren mucho tiempo y son físicamente exigentes, y no todo el mundo tiene estómago para eso. Es por eso que es esencial asegurarse de que su pareja también esté a bordo antes de comenzar a trabajar en el patio trasero. Asegúrese de que sea el tipo de estilo de vida que desean. Siéntese y tenga una discusión abierta sobre sus objetivos de vivienda. Si su pareja no comparte los mismos sentimientos que usted, entonces le resultará desafiante vivir un estilo de vida de granjero.

El primer lugar para comenzar es elegir los aspectos de la propiedad en los que desea enfocarse. Esto significa que tienes que definir tus prioridades. Elija uno o dos proyectos de vivienda en los que esté seguro de poder comenzar y comprometerse en los meses siguientes. Si es un residente suburbano, puede considerar comenzar con la cría de pollos y el huerto de frutas o verduras. Por ejemplo, puede obtener de 3 a 4 pollos para huevos. Hay pasos que debe seguir si desea concentrarse en la cría de pollos, y los descubrirá a medida que lea más. Este libro se enfoca en cómo puede comenzar su propio huerto de frutas, huerto y también comenzar a criar ganado. Sin embargo, no es necesario que haga todas estas cosas a la vez. Puede comenzar cultivando verduras si eso es a lo que puede comprometerse plenamente en este momento. Luego, a medida que se acostumbre a la vida de las granjas, puede expandirse para cultivar frutas y criar ganado.

La planificación y el establecimiento de metas son esenciales para el viaje de la propiedad. Sin un plan formulado, es poco probable que tenga éxito en su empresa de propiedad. Hacer un plan para cada paso de su aventura en el patio trasero es vital para lograr los objetivos específicos que se ha fijado. Una cosa acerca de la agricultura en el patio trasero es que no es necesario mudarse al campo o tener su propia propiedad. La agricultura en el patio trasero te anima a vivir una vida sostenible cultivando un jardín, criando algo de ganado y conservando los alimentos que preparas. Por lo tanto, los objetivos que establezca deben alinearse con su entorno. Su plan debe incluir los edificios de la granja, los cultivos y el ganado, así como también cómo generar ingresos si lo desea. Puede crear su proyecto en su teléfono u obtener un diario.

Empiece por hacer una lista de las cosas que quiere lograr en su viaje de ocupación. ¿Qué tipo de colono quieres ser? ¿Quieres estar fuera de la red en última instancia? ¿Quiere producir todos los alimentos que consume cada año sin comprar nada en el supermercado? ¿Quiere obtener ingresos de su granja en el patio trasero? Todas estas son preguntas que debe responder en su plan. La lista que hagas será crucial para tu investigación. La investigación es una parte vital de la agricultura en el patio trasero. Tienes que investigar las mejores prácticas para los aspectos de la propiedad en los que quieres centrarte. Esto le ayudará a tomar las mejores decisiones al planificar las fases de su hogar. Por lo tanto, mire la lista que creó y úsela para trazar metas alcanzables. Una vez que establezca metas, será más fácil dar los siguientes pasos.

El objetivo que establezca determinará el tamaño del terreno que necesita. Por lo tanto, asegúrese de tener esto en cuenta al hacer su plan y establecer metas alcanzables. Si desea mantener su trabajo de tiempo completo o parcial y simplemente practicar la agricultura como pasatiempo, es mucho más fácil arreglárselas en un entorno urbano. Pero si desea hacer de la agricultura su estilo de vida, necesitará suficiente espacio para cultivar todas las frutas y verduras que necesita, además de espacio para el ganado que desea tener. Además, también necesitará establecer parámetros sobre el área general en la que desea vivir. Como colono, ¿desea vivir en una parte remota de la ciudad? Si está planeando comprar una propiedad para comenzar su estilo de vida de granjas, asegúrese de que la tierra que obtenga funcionará para el estilo de vida de granjas que desea vivir.

El siguiente paso es realizar una investigación. Antes de comenzar a criar ganado en su jardín trasero, debe asegurarse de que sea aceptable en el vecindario en el que vive. Por ejemplo, tener pollos requiere que revise las ordenanzas locales y se asegure de que se le permita tener pollos. También debe verificar la cantidad máxima de pollos que puede tener para asegurarse de no desperdiciar su dinero. No se puede subestimar la importancia de la investigación en la planificación de la vivienda en el patio trasero. Con una investigación adecuada, es menos probable que se enfrente a adversidades. Cuando realiza una investigación profunda y exhaustiva sobre algo antes de comenzar, es menos probable que se sienta abrumado por los desafíos que encontrará en el camino.

El presupuesto es una parte fundamental de la planificación. Una parte importante de su plan se centrará en establecer un presupuesto realista y rentable que no le quite mucho dinero de su bolsillo. Es muy importante crear un presupuesto bien investigado, especialmente si planea renunciar a su trabajo de tiempo completo por un estilo de vida autosuficiente. Si desea comprar un terreno y una propiedad antes de comenzar a cultivar, no tiene que usar todos sus ahorros para comprarlo. Hay que tener en cuenta otros aspectos vitales como las renovaciones y mejoras a realizar en la propiedad. Si está renunciando a su trabajo por el estilo de vida de granjero, tendrá que proponer ideas creativas que puedan ayudarlo a generar dinero a partir de sus cultivos y ganado. Como mínimo, es posible que deba pagar impuestos sobre la propiedad y otros posibles servicios públicos que influirán en el proceso de cuidado de su propiedad. También ayuda a ahorrar algunos ahorros en caso de emergencia. Más importante aún, es inteligente probar múltiples fuentes de ingresos si no solo está haciendo la propiedad como un pasatiempo o algo para proporcionar comida para usted y sus seres queridos. Es bastante común entre los colonos tener hasta 5 o más fuentes de ingresos. Algunos de los más populares incluyen la venta de productos adicionales, productos lácteos, lana y otras cosas que puede obtener rápidamente de su jardín y animales de granja.

Cuando comience su granja, asegúrese de comenzar con algo pequeño. Comenzar con algo que esté seguro de que puede manejar es mucho mejor que sentirse abrumado por una granja en el patio trasero que no puede administrar usted mismo. No tiene que esperar hasta tener su granja ideal para comenzar a cultivar en el patio trasero. Convertirse en un granjero depende más de su forma de pensar y de su disposición para hacer de la granja un estilo de vida, en contraposición al tamaño de su tierra o propiedad. Si tiene una ventana por la que entra el sol, incluso puede comenzar un pequeño jardín en el interior cultivando algunas especies o hierbas. Si su patio trasero es lo suficientemente grande, puede comenzar un huerto de frutas y verduras y comenzar a producir las verduras de hoja verde que le gusta consumir. Homesteading, como he dicho, se trata de definir sus prioridades. ¿Qué será lo más beneficioso para usted en este momento: un huerto o un gallinero? Depende totalmente de usted decidir. Algunas personas pueden querer enfocarse en pollos y otro ganado para la producción de carne y huevos, mientras que usted puede optar por comenzar poco a poco con un huerto de frutas.

Homesteading, como se dará cuenta, promueve un estilo de vida minimalista. Por lo tanto, a medida que se vuelva coreano y se acostumbre a la agricultura en el patio trasero, asegúrese de seguir simplificando su estilo de vida. Una excelente manera de hacerlo es reducir la incesante y aparentemente incontrolable necesidad de los dispositivos más nuevos, teléfonos móviles y otras cosas parásitas que se comerán el dinero de su cuenta bancaria más rápido que un error. Todo el concepto de homesteading gira en torno a la idea de que menos es más. Ya sea que mucha gente se dé cuenta o no, siempre hay una manera mejor y más barata de hacer algo. Por lo tanto, a medida que avanza en su viaje de vivienda en el patio trasero, debe hacer una auditoría de su vida con regularidad. Evalúe formas de reducir o posiblemente eliminar las cosas que están agotando su dinero, energía y tiempo, para que pueda reinvertir estos valiosos recursos en su estilo de vida autosuficiente.

Como parte de su viaje de ocupación, deberá aprender a conservar y almacenar los alimentos para que no se echen a perder ni se desperdicien. Las habilidades de conservación de alimentos como enlatar, congelar, encurtir, deshidratar, ahumar y almacenar en frío son cosas que debe adquirir para convertirse en un granjero genuinamente autosuficiente. Si sigue correctamente las pautas de este libro, es más probable que tenga más alimentos de los que necesita al final de cada temporada agrícola. Si no aprende a conservar los alimentos que produce, la mayoría acabará desperdiciándose. Debe aprender a evitar que sus productos se echen a perder si desea mantener la comida en la mesa durante los meses de invierno. Los cultivos son mucho más difíciles de cultivar durante el invierno.

Hacer amistad con personas que ya tienen una valiosa experiencia en el campo puede ayudarlo en su viaje. Aunque los colonos de los patios traseros a menudo son mal juzgados incorrectamente como personas antisociales, la verdad es que son personas amigables que están ansiosas por intercambiar el conocimiento que tienen con otras personas. Tener una mente similar que también esté interesada en la propiedad puede ayudar realmente en caso de cualquier inquietud o pregunta que tenga en el camino. Los colonos con experiencia conocen el clima, las leyes, las condiciones de siembra y crecimiento, y otra información que usted encontrará extremadamente beneficiosa. Además, un compañero de granja es todo el apoyo emocional que necesitas porque muchas personas diferentes sin duda te considerarán extraño. La creación de redes es vital en la ocupación.

Antes de sumergirse directamente en la construcción de su huerto de frutas y verduras, debe diseñar su casa en preparación. Entonces, ¿cómo lo haces? El próximo capítulo se centra en responder a esta pregunta.

Capítulo 3

Diseño y Construcción de su Casa en el Patio Trasero

¡Felicidades! Ha creado con éxito un plan y se ha fijado metas de vivienda alcanzables. Ahora sabe todo lo que necesita antes de comenzar con el viaje de la ocupación. Ahora, el siguiente gran paso es planificar, diseñar e implementar la granja ideal para el espacio de su patio trasero.

Hacer una lluvia de ideas y proponer ideas de diseño para su nueva propiedad urbana es una experiencia divertida y desafiante. A veces es difícil, pero eso es solo cuando no sabe los pasos correctos a seguir. Si usted es un principiante total en la agricultura o ya tiene algún tipo de experiencia con la jardinería y los animales, todavía hay algunas cosas básicas que debe resolver. Dejarse llevar por sus objetivos definidos es muy fácil cuando recién comienza a vivir en el patio trasero.

Cuando tenga un plan para llevar una vida autosuficiente, podría considerar la posibilidad de lanzarse sin considerar todo lo que implica. Resista ese impulso ya que es destructivo. No puede lanzarse directamente a la agricultura a menos que primero construya la propiedad perfecta. Ahora bien, "perfecto" en este contexto no significa rotundamente perfecto. En cambio, significa hacer una casa que sea adecuada para usted y el espacio del patio trasero que tiene. Con toda la emoción de comenzar su propia granja en el patio trasero, muchas personas no consideran el diseño estructural de dicha granja. A menudo, las cosas no salen tan bien, ya que pronto se dan cuenta de que sus jardines no son ideales, con falta de sol, espacio insuficiente para lo que quieren hacer y otros errores.

Después de establecer las metas para su empresa de propiedad, puede comenzar a diseñar su propiedad. Pero primero, hay algunos pasos esenciales que debe seguir. Saltarse estos pasos y saltar directamente al diseño y la implementación conducirá a arrepentimientos en el futuro, o fracasos, en el peor de los casos. El primer paso crucial, del que hablé brevemente en el capítulo anterior, es revisar las leyes de zonificación para jardinería y animales en su región. En la mayoría de los estados, existe una distancia requerida entre los vecinos y las regulaciones vigentes para la cantidad de animales que puede tener en su hogar y posiblemente también el tipo de animales. Muchos estados tampoco permiten que los residentes cultiven jardines en sus patios delanteros. Para conocer las leyes de zonificación en su estado o ubicación, busque en Google las leyes provinciales de ese estado. Si Google no proporciona la información que necesita, vaya al registro local para averiguarlo.

Un paso vital que debe tomar antes de comenzar a diseñar o incluso a construir su casa es asegurarse de que la exposición a la luz solar del jardín sea la correcta en su patio trasero. Para la mayoría de sus verduras y frutas, necesitará más de 8 horas de luz solar. Las horas de luz solar requeridas varían de una planta a otra. Algunas verduras no necesitan más de 4 a 6 horas de luz al día. Sin embargo, en general, 8 horas es lo correcto para la mayoría de las plantas. Elija un día para ver la luz del sol y ver las dependencias que probablemente proyecten sombras. Si está planeando criar algunas gallinas, por ejemplo, debe construir un gallinero. Parte de la sesión de diseño es colocar su gallinero en un lugar donde no proyecte sombras sobre su huerto de frutas o verduras, evitando así que las plantas reciban la luz solar que tanto necesitan.

Como criarás ganado, debes tener en cuenta sus necesidades antes de comenzar a diseñar o construir tu propiedad. ¿Necesitas hacer algunos edificios para los animales de granja que quieres criar? ¿Qué tipo de animales quieres criar? ¿Necesita construir una dependencia donde pueda guardar cosas como heno o ordeñar las cabras (si las hay)? El tamaño de los edificios es un factor crucial que debe tener en cuenta en sus sesiones de lluvia de ideas. Puede decidir comenzar con solo seis pollos, pero más adelante, sin duda, optará por expandir su rebaño, lo que significa que necesitará un gallinero más grande que el que tiene para 6 pollos. La esgrima también es fundamental. Una cerca grande y alta es vital para mantener a las plagas y depredadores fuera de su casa en el patio trasero. Un residente urbano puede necesitar camas de jardín a prueba de roedores. Además, la mayoría de las granjas del patio trasero necesitan cercas grandes y altas para mantener seguros el ganado y el jardín. Todo esto será bastante costoso.

Otra cosa sobre la crianza de animales es que debes pensar en su compatibilidad al diseñar la granja del patio trasero. Por lo general, las cabras y las ovejas son grandes compañeros. Aún así, debe asegurarse de que los machos reproductores no puedan acceder a las hembras en ningún momento. Y definitivamente no debes permitir que se crucen. Esto es muy importante. Los pollos, por otro lado, se pueden dejar libres alrededor de ovejas, cabras y vacas, pero es necesario darles acceso a muchas áreas de la granja porque les gusta criar libremente. Si mantiene a sus pollos en el mismo lugar que sus animales de ordeño, su excremento puede entrar o alrededor de una ubre, lo que podría ser realmente malo. Si mantiene a los animales de ordeño para su leche, debe tener cuidado porque existe un mayor riesgo de E. Coli y Campylobacter. Sin embargo, esto no significa que los pollos no puedan repartirse con animales como cabras y vacas; simplemente significa que no debe mantenerlos encerrados en el mismo edificio. Los pollos deben tener su propio gallinero donde duerman y pongan huevos. Además, si desea tener cerdos, sepa que son animales omnívoros. Esto significa que probablemente cazarán y consumirán a otros animales en su granja si les brinda una oportunidad para hacerlo. Como resultado, debe asegurarse de que los cerdos estén con su propia especie.

La contención animal es otro factor a tener en cuenta. Dado que los pollos de carne crecen completamente una vez que tienen entre 10 y 12 semanas de edad, debe comenzar por criar pollos, es decir, los pollos jóvenes. Para no restringirlos a un área pequeña que pueda ser atropellada rápidamente por todas las patas de sus otros animales de granja, es mejor comprarles o construirles un tractor de pollos hasta que sean mayores y más maduros. Un tractor de pollos es una jaula móvil que le permite trasladar a sus polluelos a nuevos lugares de césped cada día. Mucha gente cree que los conejos de carne deben colocarse en jaulas pequeñas, pero es mucho mejor para los conejos si los crías en su hábitat natural, que es la hierba. Entonces, necesita construir un tractor para conejos, similar a su tractor para pollos, pero con alambre para gallinero. La malla de gallinero ayudará a asegurarse de que los conejos no caven para salir del tractor. Al diseñar su propiedad, también debe pensar en el medio ambiente. Debe hacer su propio abono cuando comience a cultivar su jardín. Si desea hacer esto, lo mejor es colocar la pila de abono cerca de los edificios de animales. Es incluso mucho mejor cuando tiene su jardín cerca de los corrales de los animales y la pila de abono. Eso hace que las cosas sean más convenientes para ti.

También debe pensar en los árboles de la granja en el área del patio trasero. Plantar arbustos y árboles alrededor de la granja de su patio trasero puede ser costoso, pero encontrará que vale la pena a largo plazo. Cuando planta sus árboles y arbustos, tienen que estar en lugares donde no puedan proyectar sombras sobre otras áreas. Afortunadamente, muchos árboles frutales tienen tamaños semi-enanos y enanos, lo que significa que no ocuparán tanto espacio en la granja del patio trasero. El diseño de permacultura también puede ayudar a integrar su experiencia de jardinería y cría de animales. Básicamente, usar este diseño significa que desea que sus animales realicen algunos de los trabajos por usted. Por ejemplo, las gallinas pueden ayudar con el compostaje y pueden limpiar las frutas de su huerto cuando las necesite. Las cabras pueden ayudar a despejar nuevas áreas para que puedas plantar cultivos más tarde. Con el conocimiento adecuado, puede hacer que la permacultura funcione en su casa en el patio trasero.

Obviamente, hay muchos factores a tener en cuenta antes de comenzar con la planificación y el diseño de su nuevo hogar en el patio trasero. Una vez que haya considerado todas las restricciones posibles en términos de terreno y presupuesto, puede continuar con el diseño de su propiedad. Ya sea que tenga una gran superficie para la nueva finca o un pequeño lote urbano, debe trazar un mapa del terreno. Después de considerar sus objetivos, puede proceder a diseñar múltiples combinaciones diferentes para su granja.

No hagas el diseño de la granja del patio trasero solo. O haces las sesiones de lluvia de ideas con tu familia o las tienes en cuenta cuando estás haciendo una lluvia de ideas para la idea perfecta de la granja. Cuando conciba ideas, no se concentre en el lugar en el que se encuentra en la vida en este momento, piense en dónde quiere estar en los próximos diez años o más. ¿Tienes familia? ¿O estás soltero? ¿Quieres tener más hijos en el futuro? ¿O van a tener nidos vacíos? Todos estos son información crucial porque el diseño creado debe adaptarse a su estilo de vida y necesidades. Incluso si piensa que hay pocas posibilidades de que su situación familiar cambie en el futuro, debe saber que los cambios específicos son inevitables. No solo esto, sino que si desea diseñar una granja familiar que pueda sobrevivir durante décadas y más, debe diseñar un espacio que sea funcional y atractivo.

Comience dibujando un diseño de arriba y pruebe sus manos con diferentes ideas antes de conformarse con una. Es posible que deba garabatear y diseñar muchas combinaciones antes de obtener finalmente un diseño que crea que es adecuado para usted. Esto es totalmente normal. La mayoría de los colonos crean muchos bocetos antes de conformarse finalmente con uno. Su plan cambiará según su presupuesto y tiempo. Para facilitar su trabajo, puede probar una aplicación de planificación de jardines para obtener las páginas a pie de página y todos los detalles que necesita en el plano del jardín. Ya sea que viva en un condominio o tenga un patio trasero bien espaciado que se pueda usar bien, un planificador de jardines lo ayudará a determinar el tamaño y la estructura perfectos para su granja en el patio trasero. Lo mejor de estos planificadores de jardines es que, por lo general, le brindan la distribución y el diseño en un documento que puede imprimir. Entonces, una vez que diseñe su granja en el patio trasero, puede imprimirla y ponerse a trabajar.

La vivienda en el patio trasero no es ni la mitad de difícil de lo que mucha gente piensa. Aún así, requiere mucho compromiso y determinación para tener éxito. En la segunda parte del libro, exploramos todo lo que hay que saber sobre cómo iniciar un huerto exitoso que pueda proporcionarle todas las verduras que usted y su familia necesitan.

PARTE II

Horticultura:
Todo lo Que Necesita Saber

Al contrario de lo que cree, cultivar verduras no es complicado, pero admito que es un poco complejo. A menos que sepa qué hacer, no puede encontrar la manera de planificar y comenzar un huerto. El problema con la mayoría de las personas que quieren iniciar un huerto es que algunos buscan una solución rápida, algo que pueda ayudarles a hacer el plan perfecto para el huerto, que hará que su huerto rinda tanto como quieran. A otros no les importa invertir la cantidad de tiempo necesaria para construir el jardín. Aún así, están desconcertados por la gran cantidad de diseños de distribución y combinaciones de plantas.

Al planificar un huerto, es muy fácil sumergirse y cultivar tanto como pueda en una sola temporada. Pregúntele a cualquier granjero o jardinero experimentado, y le dirá que se está preparando para una decepción cuando haga esto. Cultivar demasiadas verduras de las que puede manejar como novato le dará una cantidad abrumadora de hierba que mantener. Es muy poco probable que lo maneje bien en su primer año. Lo mejor que puede hacer a la hora de planificar su huerto es hacer una lista de todas sus verduras favoritas, en concreto las que consume habitualmente. Una vez que hagas una lista, puedes reducirla a las que sean más caras de comprar en la tienda de abarrotes o aquellas que sin duda disfrutes más. En su plan, asegúrese de tener en cuenta que creará nuevos lechos de verduras cada año. Esto significa que debe expandirse cuanto mejor y más seguro se sienta en sus habilidades y destrezas de horticultura. Además, investigue los mejores atajos para ahorrar tiempo que sean perfectos para usted y su estilo de vida.

Si nunca ha hecho nada con respecto a la horticultura o incluso es dueño de un jardín, es probable que use un área completamente nueva para su nuevo jardín. Por lo tanto, también debe decidir el sistema de plantación y jardín que utilizará para su nuevo jardín. Afortunadamente, existen diferentes tipos de sistemas de plantación que puede utilizar para su jardín moderno. Estos incluyen camas elevadas, jardinería de pies cuadrados, hileras tradicionales, etc. Como colono urbano, usted quiere asegurarse de que su sistema de plantación haga uso del espacio disponible de la manera más atractiva y suficiente. Al mismo tiempo, debe asegurarse de que sus plantas reciban toda la exposición que necesitan para crecer de manera saludable. Para garantizar esto, considere el tamaño del espacio de su patio trasero. Si tiene un espacio grande y desea cultivar tantas verduras como sea posible, es posible que desee utilizar el sistema de plantación convencional. Pero si tiene un espacio mediano o de bolsillo disponible para la jardinería, use cualquiera de los otros métodos. También puede usar otros métodos si está tratando de cultivar verduras de la manera más económica posible.

Cuando se acaba de mudar a una nueva casa, es posible que no preste atención a la salud y el estado del suelo allí, pero esto siempre será un factor importante cuando comience a cultivar frutas y verduras. Un drenaje deficiente dificultará el desarrollo del jardín y, por lo general, es difícil cultivar plantas en suelos pedregosos, pesados o delgados. La mejor manera de mejorar la condición del suelo es excavar profunda y completamente y enterrar una gran cantidad de materia orgánica en el suelo. Pero la técnica de siembra más preferida por los agricultores urbanos es el uso de camas elevadas. Su sistema de plantación también estará determinado por los tipos de plantas que desea cultivar. Las camas elevadas suelen ser ideales para plantar verduras. También se deben considerar la cantidad y el espaciado al elegir un sistema de plantación. Obviamente, necesita producir suficientes verduras para que su familia dure todo el tiempo que desee. Pero también debes prestar atención a las instrucciones en tus paquetes de semillas para asegurarte de dejar suficiente espacio entre tus vegetales para que puedan crecer de manera saludable.

Finalmente, la rotación de cultivos es una práctica importante en la agricultura de subsistencia. Independientemente del sistema de jardinería que elija, debe asegurarse de no plantar sus verduras en el mismo lugar todos los años. Esto es para garantizar la salud de sus cultivos de hortalizas. La rotación de sus espacios de siembra cada año obstruye el desarrollo y la acumulación de enfermedades y plagas en los cultivos, y también permite que el suelo reponga los nutrientes que necesitan sus cultivos. Normalmente, estos grupos de cultivos se rotan juntos en cada temporada de siembra.

- Plantas de hoja: lechuga, brócoli, espinaca, repollo, coliflor.

- Plantas de raíz: ajo, cebolla, nabos, patatas, zanahorias, remolachas, rábanos, chalotes.

- Plantas frutales: Tomates, berenjenas, pepinos, calabacines, calabazas, maíz dulce.

Sin embargo, este enfoque se simplifica. Ignora el hecho de que algunas de las verduras, por diferentes que sean, pertenecen a la misma familia y pueden sufrir las mismas enfermedades. Por ejemplo, los tomates y las papas pertenecen a la misma familia de cultivos y ambos pueden verse afectados por el tizón de la papa.

¿Cuáles son los sistemas de plantación que puede utilizar para su huerto?

El huerto tradicional es el sistema de jardinería más conocido. Implica cultivar sus vegetales o cultivos generalmente en una gran parcela de tierra. Este sistema todavía funciona para muchas personas, pero no es la mejor opción para un agricultor urbano, especialmente uno que tiene que hacer uso de un espacio más pequeño. Pero si tiene el tiempo y el espacio, puede utilizar el sistema de jardinería tradicional. Para usar este método, debe limpiar su terreno de todas las malezas y cavar a fondo antes de agregar tanta materia orgánica, específicamente compost y moho de hojas, como sea posible. También ayuda agregar caminos a través del medio de la trama, y estos caminos deben ser lo suficientemente amplios como para que pase una carretilla.

La permacultura es otro sistema de jardinería que trata sobre el uso sostenible de su tierra mientras se armoniza con la naturaleza. La técnica de la permacultura se basa en el concepto de "Reducir. Reutilizar. Reciclar". El uso de este sistema de jardinería ayuda a reducir su huella de carbono en su granja. La idea general de la jardinería de permacultura es construir su jardín de una manera fácilmente accesible que minimice la necesidad de mano de obra y cultivar sus cultivos sin el uso de productos químicos. Debe verificar los lugares soleados en su patio trasero, así como las áreas protegidas y la dirección del viento fuerte antes de decidir qué método de cultivo será adecuado para esas condiciones. La jardinería de permacultura implica reducir el desperdicio y el uso de sistemas como contenedores de abono, colillas de agua y gusanos. Puede integrar fácilmente las prácticas de permacultura en su huerto, sin importar cuán grande o pequeño sea, mientras sigue cualquiera de las técnicas mencionadas anteriormente. En un capítulo posterior, obtendrá pautas sobre cómo puede usar cada método de plantación.

No-cavar es un sistema de plantación que fue desarrollado por personas que piensan que cavar es un trabajo difícil por razones obvias. Pero esa no es la única razón por la que se desarrolló no-dig. La gente también sintió que cavar hace que los suelos ligeros pierdan humedad con bastante rapidez mientras distribuyen semillas de malezas. Sin embargo, no se recomienda la técnica de jardinería sin excavación si su suelo está muy compactado. Para tener éxito con este método, debe crear camas de jardín estrechas que tengan al menos 15 cm de altura entre las tablas. Además, las camas deben mantenerse intactas con clavijas enterradas profundamente en el suelo. También necesita extender varias capas de periódicos sobre el suelo, con un mantillo de aserrín, paja y recortes de césped incluidos. Asegúrese de regar bien la ropa de cama antes de agregar una capa de compost y luego redondee con alrededor de 6 cm de tierra, que es donde debe plantar sus semillas de vegetales. Naturalmente, el nivel del suelo bajará a medida que la capa de mantillo se pudra, pero siempre puede agregar más compost para rellenar las camas, según sea necesario.

Las camas elevadas siguen los mismos principios que la técnica de no excavar, pero es mucho más profunda. Los lechos en esta técnica son grandes cajas de tierra mezcladas con compost. Puede hacer las camas con materiales como cajas de madera, tablas, ladrillos o traviesas de ferrocarril. Luego, llena las camas elevadas con compost de una manera que sea más alta que el suelo circundante para que permanezca lo más seco posible. La técnica de las camas elevadas evita el problema habitual del mal drenaje y la mala tierra. Si bien la mayor parte del jardín se ocupará en caminos entre las camas elevadas, permite un fácil acceso a las verduras y evita que la tierra se compacte. El suelo más profundo actúa como compensación por el espacio perdido. Si eres muy pausado en la fase de planificación, puedes incorporar fácilmente ciertos sistemas para cubrir las camas con campanas y proporcionar calor durante la temporada de frío. Puede comprar algunos de los sistemas disponibles comercialmente que vienen con agujeros para aros y le permiten cubrir toda su cama con una red.

La jardinería de pies cuadrados es el sistema de plantación final que puede utilizar para su huerto. Este sistema es perfecto y efectivo para usted si ha aterrizado con una prima. El sistema de jardinería de pies cuadrados implica dividir una cama elevada especialmente construida en varios módulos de un pie, plantando cada una de sus verduras en esa área en particular. Este método es adecuado para ensaladas y otras variedades de vegetales en miniatura. El sistema de siembra cerrado produce un clima y un entorno que suprime el crecimiento de malezas. Los cultivos son fácilmente accesibles desde todos los lados, lo que facilita el cultivo de verduras directamente fuera de la puerta de la cocina.

Lo mejor de la horticultura es que puede combinar dos o más de estos métodos si cree que necesita un sistema que se adapte a sus necesidades.

Qué sistema de plantación es mejor para la agricultura en el patio trasero?

Todo el mundo sabe que la construcción de su suelo es el factor más importante en la horticultura. Un suelo rico en materia orgánica y profundo acelera el crecimiento de raíces largas y saludables que pueden alcanzar más agua y nutrientes. Esto, a su vez, da como resultado el crecimiento extraproductivo de sus vegetales. La forma más rápida de obtener la capa profunda de un alma rica que necesita es haciendo camas elevadas para plantar. Las camas elevadas a menudo rinden más del doble de la cantidad de espacio que obtiene cuando usa el método de plantación tradicional. Esto se debe al suelo suelto y fértil, así como al espaciamiento efectivo. Usar menos tierra para los caminos le da espacio adicional para cultivar las plantas.

Además, camas elevadas para ahorrar más tiempo. Según la investigación realizada, solo necesita unos tres días de trabajo para plantar y cuidar un jardín de 30 por 30 pies utilizando las técnicas de cama elevada. En este período de tiempo, el investigador pudo cosechar alrededor de 1, 900 libras de vegetales, que equivale a casi un año de suministro de vegetales para una familia de tres, del jardín. La única razón por la que las camas elevadas pueden ahorrar más tiempo y producir más cultivos es que hay muy poco espacio para que crezcan malas hierbas entre las verduras, lo que significa que no tiene que dedicar la mayor parte de su tiempo a desyerbar. El espaciado efectivo también le permite regar y cosechar de manera más eficiente. La forma de las camas del jardín también marca una gran diferencia. Las camas elevadas son más eficientes para plantar cuando redondeas el suelo para crear una forma de arco.

Plantación acompañante

Hay diferentes diseños de cultivos que puede utilizar para su huerto. Y cuando llegue la cosecha, habrá muchas más variaciones como resultado de factores que están fuera de su control. La plantación complementaria se trata de mezclar sus plantas vegetales para desorientar las plagas. Las plagas suelen ser atraídas por una gran parte de un cultivo, mientras que mezclar las plantas las confunde. El único momento en que no debe utilizar la plantación complementaria es cuando está cultivando plantas que requieren una protección especial, como brócoli, coliflor, repollo, etc.

La horticultura no es difícil, siempre que conozca y siga los principios rectores. Para tener éxito, solo tenga en cuenta que abarrotar sus verduras o plantarlas en un suelo de baja calidad es una receta para el fracaso. Además, el principio de rotación de cultivos es uno que debe tomarse muy en serio, ya que puede ayudarlo a aprender las restricciones.

Capítulo 4

Los Mejores Tipos de Verduras Para Cultivar en el Jardín de Su Casa

Su huerto prometedor debe ser una fuente confiable y abundante de sus nutrientes esenciales. Pero no se trata solo de los nutrientes; también se trata de la velocidad a la que crecen sus plantas vegetales. Después de todo, ¿cuál es el punto de comenzar un huerto si las verduras no crecen lo suficientemente rápido para su consumo? Comenzar un huerto no se trata solo de cultivar cualquiera y todos los tipos de verduras que cree que deberían ir en un huerto. También se trata de asegurarse de que estas verduras sean alimentos que realmente disfrute. Deberías plantar tus vegetales favoritos. Pero también debe asegurarse de que su selección de verduras contenga principalmente verduras de crecimiento rápido que puedan ir a su mesa tan rápido como las necesite. Como novato en la horticultura, asegurarse de que las verduras también sean fáciles de cultivar y cosechar es otra cosa importante.

Antes de plantar un huerto, la pregunta más importante que sin duda se hará es: "¿Qué tipo de verduras debo plantar?" Aunque depende en gran medida de lo que desee plantar, asegurarse de comenzar a cultivar verduras que sean realmente fáciles de cultivar es clave para el éxito de su granja. Bueno, hay dos tipos de verduras: de estación fría y de estación cálida. Conocer la diferencia entre los dos tipos de vegetales es esencial, ya que le permite saber el momento adecuado para plantar cada tipo de vegetal en su lista de plantación. Aunque los jardineros expertos podrían pensar que todos deberían saber la diferencia entre las verduras de estación fría y las de estación cálida, la verdad es que la mayoría de los principiantes generalmente no lo saben y esa es una de las razones por las que fracasan en la horticultura. En el nivel más básico, la diferencia entre las verduras de estación fría y las de estación cálida es la época del año en que las planta o cultiva.

Las verduras de estación fría son aquellas que crecen durante las estaciones más frías, como invierno, otoño y primavera. La estación cálida, por otro lado, son las verduras que aman el calor del sol de verano. Pero hay mucho más en las verduras de estación fría y cálida que en el momento en que las cultivas. Como puede ver por el nombre, las verduras de estación fría adoran el clima más fresco. La regla general es siempre plantar las verduras de estación fría para que maduren antes de que la temperatura diurna alcance o supere los 80 grados Fahrenheit. La temperatura ideal para cultivar verduras de estación fría es entre 55 y 75 grados Fahrenheit. Además, las verduras de estación fría requieren una temperatura del suelo más baja para germinar. Las semillas comienzan a germinar con una temperatura tan baja como 40 grados, pero la más alta suele rondar los 70 grados. Las verduras de estación fría pueden funcionar bien en temperaturas mucho más frías e incluso pueden sobrevivir un poco de glaseado sin ningún daño. De hecho, algunas verduras de estación fría como la col rizada y las coles de Bruselas en realidad requieren un poco de escarcha para mejorar su sabor y calidad. El clima cálido es malo para las verduras de estación fría. Cualquier temperatura que supere los 80 grados afectará negativamente la salud y la calidad de sus vegetales de estación fría. El clima cálido hace que las hojas de algunas verduras de estación fría se vuelvan amargas y hace que otras se desprendan, es decir, echen semillas y envíen flores. Por lo tanto, siempre debe planificar su verdura en consecuencia. Las verduras de estación fría deben plantarse temprano alrededor de los manantiales para que puedan madurar completamente antes de que descienda el calor del verano. Los tiempos de siembra variarán según la zona de resistencia de su ubicación. Tenga en cuenta que también puede plantar sus verduras de estación fría durante el otoño.

Algunos ejemplos de verduras de estación fría incluyen:

- Remolacha
- Lechuga
- Nabos
- Zanahorias
- Brócoli
- Repollo
- Puerros
- espinaca

- Col rizada

- Coliflor

- cebollas verdes

- Rábano

- Verduras de hoja verde en general

Las verduras de estación cálida son las verduras de verano. Crecen mejor en climas cálidos. Plante verduras de estación cálida en otoño o primavera, y encontrará que el clima no es bueno para su crecimiento. El clima frío o las heladas generalmente dañan la salud de las verduras de estación cálida o, en el peor de los casos, las matan. Debido a esto, no debe plantar sus verduras de estación cálida hasta que la temperatura durante el día esté entre 65 y 95 grados. Además, las verduras de estación cálida requieren una temperatura del suelo de al menos 65 grados Fahrenheit antes de que puedan germinar. Pero debes saber que tampoco les importa una temperatura del suelo mucho más alta que eso. Los tiempos de siembra de hortalizas de estación cálida comienzan desde mediados hasta finales de la primavera. Si bien algunas verduras de estación fría pueden soportar un poco de calor, las verduras de estación cálida no pueden tolerar menos de 12 horas de luz del día. Por lo tanto, sus verduras de estación cálida deben plantarse en las partes más soleadas de su jardín. Debe saber que enfrentará más plagas y problemas de riego con las verduras de estación cálida que con las de estación fría. Por lo tanto, asegúrese de construir un sistema de riego por goteo sólido para proporcionar a sus vegetales amantes del calor toda el agua que necesitan.

Ejemplos de verduras de estación cálida incluyen:

- Pimienta
- Pepinos
- cebollas
- Calabazas
- Mostaza
- Patatas
- Tomates
- Calabaza de verano
- Calabaza
- Melones
- Batatas
- Berenjena
- Hierbas

Una cosa más que debe saber es que puede "modificar" un poco con verduras de estación cálida. Hay excelentes maneras de comenzar temprano a cultivarlos, incluido el uso de casas de aros, campanas, muros de agua y marcos fríos. Por ejemplo, el uso de wall-o-waters le permite plantar tomates dos meses antes de la última helada en su región. Hacer esto puede aumentar su cosecha en gran medida. Además, el uso de una cubierta de tela gruesa para proteger sus verduras de estación cálida en temperaturas más frías puede agregar un mes adicional a la cosecha de verduras como tomates y otras verduras de estación cálida. Algunos cultivos tienen más resistencia que otros y algunas hierbas manejan muy bien las temperaturas frías . El brócoli tolera el calor mejor que la mayoría de las verduras de estación fría. Por lo tanto, debe tener cierta flexibilidad con su programa de siembra.

Habiendo dicho eso, a continuación se muestran algunas verduras de crecimiento rápido y fácil de cultivar que son excelentes para que comience su viaje de granja en el patio trasero.

Rúcula

Si quieres un poco de hojas verdes de sabor atrevido, la rúcula es la elección correcta. Además, es una verdura de rápido crecimiento que se puede cosechar de manera que maximice su producción. El mejor momento para plantar rúcula es un par de semanas antes de la última helada. Si ve flores que crecen en sus plantas de rúcula, significa que el final de la temporada de crecimiento está cerca y se acerca la temporada de cosecha. Asegúrese de quitar las flores de la planta para ayudarlas a producir más. El mejor momento para cosechar las hojas jóvenes es 20 días después de la siembra, mientras que debes cosechar 40 días para las hojas maduras.

Espinacas

Esta es una verdura deliciosa y altamente nutritiva que debería ser parte de cualquier jardín trasero. La espinaca se planta mejor durante el clima más fresco; esto le ayuda a maximizar la producción de los cultivos de plantas. Aunque puede que le vaya bien a principios del verano, la espinaca no puede sobrevivir al clima cálido. Debe plantar la primera cosecha de espinacas un mes antes de la fecha de helada esperada, y la segunda cosecha debe plantarse de 6 a 8 semanas después de la última fecha de helada. La espinaca se puede cosechar tan pronto como 20 días después de la siembra, o tan pronto como las hojas tengan el tamaño adecuado para el consumo. Pero asegúrese de deshacerse primero de las hojas externas y deje que su cosecha se extienda hasta la temporada.

col rizada

La col rizada es probablemente la verdura más fácil de cultivar y además es increíblemente nutritiva. Como era de esperar, la col rizada crece mejor en temperaturas más frías como muchas verduras de hoja verde. De hecho, pueden sobrevivir hasta 20 grados Fahrenheit. Además, la col rizada se vuelve más dulce cuanto más frío se vuelve el clima. El mejor momento para plantar col rizada es en la primavera, solo un mes antes de la última fecha de congelación, y la segunda cosecha a principios del otoño o finales del verano. La col rizada debe cosecharse cuando falten 60 días para la madurez, mientras que las hojas jóvenes de col rizada deben cosecharse una vez que tengan el tamaño de sus manos. Asegúrese de dejar de 4 a 6 hojas en la planta si cosecha mientras aún está madurando. En las zonas del USDA, la col rizada se puede cultivar durante los meses de invierno.

Rábano

Entre las verduras más fáciles de cultivar está el rábano, y lo bueno es que se presenta en variedades de primavera e invierno. El rábano de primavera generalmente crece más rápido que la variedad de invierno. Para controlar su desarrollo, tire suavemente de las hojas o empuje la tierra a un lado para verificar si se están desarrollando bulbos en las plantas. Afortunadamente, los rábanos se multiplican en cantidades increíbles. Aunque su nivel nutricional está en el rango normal, en realidad crecen cultivos de tamaño increíble. Es mejor plantar los rábanos alrededor de un mes antes de la fecha de la última helada. Para cosecharlos, hay que esperar de 20 a 30 días para el rábano de primavera y unos 60 días para el de invierno.

Lechuga

Todo el mundo sabe que las lechugas son una deliciosa adición a cualquier dieta. Son verduras de estación fría y responden muy bien a todos los métodos de cosecha de selección que se utilizan en otras verduras de hoja verde. Las lechugas se plantan mejor en las temporadas de primavera y otoño para obtener los mejores resultados. Los cultivos de primavera se deben plantar un mes antes de la fecha de congelación final, y los cultivos de otoño se deben plantar un mes antes de la fecha de la primera helada. El tiempo de cosecha suele ser de unos 40 días hasta la madurez, pero puede cosechar hojas de lechuga en cualquier punto de crecimiento.

Cebollas verdes

Si necesita algo para agregar sabor y especias a sus comidas, entonces debe agregar algunas cebollas verdes a su huerto. Pero eso no es todo, también tienen grandes ventajas nutricionales para ti. Agregar algunas cebollas verdes en su sopa puede hacer que la salsa cante, además puede agregar los tallos a su plato de carne. La única limitación para agregar cebollas verdes a sus comidas es su imaginación. Las cebollas son generalmente vegetales de estación cálida; por lo tanto, es mejor esperar hasta algunos períodos posteriores a la fecha de la última helada para plantarlos. Las cebollas se pueden cosechar alrededor de 50 días hasta que maduren por completo. También puede cosechar los tallos tan pronto como las hojas tengan al menos 5 "de altura. Sin embargo, hacer esto puede afectar el crecimiento del bulbo.

Zanahorias

Los colonos saben que las zanahorias son algo difíciles de tener en un huerto; esto se debe a que su crecimiento ocurre fuera de su vista. El truco para cultivar zanahorias de la manera correcta es planificarlas de la manera correcta. Para empezar, debe cultivar las zanahorias en un suelo arenoso y suelto, y tener cuidado de no aplicar demasiado fertilizante en la etapa inicial de la siembra. Asegúrese de plantar suficientes cultivos de zanahorias para que pueda controlar su desarrollo sin temor a perder los cultivos. Es mejor plantar las zanahorias aproximadamente un mes antes de la última helada. Además, no debe cosecharlos hasta que hayan tenido 60 días para madurar. Una vez que las zanahorias midan alrededor de media pulgada, significa que están listas para ser cosechadas.

Nabos

Los nabos son una gran fuente de antioxidantes y fibra. Han existido durante miles de años y se sabe que son fáciles de cultivar, nutritivos y confiables en cualquier jardín que los encuentre. Algunas personas incluso utilizan nabos como alternativa a las patatas. Para la cosecha de primavera, debe plantar nabos alrededor de 3 semanas antes de la congelación final, y luego puede plantar algunos en septiembre para las cosechas de otoño. Las regiones más cálidas de EE. UU. Pueden plantar y cultivar nabos durante los meses de invierno. Puede cosechar sus nabos tan pronto como treinta días después de la siembra. Aún así, generalmente no alcanzan la madurez completa hasta que tienen aproximadamente 60 días de edad.

Tomates

Los tomates son el vegetal favorito de muchos colonos para tener en sus jardines. Para obtener los mejores resultados en el cultivo, la cosecha y la recolección de semillas, debe comprar algunas semillas de tomate reliquia indeterminadas. Se sabe que los tomates heirloom producen cosechas muy deliciosas y también se extraen fácilmente de las semillas. Los tomates indeterminados seguirán creciendo hasta que el clima frío los mate. Los tomates deben plantarse después de la última congelación en la temporada de primavera. Empiece a plantar sus tomates de 2 a 4 semanas antes de la congelación final en interiores, si puede, ya que esta es una gran técnica para lograr una producción temprana. Los tomates generalmente se cosechan después de 60 días.

Pimienta

Ya sea que cultive pimientos picantes o morrones, asegúrese de tener un poco de pimienta en el jardín de su patio trasero; siempre son útiles. Incluso puede decidir mezclar los pimientos que planta, lo que resulta en una polinización cruzada, lo que le dará algunos pimientos dulces con un poco de picante. Afortunadamente, hay muchas recetas para las que puedes usar tus pimientos.

Pepino

Los pepinos se pueden cosechar entre 12 y 14 semanas después de plantarlos. Normalmente, debe intentar cosecharlos temprano en la mañana cuando el clima aún está fresco. Además, los pepinos deben cosecharse a una edad temprana porque tienden a volverse amargos tan pronto como comienzan a mostrar síntomas de producción de semillas.

Las verduras nutritivas y de crecimiento rápido son algunos de los mejores ingredientes para incluir en su plan de vivienda en el patio trasero. Una vez que se acostumbre más a la horticultura, debería poder cultivar las verduras más difíciles que necesita en su hogar. Una fuente confiable de vegetales fácilmente disponibles para su mesa de comedor es algo que falta en muchos hogares. Aún así, ya no tiene por qué faltar en el tuyo. Ya sea que su objetivo sea reducir su factura de comestibles, pasar más tiempo con la naturaleza o vivir una vida más sostenible y autosuficiente, siempre hay una excelente razón para comenzar su propio huerto. Con tantos consejos para hacer de la horticultura un viaje fácil y relativamente libre de estrés para usted, realmente no tiene excusa de por qué no puede comenzar a cultivar sus propios alimentos en su propio patio trasero.

Ahora que conoce los mejores tipos de vegetales para incluir en el jardín de su patio trasero, pasemos a la plantación real, que es mucho más divertida que la fase de planificación y preparación. Es hora de ir al patio trasero y ensuciarse las manos para que pueda relajarse y disfrutar de los frutos de su trabajo. ¡Literalmente!

Capítulo 5

Planificación y Plantación de Hortalizas

Plantar vegetales es fácil cuando ya tiene el conocimiento que ha adquirido hasta ahora en este libro, pero se vuelve aún más fácil. La clave para construir un huerto exitoso es encontrar la ubicación perfecta. Como se indicó en un capítulo anterior, debe considerar la exposición a la luz solar, el suelo, el drenaje y el acceso a una buena fuente de agua. El lugar donde cultive, sus verduras dependerá en gran medida de los tipos de verduras que desee plantar. Como ha aprendido, algunas verduras requieren más exposición a la luz solar que otras. A algunos les va mejor a la sombra. La mayoría de las hortalizas se encuentran entre la necesidad de luz solar y sombra. Debe considerar hasta qué punto desea que su huerto afecte la estética general de su jardín trasero.

Independientemente de la técnica de plantación que desee utilizar para su jardín, el mejor lugar para comenzar es seleccionar una parte de su terreno donde desea que se ubique su huerto. Luego, puede marcar ese espacio con pintura en aerosol, una bandera, un trozo de tabla o cualquier cosa que pueda recordarle dónde debe estar el borde del jardín. Luego, puede utilizar los consejos que se le han dado en capítulos anteriores para determinar si ese lugar es perfecto para su jardín. Una vez que determine esto, así como el espacio disponible para plantar, el siguiente gran paso es preparar su suelo para plantar.

Si su tierra está bendecida con suelo franco arenoso con algunas rocas aquí y allá, preparar su suelo debería ser más fácil de lo que cree. Si no es así, que es la opción más probable en su caso como residente urbano, preparar su suelo podría ser la parte más desafiante y difícil de la horticultura con la que tenga que lidiar. Primero, entregue su alma. A menos que tenga un suelo arcilloso o arenoso natural o que su jardín esté en un lugar donde alguna vez hubo otro jardín, debe revisar su suelo y deshacerse de las rocas grandes que deben estar enterradas profundamente en la tierra. Si tiene un tractor, puede hacerlo fácilmente por su cuenta. Si no es así, solo tiene que encontrar personas que estén dispuestas a alquilar sus tractores y otros implementos. Algunas personas están bastante de acuerdo con hacer las tareas domésticas para los colonos del patio trasero como una fuente regular de ingresos. Si no puede encontrar a nadie, puede preguntar en su área local; al menos una persona debe conocer a alguien que ara jardines por un par de billetes de dólar. Si mantiene su jardín lo suficientemente bien, será la única vez que necesitará ararlo.

La recolección de rocas es parte de la fase de planificación y preparación antes de comenzar a plantar. Esto no requiere mucha explicación, porque es exactamente lo que crees que es. Busque una carretilla o un balde grande y comience a abrirse camino por el suelo que acaba de arar. Elija cualquier piedra que tenga más de una pulgada de tamaño. Si tienes suficiente energía para ello, puedes levantar rocas mucho más pequeñas que eso. Sin embargo, las piedras de menos de una pulgada generalmente no afectarán sus raíces ni dañarán sus cultivadores cuando comience a cultivar su huerto.

Para tomarlo de manera científica, debe analizar una muestra de su suelo para determinar el nivel de pII. Si el suelo de su patio trasero es de tipo arcilla, necesitará mezclar un poco de arena y materia orgánica para que sea adecuado para la jardinería. Pero no mezcle estiércol de pollo si desea comenzar a trabajar en el jardín de inmediato porque esto puede quemar sus tiernas plantas vegetales. Dado que su jardín probablemente solo tendrá unos pocos pies cuadrados, puede usar una azada o cualquier otra herramienta manual de jardinería. Sin embargo, si desea ampliar su jardín para que sea más grande, es posible que desee invertir en una cultivadora nueva o en una ya usada.

Una vez que esté seguro de que su suelo tiene una buena consistencia, tome un puñado y forme una bola. Cuando abres la mano, la pelota debe sentirse suelta y ser fácil de romper. Luego, puede comunicarse con la agencia de Servicios Agrícolas de su área para realizar una prueba de suelo. El especialista le dará información sobre cómo puede recolectar una muestra de suelo adecuada para enviarla a evaluación. Luego, le ofrecerán instrucciones sobre cómo puede optimizar su suelo. Es posible que le indiquen que agregue un poco de cal o azufre. Incluso cuando haya trabajado muy duro para mejorar el suelo en el espacio de su patio trasero, es posible que se sienta decepcionado al descubrir que es posible que su suelo todavía no esté lo suficientemente compuesto para sus vegetales. Por ejemplo, es posible que tenga demasiada arcilla en la mezcla de tierra, lo que afectará las verduras que puede cultivar. Es posible que pueda cultivar una cantidad abundante de pimientos, tomates y otras verduras que crezcan por encima del nivel del suelo. Pero le resultará difícil cultivar verduras como cebollas, patatas y zanahorias. Afortunadamente, cuanto más use su huerto, mejor se volverá el suelo con el tiempo. La mejor práctica agrícola es cultivar lo que sea para plantar las verduras que crecen bien en su tierra. La otra cosa que puede hacer es transportar una cantidad considerable de tierra franco arenosa para mejorar la condición y la salud de su suelo.

La mayoría de los vegetales son cultivos anuales. Duran una temporada y luego hay que volver a plantarlas el año siguiente. Algunas verduras, como cebollas y tomates, incluso pueden aparecer en áreas extrañas en los años siguientes si deja algo de cosecha para que se pudra en el jardín y sus semillas se esparcen por todas partes. Pero, por lo general, es necesario plantar nuevas plantas cada primavera. Aunque hemos hablado de las verduras de crecimiento más rápido que puede cultivar en su nuevo jardín, no olvide que todo se reduce al tipo de verduras que le gusta consumir. Además, recuerde investigar las verduras enumeradas anteriormente para determinar si se adaptan al clima en su área local o no. Una vez que esté seguro de que las verduras que desea son adecuadas para plantar en su zona climática, puede comprar las plantas o semillas y comenzar a plantar. Para determinar las mejores variedades de vegetales para tener en su jardín, debe verificar los paquetes de semillas. Pero, como ciertamente he mencionado, las verduras tradicionales son a menudo las mejores variedades para plantar, especialmente como principiante en la jardinería en el patio trasero.

Directrices de planificación y plantación paso a paso

Para colocar plantas en su nuevo huerto después de preparar la tierra, siga los pasos a continuación:

• **Plantas tiernas:** Las plantas tiernas son aquellas verduras que son más quisquillosas. Algunos de ellos incluyen pimientos, tomates, berenjenas, albahaca, etc. A menos que tenga un clima extremadamente cálido o caluroso, los lugares más soleados de su jardín deben reservarse para las plantas de alto valor, por lo que deben ser las primeras en su lista. Los muros que dan al lado sur son particularmente buenos para proporcionar la luz del sol y el calor que requieren las plantas para multiplicar su cosecha.

• **Plantas itinerantes: a** continuación, debe tener las plantas que les gusta esparcir enredaderas por el jardín. Estos incluyen verduras como calabaza y melón. Las plantas itinerantes deben ubicarse en el borde de las camas del jardín para que las hojas anchas alrededor de las enredaderas no cubran otras plantas que necesitan exposición a la luz solar en el jardín. Plantarlos en el borde de su lecho de verduras les permite esparcirse por el césped y los caminos.

• **Plantas trepadoras verticales:** cualquier vegetal que crezca para sostener otras plantas, como frijoles, guisantes e incluso calabazas, debe ubicarse en la parte del jardín donde no puedan dar sombra a otras plantas. Un ejemplo de verdura trepadora vertical es la planta del pepino. Pero hay una excepción durante los veranos muy calurosos cuando necesita poner sus verduras de estación fría, como la espinaca y la lechuga, que pueden esconderse bajo la sombra cuando el clima es más alto durante el día.

- **Riego:** Algunas plantas funcionan muy mal cuando la condición es seca. Incluyen cebolla, apio, etc. Las partes del jardín que son un poco más bajas que otras son capaces de retener más agua y humedad. De lo contrario, deberá encontrar una forma de proporcionar riego a las verduras que realmente lo necesitan. Esto es para asegurar y promover un crecimiento y una salud constantes.

- **Polinización:** algunas plantas de hortalizas deben plantarse cerca de otras para polinizarlas como deberían y producir los productos comestibles. Un ejemplo es el maíz dulce, que debe cultivarse en bloques para que produzca mazorcas de maíz completas.

- **Accesibilidad:** ¿Cuál de sus verduras quiere cosechar con regularidad? ¿Tomates, ensalada, verduras o hierbas? Estos deben plantarse cerca de su cocina para facilitar el acceso. Con un fácil acceso, no solo podrá usarlos como desee, sino que también le resultará más fácil controlar el crecimiento de malezas y deshacerse de las babosas con regularidad.

- **Siembra en sucesión:** si no tiene suficiente espacio, pero desea un cultivo en particular durante cada temporada, puede utilizar el cultivo intercalado o la siembra en sucesión para obtener todas las verduras que necesita.

- **Hacinamiento: por muy** tentadora que sea la idea, nunca debe cultivar más plantas de las que su jardín puede contener. El hacinamiento es fácilmente el error número uno que cometen muchos jardineros nuevos. Esto es comprensible ya que las plantas de hortalizas suelen ser muy pequeñas como plántulas y los jardineros generalmente detestan la idea de arrancar el producto de su arduo trabajo solo para adelgazarlas.

En términos simplificados, aquí están los diez pasos básicos para plantar su huerto.

1. Elija la ubicación perfecta con suficiente espacio, exposición a la luz solar y proximidad a su fuente de agua. Asegúrese de que el área del jardín esté nivelada para evitar la erosión.

2. Seleccione las verduras que desea cultivar, según su espacio, clima, nivel de experiencia y preferencia personal. Cultive algunas de las verduras de más rápido crecimiento, como lechuga, pimiento, pepino, zanahorias y frijoles.

3. Prepare su suelo para plantar mezclando el abono y el fertilizante obtenido de forma natural. Puede probar la acidez del suelo o comprar tierra fácilmente disponible en las tiendas de su área local.

4. Verifique las fechas de siembra de las verduras que desea cultivar o siga las fechas de siembra de algunas de las

verduras del capítulo anterior. Tenga en cuenta que la información de plantación también está disponible en los paquetes de semillas. Revise las condiciones de siembra requeridas para cada una de las verduras que desea plantar.

5. Plante las semillas de hortalizas en el suelo ya preparado. No olvide que puede utilizar cualquiera de las técnicas de plantación que se han comentado. Siga las instrucciones de espaciado y profundidad en los paquetes de semillas con mucho cuidado.

6. Rocíe suavemente las nuevas plantas con suficiente agua para mantener la tierra húmeda durante la temporada de siembra y crecimiento. Debe agregar una boquilla rociadora a su manguera para que el agua parezca lluvia al rociar.

7. Coloque mantillo con regularidad para mantener las malas hierbas fuera de su jardín. Agregue una capa de mantillo de al menos 2 pulgadas de espesor al jardín para evitar que las malas hierbas se apoderen del jardín y maten todos sus cultivos. Cuando aparezcan malas hierbas en el jardín, sáquelas bruscamente de su tallo para extraer toda la raíz.

8. Una vez más, asegúrese de seguir la guía de espaciado de los paquetes de semillas y deshacerse rápidamente de todas las plántulas abarrotadas lo antes posible.

9. Fertilice su jardín con la frecuencia necesaria. Labra la tierra suavemente para mezclar el fertilizante y mantener la tierra rica. Puede hacer su propio fertilizante orgánico mezclando

algunas cáscaras de huevo, agua de pecera, sal de Epsom y abono de cocina. O puede comprar un fertilizante de jardín ya preparado en la tienda más cercana.

10. Elija sus verduras una vez que estén maduras para comerlas o cuando las necesite.

Capítulo 6

Mantenimiento de su Huerto

Las verduras requieren casi la misma cantidad de cuidado que las plantas ornamentales, a veces incluso menos. Pero ciertamente no son tan indulgentes con la negligencia. Las plantas vegetales utilizan una cantidad significativa de energía para florecer y producir frutos que no maduran antes de ser cosechados. Una planta de hortalizas da frutos para que pueda producir más semillas. Aún así, a menudo terminamos cosechando las verduras antes de que las semillas estén completamente formadas. Esto puede resultar muy estresante para sus vegetales; por lo tanto, es vital que les proporcione exactamente lo que necesitan y más para mantenerlos en buen estado de salud y vigor para una producción máxima. El descuido de sus plantas vegetales a menudo resultará en menores rendimientos y cultivos de mala calidad como resultado de problemas de plagas. Las pautas que discutiremos a continuación ayudarán a mantener sus vegetales saludables a medida que crecen a lo largo de la temporada para brindarle un retorno de la inversión de alto rendimiento.

La primera pauta es regar las verduras con regularidad. El riego es una parte esencial de la jardinería, y la importancia no puede subestimarse ni subestimarse. El agua regular es tan importante para sus plantas como la exposición a la luz solar. Esto significa que debe darles a sus plantas al menos una o más pulgadas de agua cada semana, y más cuando el clima es excepcionalmente caluroso. Sin agua regular, sus verduras no se llenarán como deberían, y algunas, como los tomates, se agrietarán y estallarán si de repente se bañan con agua después de negarlas por un tiempo. Como no siempre puede esperar que la lluvia lo ayude, es mejor instalar un sistema de riego por goteo si tiene los medios. La mayoría de los nuevos sistemas del mercado son fáciles de instalar y muy asequibles. También podrá ahorrar dinero en su factura de agua, porque el agua de su sistema de riego va directamente a las raíces de las verduras, lo que hace que sea casi imposible que pierda agua por evaporación. Si no desea instalar un sistema de riego por goteo, puede ubicar su jardín cerca de una fuente de agua confiable, como un grifo de agua. El riego es mucho más fácil cuando no tiene que arrastrar la manguera.

Tal como ha aprendido, debe deshacerse regularmente del exceso de plántulas para asegurarse de que su jardín se mantenga muy saludable. Esto es especialmente importante cuando las plantas se siembran directamente de las semillas. Este proceso se llama aclareo y es una parte esencial del mantenimiento del huerto. A muchos jardineros les resulta difícil sacrificar sus plántulas, pero dejar que todas las plántulas germinadas y no deseadas crezcan más cerca de sus plantas sanas puede frenar su crecimiento y reducir el rendimiento del jardín al final de la temporada. Una vez que salgan las hojas verdaderas de las plantas, retire las plántulas para asegurarse de que las verduras permanezcan a la distancia requerida. Si no puede deshacerse de las plántulas adicionales sin afectar las raíces de las plantas restantes, simplemente elimine las plántulas en la línea del suelo. Deje que permanezcan las plántulas más fuertes.

El replanteo de las plantas también es una tarea de mantenimiento que debe realizar regularmente al comienzo de la temporada de jardinería. Las plantas altas y trepadoras, como los pepinos, requieren que las coloques con estacas o enrejados. Lo mejor es hacer el replanteo durante el tiempo de siembra. Si no lo hace hasta que las plantas hayan crecido más allá de las estacas, podría terminar dañando las raíces de las plantas. Por lo tanto, el replanteo de las plantas vegetales debe realizarse a principios de temporada. Más adelante, deberá podar los chupones si tiene algunos tomates en su jardín. La poda de los chupones de tomate implica deshacerse del crecimiento que se produce en el lugar entre el tallo y la rama. Si deja que los chupones crezcan, pueden terminar convirtiéndose en otros tallos con flores, ramas, frutas y otros chupones, que competirán por los mismos nutrientes con sus plantas de tomate originales.

A los vegetales no les gusta cuando los dejas competir con las malas hierbas por la poca comida y el agua que tienen. Cada temporada de jardinería comienza en una pizarra en blanco después de preparar las camas del jardín. Por lo tanto, debe mantenerse al día con las malas hierbas tan pronto como haya plantado sus verduras. Hacer esto ayudará a garantizar que sus cultivos se mantengan en la mejor forma. Si se deshace de las malas hierbas tan pronto como aparecen con regularidad, nunca llegará al punto en que estén fuera de su control. Además de eliminar las malas hierbas de su jardín, también debe eliminar las malas hierbas cercanas a lo largo de los caminos circundantes y el césped alrededor de su jardín. Si permite que las malas hierbas circundantes se conviertan en semillas, es posible que acaben apoderándose de su jardín. Mantener las malezas bajo control desde el comienzo de la temporada de jardinería es una forma de asegurarse de que no necesitará usar herbicidas más adelante en el clima más cálido.

El mulching es una de las tareas más importantes que debe realizar para que sus plantas se mantengan saludables. Cubrir sus plantas con mantillo ayuda a suprimir el crecimiento de malezas, enfría las raíces de sus plantas y ahorra agua. Cuando las plantas se vuelven lo suficientemente densas, incluso pueden servir como su propio mantillo. El mejor tipo de mantillo para huertos son las pajitas sin semillas. Es bueno como cobertura y también es fácil de apartar cuando es tiempo de plantar. Además, puede convertirlo en un buen suelo una vez que finalice la temporada de cosecha. Una ventaja adicional del mantillo es que a las arañas les encanta darse un festín con las plagas del jardín mientras se esconden en las pajitas.

Finalmente, asegúrese de tomar medidas para enriquecer el suelo. Las verduras se alimentan en gran medida, por lo que debe mezclar algo de materia orgánica en su jardín todos los años antes de plantar. Además, debe vestirse con más materia orgánica una o dos veces mientras la temporada de crecimiento aún es fuerte. Por supuesto, diferentes plantas tienen diferentes necesidades, lo que significa que debe tomar nota de las pautas de fertilización que vienen con los paquetes de semillas o plántulas. Los alimentos vegetales orgánicos se liberan lentamente y pueden ayudar a que sus plantas se mantengan alimentadas durante toda la temporada. Si elige un fertilizante soluble en agua, asegúrese de que el jardín esté bien regado antes de aplicarlo al suelo.

Dado que obtener una buena tierra en su jardín requiere mucho trabajo, es razonable que la mantenga de la misma manera incluso al final de la temporada. Una técnica fácil para enriquecer el suelo y mantenerlo protegido después de la temporada es plantar algunos cultivos de abono verde en el suelo durante el otoño y luego mezclarlo con el suelo una vez que llega la primavera. Ejemplos de cultivos que son excelentes para este propósito son cultivos de cobertura como alfalfa, raigrás y trébol. Todos estos cultivos son cultivos de abono verde que pueden mejorar muy bien la condición y estructura del suelo y proporcionar nutrientes a los microbios beneficiosos del suelo, lo que resulta en un suelo más rico y saludable para la próxima temporada de jardinería.

PARTE III

Jardinería de Frutas en Una Casa Urbana

Las frutas son populares entre todos, niños y adultos por igual. De hecho, la mayoría de los adultos desarrollan afición por las frutas desde que son pequeños. A todos nos encanta tener un suministro de nuestras frutas favoritas en el refrigerador, pero el problema es que la mayoría de las frutas son costosas de obtener en la tienda de comestibles. Las frutas son aún más caras cuando se cultivan orgánicamente y fuera de temporada. Como resultado, muchas personas no están consumiendo tantas frutas frescas como deberían. La cantidad de fruta en su mesa diaria probablemente no cuente para lo que los expertos en nutrición llamarán una dieta saludable. Además, la mayoría de la gente ni siquiera sabe que existen variedades más amplias de frutas que se cultivan en el mundo. Mucha gente no ha visto combinaciones de frutas raras como grosellas blancas, grosellas rojas, bayas híbridas y muchas otras. La mayoría de estas frutas "raras" son frutas que son bastante caras en las tiendas de comestibles. Aún así, cualquier agricultor con suficiente conocimiento de jardinería frutal puede cultivarlos fácilmente.

Aún así, pregúntele a alguien, a cualquiera, sobre la posibilidad de comenzar un huerto de frutas en su hogar. Probablemente obtendrá, "No tengo mucho espacio", o "Oh no, las frutas terminarán siendo devoradas por los pájaros". Algunos incluso podrían decirle que prefieren tener plantas ornamentales en su hogar porque las frutas son mucho más difíciles de cultivar. El hecho es que todas estas razones son excusas y están equivocadas. Por lo general, las personas no saben cuánto se están perdiendo hasta que comienzan a cultivar frutas. Como novato, es perfectamente realista y posible que construyas con éxito un jardín con tus frutas favoritas, como manzana, ciruela, cereza, melocotón, albaricoque, frambuesa, fresa, mora, arándano, grosella, higo, pera y grosella en tu pequeño espacio en el patio trasero. Como puede ver, la lista de frutas que puede tener en el jardín de su patio trasero es bastante impresionante. Excepto frutas como aguacate, plátano y cítricos; cualquier colono estaría feliz de obtener estas frutas directamente de su propio patio trasero.

Cultivar frutas en su patio trasero es una forma de alentar a su familia (si la hubiera) a apreciar el atractivo de la naturaleza. La jardinería de frutas no se trata solo del placer que obtiene al comenzar su propio huerto microurbano; también se trata de abrir un espacio de aprendizaje para sus hijos pequeños.

Un aspecto de la jardinería frutal que muchos colonos aprecian es el hecho de que el cultivo de frutas les brinda oportunidades para ayudar a las abejas; juntos, los cultivos frutales producen toneladas de flores que ansían tanto la polinización. Y estas flores se ven tan bonitas que en realidad embellecen el aspecto de su hogar. Cultivar frutas en un jardín trasero no tiene por qué parecer una tarea difícil; Estará bien siempre que sepa qué hacer y cómo hacerlo. Si lo desea, puede plantar sus frutas en el mismo jardín que sus verduras, o puede tener un jardín de frutas diferente. Esto depende en gran medida del tipo de verduras y frutas que desee cultivar. Aunque algunas verduras y frutas van bien juntas, algunas simplemente no pueden sobrevivir en el mismo jardín.

La mejor y más recomendada forma de cultivar sus frutas es orgánica. No tiene mucho sentido tener frutas de cosecha propia si no se producen orgánicamente, con poco o ningún insumo y sin la adición de pesticidas, herbicidas o fungicidas a la mezcla de jardinería. Las frutas cultivadas orgánicamente son generalmente más deliciosas, más saludables y más seguras de consumir que las frutas compradas y preparadas comercialmente. Cuando tenga su propio huerto de frutas, puede elegir elegir una fruta y meterla directamente en la boca, incluso sin lavarla, porque conoce el proceso que implica el cultivo de esa fruta y está seguro de que no hay productos químicos desagradables que podría afectar su salud en él.

En general, todos están de acuerdo en que las frutas son mucho más difíciles de cultivar que las verduras. Sin embargo, este suele ser el caso cuando cultiva árboles frutales, arbustos y cañas a gran escala. La jardinería de frutas también tiende a ser difícil cuando las frutas se cultivan demasiado juntas. Nada atrae más plagas y enfermedades a los árboles frutales y arbustos que la proximidad. Las plagas pueden terminar convirtiéndose en más problemas de lo que un novato sabe cómo manejar de manera efectiva. Cultivar las frutas de su jardín a pequeña escala es la mejor manera de hacerlo, ya que esto hace que sea menos probable que atraigan enfermedades y plagas de las plantas. Sepa que esta no es una forma de disuadirlo de cultivar frutas. En cambio, es una forma de hacerle saber lo que le espera en su viaje de cultivo de frutas. En cualquier caso, si sigue las pautas que se ofrecen en este libro, podrá comenzar su propio huerto de frutas sin demasiados problemas.

Bueno, el primer gran paso en la jardinería de frutas es elegir las frutas que desea cultivar y la cantidad que desea. Tienes tus frutas favoritas y cada miembro de tu familia también tiene las suyas. Puede disfrutar de algunas manzanas, mientras que a otra persona de su familia le encantan los albaricoques. Lo mejor que puede hacer al seleccionar las frutas adecuadas para plantar es asegurarse de que haya excelentes plantas de hortalizas complementarias que pueda cultivar junto con estas frutas. Pronto, veremos cómo puede elegir los mejores tipos de frutas para su nuevo jardín.

Cuando desee elegir el lugar correcto en su jardín para cultivar frutas, lo más importante a considerar, como ya debe saber ahora, es el suelo. La horticultura de frutas no es muy diferente de la horticultura; la diferencia clave es la planta que desea cultivar. Naturalmente, puede seguir los mismos pasos para construir su huerto, pero existen ligeras diferencias. Por lo general, el suelo de jardín promedio es perfecto para una jardinería frutal exitosa. Pero no importa su tipo de suelo, agregar un poco de compost o cualquier otra materia orgánica siempre mejora la salud del suelo. Las frutas se pueden cultivar fácilmente en muchas partes de los Estados Unidos y el Reino Unido. Sin embargo, algunos cultivos toleran las condiciones del suelo más húmedo mejor que otros. Independientemente, el lugar de jardinería ideal para sus frutas debe estar a pleno resplandor del sol. Pero si desea que sus cultivos tengan algo de sombra, definitivamente puede arreglar eso.

El suelo ideal para el cultivo de frutas debe tener alrededor de 18 'de profundidad y debe estar bien drenado. Además, el suelo debe tener un mínimo de diez por ciento de materia orgánica si quiere tener éxito; esto es para asegurar la fertilidad. La mejor combinación de suelo para el cultivo de frutas es un suelo franco arcilloso, franco arenoso o franco puro. Solo asegúrese de que haya suficiente marga en su mezcla de suelo. Los suelos pesados, livianos, pobres o poco profundos se pueden mejorar y mejorar fácilmente con abono orgánico y compost que pueden ayudar a aumentar la profundidad, la estructura, el drenaje, la retención de humedad y la fertilidad. El suelo de su jardín de frutas debe tener un pH ligeramente ácido, y el suelo debe estar libre de malezas perennes antes de comenzar a plantar.

Por lo anterior, debería poder decir que elegir el lugar correcto para sus plantas frutales requiere que omita las áreas húmedas. Si bien el suelo anegado puede ser bueno para cultivar algunos tipos de verduras, rara vez funciona para las frutas. Pero, por supuesto, las frutas como los arándanos pueden tolerar condiciones como esta. Del mismo modo, también debes evitar las áreas de tu jardín que estén demasiado secas. Tiene que haber un equilibrio entre la humedad y la sequedad en el área donde desea cultivar sus frutos. A menos que tenga un sistema de riego instalado, nunca debe plantar sus frutos en partes secas del jardín. Si desea un jardín de bajo mantenimiento, no debe invertir todo su tiempo en regar las plantas frutales. Un sistema de riego por goteo instalado alrededor de las raíces de la planta puede ser de gran ayuda para minimizar la cantidad de tiempo que dedica al trabajo.

La mayoría de las frutas necesitan un lugar soleado y protegido para que crezcan de manera saludable. Sin embargo, algunos arbustos frutales como las grosellas aprecian alguna forma de sombra. Independientemente de lo que haga, protéjalos de las bolsas de escarcha para evitar que se dañen con el frío de principios de año. Debe asegurarse de que sus plantas frutales estén en un ambiente protegido del frío penetrante para que florezcan bien. Un ambiente protegido facilita la polinización por insectos y también permite que los frutos se cuajen con éxito. Si vive en un área con viento, es mejor cultivar un seto alto para que sirva de límite o algún tipo de pantalla que proteja sus frutas. O puede aprovechar las cercas de su casa en el patio trasero para marcar una gran diferencia en la vida de sus frutas. En realidad, se trata de la elección que hagas.

Antes incluso de comenzar a plantar, debe crear un plan viable. El hacinamiento es una verdadera tentación cuando se trata de hortalizas y hortalizas. Los principiantes a menudo terminan metiendo tantos árboles y arbustos frutales como pueden en un jardín en miniatura, todo porque quieren alcanzar un objetivo específico. Desafortunadamente, esto siempre conduce a un crecimiento deficiente de todas las plantas involucradas. Es por eso que debe tener un plan en marcha. Puede hacer su plan con un planificador de jardines, como se mencionó anteriormente. Use el planificador para seleccionar cercas y límites, y calcule cuántos árboles frutales y arbustos caben en el jardín. A medida que agrega más arbustos y árboles en el planificador, aparece un círculo gris alrededor de ellos para mostrarle cuánto espacio requerirán las raíces. Existen diferentes métodos que puede utilizar para plantar y cultivar sus frutos, y se analizarán en el siguiente capítulo.

Mientras tanto, a continuación se presentan algunos consejos que resultarán muy útiles en su aventura de jardinería frutal:

- Siempre comience su viaje de jardinería con frutas fáciles de cultivar, como las fresas. Las fresas requieren menos espacio y mantenimiento y, a menudo, se producen muy rápidamente.

- Asegúrese de que su huerto de frutas sea lo más pequeño y simple posible cuando comience. Puede expandir el área de jardinería, cuanto más experimentado se vuelva con la jardinería de frutas y la agricultura en el patio trasero en general.

- Si no tiene un espacio lo suficientemente grande para verduras y frutas. Intente cultivar algunas de sus frutas elegidas en contenedores. Existen diferentes variedades de contenedores de jardinería que se pueden comprar en su tienda local o en línea para jardinería. De lo contrario, puede hacer sus contenedores de jardinería con objetos domésticos no deseados y algunos objetos de jardín, como carretillas y cubos de agua viejos.

- Puede adiestrar algunos de sus árboles hasta la cerca, las paredes o los enrejados de su casa en el patio trasero. Esta es una forma muy efectiva de ganar espacio en el jardín.

- Las técnicas de cama elevada son mejores para plantar frutas como fresas, frutos de arbusto y cañas. También son buenos en jardines con suelo bajo deficiente.

Hay muchos otros grandes que realmente pueden afectar su éxito en la jardinería de frutas, y se revelarán a medida que lea más esta parte del libro.

Capítulo 7

Los Mejores Tipos de Frutas Para la Jardinería Doméstica

Naturalmente, hay varios tipos de frutas que puede cultivar en el jardín de su casa, pero no puede cultivarlas todas. Incluso si tiene un patio trasero pequeño, todavía hay toneladas de frutas que puede cultivar sin restricciones. Pero antes de que comience la siembra, es mejor pensar en las frutas que crecen mejor en las condiciones climáticas de su estado o área local específicamente. Los árboles frutales y los arbustos pueden amar durante tantos años como sea posible y requieren un suelo de primera, luz solar adecuada y circulación de aire. Afortunadamente, algunos tipos de frutas se encuentran en cualquier jardín. Estos son los mejores tipos de frutas para considerar tener en su jardín.

Los arándanos son algunas de las frutas más populares en una casa de campo; es probable que los encuentre en cualquier jardín que visite y por buenas razones. Los arándanos son muy fáciles de comenzar a cultivar, por lo que muchos nuevos agricultores a menudo intentan cultivarlos tan pronto como comienzan a cultivar frutas. Con sus atractivos arbustos, flores blancas, frutas de verano y el follaje rojo, es difícil que no te gusten los arándanos o no los quieras en tu jardín. El cultivo de arándanos requiere un suelo que sea lo suficientemente rico y ácido para alimentarlos. Es posible que deba hacer algún tipo de trabajo previo para que el suelo sea lo suficientemente ácido. Los arbustos de una planta de arándanos pueden mantenerse vivos fácilmente y producir frutos durante muchos años. Para obtener una buena cosecha de arándanos al final de la temporada, debe combinar dos variedades para fomentar una buena polinización. En los meses más fríos del invierno, cultive variedades de arándanos altos como Bluecrop. Si vive en un lugar donde el clima es templado, opte por los arándanos ojos de conejo highbush del sur. Puede cultivar sus arándanos directamente en el suelo o en contenedores de jardinería. Solo asegúrese de cubrir las plantas con una red para que estén protegidas de los pájaros hambrientos cuando comiencen a dar frutos. Los arándanos generalmente requieren una exposición total a la luz solar parcial para sobrevivir, y requieren una mezcla de suelo que sea increíblemente rica, ácida, suave o intensamente húmeda y con buen drenaje.

Las fresas recién recolectadas de la granja generalmente valen el esfuerzo que inviertes en cultivarlas. Tienes tres opciones para tus plantas de fresa:

- Producción de junio que es ideal para plantar en junio como una cosecha grande pero tiene una temporada de fructificación más corta;

- Everbearing, que produce de tres a cuatro cosechas más pequeñas cada temporada.

- Día neutro, que produce continuamente pequeños lotes de fresas a lo largo de todo el sistema de cultivo.

Generalmente, las fresas se esparcen a través de corredores. Pero si desea tener una gran producción, sus corredores no deberían ser más que unas pocas plantas: pode las plantas restantes. Además, asegúrese de pellizcar las flores en su primera temporada de siembra para evitar que dé frutos. Esta es una forma de ayudarlo a canalizar su energía hacia la construcción de una estación de raíces saludable y bien protegida. Después de la primera temporada, la producción de la próxima temporada aumentará de manera significativa. Finalmente, asegúrese de cambiar o cambiar su planta de fresa cada 3 a 5 años o, al menos, asegúrese de rejuvenecer las plantas en este período de tiempo. Las fresas necesitan una exposición total a la luz solar, y la tierra para plantar debe ser muy rica, un poco ácida, ligeramente húmeda o seca y con buen drenaje.

Las manzanas son más difíciles de cultivar que la mayoría de los cultivos, pero muchos colonos todavía quieren tenerlas en su jardín. Una idea básica de la jardinería frutal le dirá que los manzanos a menudo se ven afectados por diferentes problemas de plagas y enfermedades. Se pueden cultivar nuevos cultivares de manzana para que sean resistentes. Aún así, también debe protegerlos a su manera, cubriendo, rociando y otras técnicas de protección que deben incorporarse rápidamente, específicamente tan pronto como comience la siembra. Las plantas de manzana también tienden a requerir mucha poda, que es otra razón por la que los colonos desconfían de cultivar manzanas. Para cultivar manzanas, necesita dos variedades de manzano para lograr la polinización. Elija árboles con varias variedades que se injertan en un tronco, o elija un árbol columnar, que se puede cultivar en sus macetas. Si tiene un espacio limitado, puede plantar las variedades de manzanas enanas. La poda y el aclareo son esenciales para promover la buena salud y la prevención de enfermedades en sus plantas. Por lo tanto, asegúrese de que sean parte de su rutina cuando cuide su huerto de frutas. Las manzanas crecen mejor bajo la exposición total al sol, y usted quiere que la tierra sea rica, ligeramente húmeda y pobre bien dibujada.

Las frambuesas y las moras son las favoritas entre los colonos. Durante años, siempre han formado parte de la mayoría de los huertos de frutas de cosecha propia. Pero las variedades más antiguas de frambuesas y moras suelen convertirse en plantas bulliciosas, lo que significa que se extienden rápidamente por el jardín y se cubren de espinas hasta el punto de que la cosecha se convierte en una tarea significativamente difícil y dolorosa. Las variedades más nuevas son mucho mejores porque se comportan mejor y crecen sin espinas. Además, la mejor idea es plantar una mezcla de las variedades de frambuesa y arándano tempranas, de mitad de temporada y tardía, ya que esto ayuda a extender la cosecha por muchas más semanas. Estas plantas necesitan que las podes anualmente para mantenerlas protegidas y productivas, pero esta tarea suele ser bastante fácil. El objetivo de la poda es adelgazar significativamente la planta para permitir que la luz solar y el aire lleguen a todas las partes de las plantas. Esto promueve el crecimiento y ayuda con el control de plagas y enfermedades. En las zonas de cultivo del USDA, necesitará de 5 a 8 frambuesas y moras para la granja de su patio trasero. La exposición al sol ideal para estas frutas varía desde pleno sol hasta sombra parcial.

Las uvas son otra fruta increíble que debería formar parte de cualquier huerto. Normalmente, las vides son fáciles y sencillas de cultivar. Aún así, la competencia a menudo proviene de aves y otros animales de granja que quieren probar sus uvas. Además, necesita construir un soporte, una especie de enrejado, para que las uvas crezcan. Además, existen diferentes instrucciones sobre la mejor forma de podar las uvas. Aún así, la mayoría de los jardineros pueden cultivarlos con éxito sin utilizar un enfoque de poda agresivo. Antes de plantar su vid, asegúrese de consultar con la oficina de extensión local en su área local para obtener información valiosa sobre las mejores variedades de uva para cultivar. Y asegúrate de comprobar si la variedad que te recomiendan es buena para la vinificación o para el consumo. La mayoría de las variedades de uva comestibles deben ubicarse en una parte soleada del jardín con suelo rico, buen drenaje y suficiente circulación de aire para prevenir posibles ataques de enfermedades. La exposición correcta para las uvas es generalmente a pleno sol.

Las cerezas son bastante fáciles de cultivar, cuidar y mantener. A diferencia de muchas frutas, requieren pocas sesiones de poda y muy raramente sufren ataques de plagas o enfermedades. Para la polinización cruzada, las cerezas deben tener dos árboles. De lo contrario, deberá plantar un árbol con dos variedades de uva diferentes. Además, si se está enfocando solo en estimular las cerezas para hornear, puede salirse con la suya plantando solo un árbol. La mejor época para podar los cerezos es durante el invierno mientras está inactivo. Luego, debes fertilizar y agregar materia orgánica a principios de la primavera. Dado que no se sabe que los cerezos sean tolerantes a la sequía, asegúrese de regarlos al menos una vez a la semana en los meses calurosos y deje que la lluvia los cuide durante el otoño. Las cerezas necesitan una exposición total al sol para crecer y madurar como usted desea.

Los duraznos tienden a tener árboles muy pequeños que se adaptan perfectamente a cualquier huerto, sin importar el tamaño. Cuando los melocotones comienzan a madurar, su dulzura se puede oler a metros de distancia. Además, uno de los beneficios de cultivar melocotones usted mismo es que puede disfrutar de la frescura directamente de la fuente, en lugar de las opciones obsoletas y potencialmente dañadas que se venden en el supermercado. Para mantener las ramas de su árbol de durazno productivas y manejables, deberá podar un poco de vez en cuando. El raleo del árbol de melocotones jóvenes les ayuda a producir cosechas pequeñas de melocotones grandes, en lugar de cosechas pesadas de pequeñas. Los duraznos requieren una exposición total al sol todos los días para obtener todos los nutrientes que necesitan.

Los higos son otra fruta que se puede cultivar directamente en el suelo o en un recipiente de jardinería. Generalmente están libres de plagas y se sabe que requieren muy poca poda. Hay diferentes variedades de higos que puedes plantar en tu jardín, y se sabe que muchas de ellas son bastante resistentes. De hecho, algunas de las variedades más nuevas son incluso más resistentes que el resto. Si desea cultivar sus higos en un recipiente de jardinería para poder mantenerlo en el interior durante el invierno, asegúrese de que el recipiente sea lo más pequeño posible. Cuanto menos espacio entre las raíces, más pequeña quedará la copa del árbol. Además, un contenedor pequeño es mucho más fácil de mover que uno grande. E independientemente del tamaño del recipiente, aún obtendrá suficiente fruta de higo para darse un festín con su familia. Los higos necesitan exposición al sol de pleno sol a sombra parcial para crecer en las condiciones adecuadas. Además, la mezcla de tierra para cultivar higos debe ser rica en materia orgánica, húmeda y con poco drenaje.

Los melones son la fruta preferida del nuevo agricultor que no está del todo listo para el compromiso que requieren los árboles frutales, los arbustos y los arbustos. Esto se debe a que se pueden cultivar fácilmente en contenedores o en el jardín si es lo que desea. Los melones requieren mucha exposición al sol y calor como parte de su condición de crecimiento. También requieren un amplio espacio, ya que generalmente crecen en enredaderas, que pueden crecer fácilmente hasta 20 pies y más. Es posible que pueda cultivar sus melones en un enrejado, pero solo si compra una variedad con frutas de tamaño pequeño. Las variedades de sandía a menudo se vuelven tan pesadas que terminan cayendo de la planta. Comienza a plantar tu melón justo después de la última helada y asegúrate de mantenerlo regado regularmente para establecer su crecimiento. Una vez que las frutas comiencen a aparecer, puede reducir el riego. Los melones, independientemente de sus variedades, requieren una exposición total al sol para crecer de manera saludable. Además, el suelo de plantación debe ser arcilloso, bien dotado de nutrientes y bien drenado.

Plantación acompañante

La plantación complementaria es un método de plantación que realmente debería considerar al comenzar a expandir su jardinería. Este método de plantación va más allá de la idea de que algunas plantas pueden beneficiar a otras cuando se plantan cerca unas de otras. La plantación complementaria es la plantación de dos o más cultivos de la misma especie juntos para controlar mejor las plagas y aumentar el rendimiento. Aunque muchos agricultores utilizan la plantación complementaria para las verduras, también se aplica a las frutas, y es algo que debería considerar utilizar con el jardín de su patio trasero. Muchas frutas crecen increíblemente bien cuando se plantan con otros cultivos. A continuación se muestra una lista de algunas frutas que deberían estar en su jardín y plantas complementarias adecuadas:

- Moras: fresas, zarzamoras

- Pepino: guisantes, frijoles

- Higos: mostazas, dientes de león

- Uvas: moras, guisantes

- Albaricoque - cebollino, puerro

- Melón - pigweed, manzanilla

- Melocotón - Albahaca

- Frambuesas - tanaceto

- Maíz dulce: calabaza, calabaza

- Fresas: cebollas, lechuga

- Tomates: pimiento, col

Por supuesto, se pueden cultivar muchas otras frutas junto con sus plantas complementarias. La plantación complementaria es un método realmente eficaz que los nuevos jardineros pueden utilizar para minimizar los riesgos de invasión de plagas en sus nuevas granjas.

Ahora que conoce los tipos exactos de frutas que desea en el jardín de su patio trasero, vayamos a la parte donde realmente planifica y planta las frutas.

Capítulo 8

Planificación y Plantación de Árboles Frutales

Las frutas generalmente crecen en árboles, arbustos, arbustos y cañas. Dependiendo de lo que desee cultivar, puede comprar árboles, cañas o arbustos en cualquier punto de venta de su área local, incluidos viveros y centros de jardinería. Sin embargo, es mejor comprar en viveros, ya que en su mayoría venden plantas cultivadas orgánicamente. Antes de comprar cualquiera de las plantas, asegúrese de investigar las variedades. Solo debe obtener variedades de frutas y portainjertos que sean adecuados para las condiciones y necesidades de crecimiento de su jardín. Un buen lugar para comenzar es consultar los catálogos de semillas y plantas. En la mayoría de catálogos, suele haber una pequeña sesión dedicada a las frutas, y la mayoría de ellos ofrecen una selección de las variedades de frutas más populares. Los viveros especializados ofrecen una variedad más amplia de variedades de frutas; por lo tanto, es posible que desee ponerse en contacto con ellos directamente para obtener asesoramiento e información sobre los catálogos. Muchas guarderías tienen catálogos que se muestran en sus sitios web, y puede navegar fácilmente a través de ellos en su tiempo libre. Si tiene hijos, es posible que desee invitarlos a la sesión de exploración y también cuando esté planificando y eligiendo variedades de plantas. Incluso puedes llevarlos al vivero cuando vayas a comprar los árboles frutales y las plantas. Esto puede dar una sensación de anticipación y aprecio por lo que está a punto de lograr.

Cuando compre sus árboles frutales, arbustos o cañas, asegúrese de verificar que estén libres de enfermedades y plagas. Esto es muy importante. La mayoría de las personas que venden árboles y plantas frutales tienen que registrar sus existencias en la agencia local de sanidad vegetal, lo que ayuda a garantizar que las plantas estén certificadas como sanas. Por lo general, las agencias de plantas saludables pueden verificar y verificar la salud y el bienestar de todos los tipos de bayas, y también pueden certificar algunas de las frutas del árbol. A menos que las plantas frutales provengan de un creador registrado con verificación y todo, probablemente no debería comprarles sus plantas frutales.

Si compra sus árboles frutales, arbustos o cañas en un vivero especializado, los obtendrá como plantas de raíz desnuda, sin tierra, pero empaquetadas en turba húmeda y un saco protector. También pueden venir como raíces húmedas en una bolsa protectora de polietileno. Por lo general, se empaquetan y envían de esta manera en la temporada de inactividad, que es entre noviembre y marzo. Las fresas se empaquetan de manera ligeramente diferente. Deben plantarse tan pronto como lleguen, pero si su suelo está demasiado seco, húmedo o congelado, coloque las plantas en su lugar sin heladas y deje que las raíces permanezcan húmedas para evitar que se sequen. Antes de plantar, debes remojar las raíces en un balde de agua durante al menos una hora. Las frutas cultivadas en contenedores se pueden comprar directamente en un centro de jardinería y se pueden plantar en cualquier época del año, siempre que la condición del suelo sea excelente. Asegúrese de regar las plantas durante una o más horas antes de plantarlas. Nuevamente, esto evitará que las raíces se sequen.

Cómo plantar árboles frutales directamente en el suelo

Ejemplos de frutas que crecen en árboles incluyen manzanas, peras, duraznos y cerezas. Todos son árboles de huerto tradicionales que requieren que usted conozca sobre polinización, control de plagas, poda, fertilización y otras tareas de cuidado. Para minimizar el riesgo de enfermedades, busque nuevas variedades de manzanas resistentes a las enfermedades. Al plantar árboles frutales, es bueno plantar árboles enanos que estén lo suficientemente cerca del suelo para que pueda recoger sus frutos. Esto le facilitará la cosecha. Al hacer esto, no necesitará cargar escaleras o apoyarse en ellas mientras trabaja en su jardín. Una buena ventaja de los árboles enanos es que dan frutos más rápidamente que los árboles de tamaño completo. Si su patio trasero es pequeño, un árbol enano es lo mejor para usted, ya que no ocupará tanto espacio como un árbol de tamaño completo. Si está cultivando melocotones, puede obtener un árbol súper enano que será fácil de cultivar en un recipiente o maceta. Los árboles superenanos son árboles en miniatura que no miden más de 5 pies de altura. Aunque muchos árboles frutales pueden presentarse como superenanos, los duraznos tienen el sabor más sabroso y no necesitas más de un árbol para cultivar tus propios duraznos. Además, son muy fáciles de cultivar para principiantes.

• Elija un lugar adecuado para plantar sus frutas.

• Marque las posiciones donde se plantarán sus árboles frutales, arbustos y cañas. Luego, use una cinta métrica para medir las distancias de siembra y un mercado para dibujar el diseño.

• El suelo para la siembra debería haberse preparado con al menos un mes de antelación. Cava un hoyo profundo y grande de aproximadamente un metro cuadrado de tamaño. Continúe cavando profundamente hasta llegar a una capa de tierra vegetal con una textura ligera. Excave alrededor de la superficie de la capa del subsuelo para romperlo, mezclándolo con una capa de abono de jardín. Haga un pequeño montículo en la parte inferior del hoyo de plantación para ayudar a que los árboles de raíz desnuda se coloquen mejor y tengan algo para sostenerlos.

- Elimine las rocas grandes y las malas hierbas del suelo antes de comenzar a plantar.

- Entiérrelo en una estaca de soporte fuerte (si es necesario) e introdúzcalo con tanta firmeza que permanezca firme en el suelo sin moverse. Los árboles de raíz desnuda deben tener su estaca conducida verticalmente, dejándola en el lado del viento más fuerte (suroeste). Los árboles cultivados en contenedores deben tener su estaca clavada desde un ángulo en el que no estorben las raíces de las plantas cuando comience la siembra. Clave la estaca en el suelo por el lado del viento fuerte para que se incline hacia el viento. También deberá instalar estructuras de soporte para las espalderas y cordones antes de plantar.

- Coloque el árbol en el hoyo que excavó y siga girándolo hasta que esté satisfecho con la posición. El tallo del árbol debe colocarse a unos 8 cm de la estaca. Los árboles frutales que se cultivan como cordones deben colocarse en un ángulo específico.

- Asegúrese de no plantar el árbol demasiado profundamente: el injerto entre la parte superior y el patrón debe colocarse por encima del nivel superior del suelo. Si tiene un marcador de suelo viejo en el tronco, deje que esto sirva como profundidad. No plante los árboles a poca profundidad. Si tiene raíces que sobresalen del nivel de la superficie, significa que necesita cavar su hoyo para profundizar.

- Revise cuidadosamente las raíces de los árboles de raíz desnuda y recorte suavemente los bordes para eliminar las raíces dañadas o de más de 30 cm de largo. Esto los hace mucho más fáciles de plantar. Además, debe esparcir las raíces uniformemente dentro del hoyo y luego rellenarlo con una mezcla de tierra vegetal, abono y cualquier fertilizante orgánico. Asegúrese de agitar el árbol suavemente para esparcir la tierra alrededor de las raíces de las plantas y reafirmarlo con las manos. Después de rellenar, reafirme con cuidado el árbol con el pie, pero asegúrese de cuidarlo muy a la ligera.

- En el caso de los árboles cultivados en contenedores, debe cortar con cuidado el cepellón del contenedor antes de colocarlo en el hoyo de plantación. Ajuste la profundidad con la mezcla de siembra requerida, más o menos. Suavemente, empuje parte de las raíces del cepellón y rellene el hoyo de plantación con la mezcla de tierra, exactamente como se describió anteriormente.

- Una vez que el hoyo de plantación esté lleno hasta su satisfacción, reafirme suavemente por última vez. Luego, haga un poco de profundidad alrededor de la base del árbol para un recipiente que pueda retener agua y empaparla en el cepellón. Riegue el árbol un poco más y átelo firmemente a la estaca para mantenerlo en posición. Si viene con un tronco bastante largo, use una segunda atadura de árbol para fijar la base del tallo.

- Si es probable que los conejos sean un problema en su granja, proteja los árboles con redes galvanizadas o instale protectores para conejos alrededor del suelo donde se plantan los árboles.

Cómo plantar árboles frutales en contenedores

Si tiene un espacio limitado, puede cultivar árboles enanos o árboles superenanos en macetas pequeñas u otros contenedores. Como se mencionó anteriormente, las frutas como las fresas son excelentes para la jardinería en macetas. Para plantar sus árboles frutales en contenedores, siga los pasos a continuación:

• Elija un recipiente de plástico, madera o terracota de unos 40 cm de tamaño y coloque una capa de grava en la base para que sirva de drenaje, antes de llenar los recipientes con su mezcla de tierra de siembra. Preferiblemente, debe usar un abono multiusos que esté muy mezclado con abono de jardín y tierra vegetal.

• Plante los árboles, arbustos o caninos en la profundidad de la zona de suelo marcada, excluyendo las grosellas negras que no deben penetrar más de 5 cm. Si es necesario, debe colocar una estaca que sirva de apoyo. Use algo tan grueso como una caña de bambú.

• Riegue el recipiente con regularidad, todos los días en los meses más cálidos, y alimente las plantas cada dos semanas mientras la temporada de crecimiento es una. El pienso para tomates es ideal para plantas frutales. No permita que el contenedor se empape; coloque algunos ladrillos debajo del contenedor para administrar el drenaje si es necesario.

• Si el jardín de macetas produce mucha comida, tendrá que deshacerse de algunos para evitar que las ramas se rompan. Es mejor podar las frutas bebé inmaduras a principios de junio antes

250

de que crezcan demasiado. Pellizque las frutas adicionales y deje que haya solo una o dos frutas en cada racimo. Si está cultivando algunas grosellas, sepa que se benefician de que se aclaren a fines de mayo, si prefiere algunas frutas realmente grandes.

- Pode los árboles con regularidad de acuerdo con las instrucciones que se le proporcionarán próximamente.

- Proteja sus macetas de terracota del gélido invierno, ya sea llevándolas a un invernadero o cobertizo o envolviéndolas en plástico de burbujas. De lo contrario, terminarán rompiéndose o rompiéndose.

Las pautas para podar sus árboles frutales

La poda puede parecer una tarea abrumadora, pero normalmente está lejos de la verdad para aquellos que saben cuál es la mejor manera de hacerlo. Sus árboles frutales y arbustos producirán mejores frutos siempre que los pode con regularidad. La poda es indiscutiblemente exigente, pero es igualmente satisfactoria y gratificante para los jardineros que se la toman en serio. El objetivo principal de la poda es fomentar la producción de más ramas de fruta y prevenir el crecimiento de fruta no deseado. La poda entrenada contribuye en gran medida a determinar la forma y el tamaño de sus plantas frutales. La poda no tiene por qué complicarse con los hechos básicos que se destacan a continuación:

- Use tijeras de podar afiladas para hacer un corte rápido y limpio en las plantas sin dejar bordes ásperos.

- Cuando podes, haz cortes oblicuos alrededor de la superficie de la yema que apunta hacia arriba. Si está podando para devolver la planta a un brote vegetativo, aparecerá un nuevo brote en el lado hacia el que apunta el brote.

- Asegúrese de podar en el momento adecuado de la temporada de crecimiento, según los tipos de frutas que esté cultivando. La mayoría de los jardineros realizan sus tareas de poda durante el período de inactividad de la temporada, que es entre noviembre y marzo. Sin embargo, es posible que deba podar algunas de sus frutas durante el verano para eliminar el crecimiento de plantas no deseado.

- Es bastante fácil distinguir la madera nueva de la madera fructífera en los árboles frutales. Solo verifique si los brotes de frutas a lo largo de la madera fructífera son más gruesos y redondos que los brotes vegetativos. Esto es mucho más fácil de notar en marzo, cuando los cogollos empiezan a hincharse. Entonces, si no está seguro, espere hasta marzo antes de podar.

- Pode toda la madera dañada, enferma y muerta que se encuentra en los árboles frutales para evitar la propagación de plagas o enfermedades.

Como puede ver, la poda no es tan complicada como cree. Y ciertamente es más importante de lo que piensas. Por lo tanto, asegúrese de podar cuando más lo necesite. Esto es esencial para su éxito como jardinero de frutas en el patio trasero.

Consejos para cuidar sus árboles frutales y arbustos

• Riegue los frutos tiernos una vez cada dos semanas. Asegúrate de que el agua que apliques penetre al menos 3 pies en el suelo. Esta suele ser la profundidad donde se extienden la mayoría de las raíces de las plantas frutales.

• Fertilice los árboles frutales una vez por temporada.

• Pode los árboles frutales con sus tijeras de podar y tijeras de podar.

• Utilice el cuidado preventivo del huerto para mantener los árboles libres de plagas y enfermedades.

• Trate cualquier enfermedad o plaga que se presente siguiendo las pautas proporcionadas en la última parte del libro.

PARTE IV

Cría de Ganado

L a cría de ganado en el patio trasero de su casa urbana no es algo en lo que deba lanzarse de inmediato, especialmente si es nuevo en la agricultura en el patio trasero. Pero definitivamente es algo a lo que expandirse una vez que empiece a dominar todo el asunto de las granjas. El punto aquí es que debes concentrarte en tus huertos de frutas y verduras por un tiempo antes de traer animales de granja al panorama. Si vive en la ciudad, no se le permite tener ganado grande como vacas, ovejas, cerdos y otros animales que sean demasiado grandes para ser contenidos en su patio trasero. Estos animales están prohibidos en la mayoría de las áreas locales. Si desea criar ganado de gran tamaño en un entorno urbano, las cabras son la posibilidad más cercana de lograrlo. A menos que tenga una tierra de más de un acre, al menos, no debe criar ningún animal de granja que sea más grande que una cabra. Antes de comprar sus animales de granja, es útil consultar con el departamento de planificación municipal local para conocer las reglas específicas que rigen cada especie de animal que tiene en mente. Estas reglas varían significativamente de una ciudad a otra. Si bien algunas ciudades son muy indulgentes con la cría de animales de granja, otras son más estrictas en su enfoque.

Afortunadamente, la necesidad y el esfuerzo concentrado para reintroducir perspectivas más naturales y ecológicas para las personas en las zonas urbanizadas de los Estados Unidos han permitido la creación de nuevas regulaciones que permiten que las pequeñas granjas y los animales vivan dentro del límite de la ciudad. Esto es excelente para el medio ambiente natural. Aún así, también es una forma de proporcionar un medio directo de supervivencia para usted.

Como se insinuó brevemente, lo primero que debe hacer cualquier agricultor nuevo antes de comenzar a criar ganado es investigar las leyes y ordenanzas de zonificación en su área local. Debe averiguar la cantidad de animales que puede tener. También necesita conocer los tipos de ganado que están permitidos en su región. Más importante aún, debe investigar los requisitos de supervivencia de los animales, particularmente sus instalaciones de vida, alimentación y cuidado general. ¿Puede cuidar de los animales según se requiera y considere necesario? En la mayoría de los estados, se le puede pedir que presente cierta documentación a la ciudad antes de obtener el permiso incluso para comprar y comenzar a mantener una granja de ganado. Algunas leyes controlan cómo puede vender los huevos o la leche que obtiene de su ganado.

Hay varios animales de granja que la mayoría de las regiones generalmente permiten que las personas críen en el patio trasero de sus hogares. A continuación, se muestran algunos de los más populares para considerar agregar a su hogar.

Pollos

Como era de esperar, los pollos son populares entre los agricultores de traspatio. Mantener pollos en una granja en el patio trasero le brinda acceso sin restricciones al suministro de huevos frescos y carne, lo que significa que nunca tendrá que ir a la tienda de comestibles. Aparte del hecho de que son una buena fuente de huevos y carne, las gallinas también son compañeros afables, lo que explica por qué muchos granjeros no pueden resistirse a los adorables cucos de un rebaño. No se sorprenda si comienza a tener algunos como mascotas después de tener su primer lote; es así de fácil acercarse a las gallinas.

Hay dos tipos diferentes de pollos y ambos realizan funciones diferentes en la granja. En primer lugar, tiene gallinas ponedoras que se crían exclusivamente por su capacidad de producir una cantidad asombrosa de huevos frescos cada verano y, a veces, también en invierno. Luego, tiene pollos de engorde que se crían y crían por su carne pesada y deliciosa. Las razas de pollos modernas se están criando para sobresalir en cualquiera de estos propósitos: puesta de huevos o suministro de carne. Sin embargo, los pollos generalmente tienen carne comestible y producen huevos, ya sean ponedoras o pollos de engorde. La principal diferencia entre las ponedoras y los pollos de engorde es la velocidad a la que producen los huevos. Si desea tener gallinas principalmente por sus huevos, puede obtener una bandada de razas que ponen huevos y viceversa. Pero también puede obtener razas de doble propósito que seguramente lo satisfarán tanto con huevos como con carne.

Puede obtener fácilmente su bandada de pollos de cualquier criadero en línea donde tengan cientos de razas que se le pueden enviar por correo para la entrega al día siguiente. Las razas de pollos que elija deben basarse en la tasa de productividad del huevo, la tasa de crecimiento, la apariencia y la capacidad para resistir enfermedades. A la mayoría de las personas no les gusta sacrificar aves por lo que se esfuerzan tanto en criarlas. Si pertenece a esta categoría de personas, puede encontrar un matadero móvil, si lo hay en su vecindario, y dejar que ellos hagan el trabajo por usted rápidamente, por una tarifa. Sin embargo, asegúrese de que el matadero al que va esté autorizado para realizar la matanza según las regulaciones locales.

Las mejores razas de pollos con capacidades súper productoras de huevos generalmente ponen al menos 5 huevos o más cada semana de verano. Aún así, este número puede caer a dos, uno o nada en los meses más fríos. Por supuesto, hay formas de garantizar que sus pollos sigan produciendo huevos incluso en el clima más frío. Una de estas formas es instalar iluminación artificial en su gallinero para complementar el calor insuficiente de la luz del día. Evalúe la velocidad a la que su familia consume huevos para decidir la mejor cantidad de pollos para mantener en la granja de su patio trasero.

Los pollos necesitan un gallinero bien ventilado y sin humedad con una caja nido para cada ave para sobrevivir en la granja de su patio trasero. También necesitan que les proporciones barras de descanso, que es donde descansarán cada noche. Además, debe construir un recorrido con una malla de alambre cerrada donde puedan forrajear, raspar y bañarse en el polvo tanto como quieran. Debe dejar que las gallinas salgan de su gallinero todos los días al amanecer y luego dejarlas entrar una vez que anochezca.

Tenga en cuenta que debe considerar la conveniencia de los vecinos de sus pollos cuando comience a criarlos. Por razones obvias, no debes tener gallos en tu bandada a menos que quieras que tus gallinas se reproduzcan. Sin embargo, la mayoría de las ciudades no permiten gallos, lo que significa que no podrás tener un gallo incluso si quisieras. Además, deberá cortar las alas de sus pollos para que no puedan volar sobre la cerca del jardín y destruir el hermoso jardín de sus vecinos. La única excepción a recortar sus alas es si planea mantenerlos encerrados en un espacio específico todo el tiempo.

Pavos

Es posible que los pavos no pongan huevos con tanta frecuencia como las gallinas, pero producen unos huevos increíblemente deliciosos que te dejarán con ganas de más en todo momento. Al igual que los pollos de su patio trasero, debe asegurarse de tener el alojamiento y el espacio adecuados para mantener adentro a los pavos de su patio trasero. Puede criar pavos para sus huevos y carne, al igual que las gallinas. Si desea pollos que sirvan como una fuente confiable de carne cuando lo necesite, debe optar por los pavos tradicionales, ya que son ampliamente aclamados por su maravilloso sabor y sorprendente plumaje.

Los pavos son principalmente aves de carne debido a su incapacidad para poner huevos al mismo ritmo que las gallinas. Como nuevo agricultor de traspatio, debe evitar las razas comerciales modernas de pavos. Estos vienen en dos, que son pavos blancos de pecho ancho y pavos de bronce de pecho ancho. Se sabe que son muy susceptibles a enfermedades e infecciones, además de que les resultan difíciles las funciones básicas de las aves, como caminar. Los pavos tradicionales son mucho mejores en calidad de carne que las otras razas. Puede obtener pollos heredados de cualquier criadero en línea. Si no tiene un matadero local en su área residencial, debe comunicarse con las procesiones avícolas locales para encontrar a alguien que esté dispuesto a aceptar los pavos en pequeños lotes.

Si desea criar algunas gallinas, debe tener al menos dos en la granja de su patio trasero. Nunca debe criar un solo pájaro solo porque requieren la compañía de los demás en una bandada. Criar dos pavos significa que puedes quedarte con uno para Acción de Gracias y el otro para Navidad. Si desea tener suficiente carne de pavo que pueda permanecer en su congelador y le dure todo el año, sepa que cada pavo producirá hasta 15 libras de carne una vez que alcance la edad de madurez.

Al igual que con las gallinas, también necesitas construir un gallinero de supervivencia para tus pavos, con la barra de descanso y correr. Pero puede tachar las cajas nido ya que no pondrán huevos con demasiada frecuencia. También deberá cortar las alas de sus pavos para evitar que vuelen sobre la cerca.

Patos

¿Quieres más pájaros en la granja de tu patio trasero? Considere agregar algunos patos a la colección. Dependiendo de dónde viva, los patos de corral comienzan desde un dólar hacia arriba. Naturalmente, los patos no producen la misma cantidad de huevos que la gallina promedio, pero seguramente tienen un rendimiento cercano. De hecho, algunos colonos argumentan que algunas razas de patos pueden superar a la mayoría de las gallinas en la producción de huevos. Pero esa no es la única razón para amar a los patos. Muchos agricultores también están de acuerdo en que los patos son mejores compañeros de jardín que las gallinas y los pavos. Independientemente de su propósito, la mayoría de los patos suelen producir una cantidad impresionante de carne y grasa de pato. Algunas razas de patos, como los Rouens, Khaki Campbell, Indian Runners y Blue Swedish, son buenas aves de pequeña escala que son fáciles de criar en una granja de patio trasero. Si desea un pato de doble propósito, considere optar por el Pekín blanco, que se reconoce como una excelente fuente de huevos y carne. Para hacer felices a sus patos, compre una piscina para niños y un excelente alimento.

Si no desea comprar una piscina para niños, puede construir un pequeño estanque de agua para que jueguen sus patos. Pero entienda que las piscinas para niños son una mejor alternativa debido al bajo precio. Proporcione a sus patos una fuente de agua dulce y un hogar seguro donde puedan protegerse de los depredadores. Los requisitos de alimentación cambiarán para las aves a medida que maduran, pero tenga cuidado de no sobrealimentarlas para evitar una sobrecarga de proteínas. Esto puede ser realmente perjudicial para su salud.

Conejos

Por alguna razón, muchos granjeros no están criando conejos como deberían. Esto es un misterio porque la carne de conejo es realmente deliciosa. Aunque algunas personas solo los usan para cría o fibra, la parte más rentable de los conejos es su carne. Sin embargo, siento que a mucha gente no le gusta criar conejos como animales de granja porque no pueden soportar la idea de criar conejos tan lindos y luego llevarlos al matadero para el matadero. Habiendo dicho eso, los conejos jóvenes pueden ser sacrificados a las 12 semanas, lo que es incluso más rápido que para los pollos.

Criar conejos en el patio trasero es genial, pero también puedes criarlos en interiores. Son animales geniales para mantener si tienes un huerto de frutas o verduras, ya que su estiércol es tan rico y orgánico que no tienes que abonarlo de antemano. Son grandes compañeros si quieres un animal que también pueda servirte como mascota. Además, son ideales para usted si vive en un área donde no puede tener otro ganado en su patio trasero. Los conejos son generalmente comestibles, pero debes evitar los que se crían solo para el espectáculo, ya que no tienen suficiente carne en los huesos. A diferencia de los pollitos y pavitos, los conejos no están disponibles para la entrega por correo de los proveedores. Por lo tanto, debe investigar si hay algún criador local en su área. Si los hay, cómpreles algunos conejos para comenzar su cría de conejos en el patio trasero.

Para criar conejos, debes tener un gran sentido de organización, pero cuidarlos es una tarea relativamente fácil. Además, la inversión que se destina a la cría de conejos es menos costosa que la cantidad que gasta en animales más grandes como pollos y cabras. Necesitan cercas más pequeñas, menos alimento, corrales más pequeños y reproductores menos costosos. Además, pueden criarse en una parte muy pequeña de su patio trasero. Con la planta adecuada, puede criar cientos de conejos cada año en el jardín de su patio trasero. Sin embargo, es posible que no necesite tantos como ese para alimentar a la familia. '

Para las razas que se crían con fines cárnicos, considere razas como Nueva Zelanda, Crème d'Argent, California, etc. Para las razas de mascotas, elija Lops, Miniatures o conejos holandeses. Pero, por supuesto, si no tienes interés en su carne o compañía, opta por razas como las Angoras; sus cabellos se pueden mezclar con fibras para mezclar. Para comenzar a criar razas, debe comenzar con una hembra y un macho; luego, estos comenzarán a producir más descendencia de la que su familia puede consumir en un año. Para evitar la reproducción excesiva, no permita que sus conejos se reproduzcan a menos que se esté quedando sin carne de conejo en su congelador.

El cuidado de los conejos implica dejarlos salir de su conejera a la carrera todas las mañanas y luego cerrar la conejera justo antes de que oscurezca. También debes proporcionarles suficiente comida y agua. Las tareas semanales incluyen una limpieza a fondo de la conejera cada semana. En comparación con otros animales, los conejos son animales muy limpios y silenciosos. Por lo tanto, no tiene que preocuparse de que molesten a sus vecinos.

Cabras

Es posible que las cabras no sean animales aceptables de patio trasero en su área local, así que asegúrese de verificar su validez antes de traerlas a casa. Las cabras se crían por su carne y leche, pero depende de la raza que obtengas. Las cabras de raza de carne no suelen producir suficiente leche para una familia; por lo tanto, si su objetivo es obtener leche de sus cabras, asegúrese de elegir las razas de cabras lecheras. Este tipo de cabras no suele producir tanta carne como las razas de carne, pero también son bastante comestibles. Con el tiempo, tendrás cabras adicionales en tu mano que pueden comerse o venderse. Las cabras rara vez producen leche hasta que se han reproducido y dado a luz. Para una micro-granja urbana, recomiendo encarecidamente las cabras enanas, que son el tipo de cabras generalmente aceptable para criar de todos modos.

Las cabras son animales muy sociales, así que no consigas nada más allá de dos. De todos modos, es probable que no tenga espacio para más de cuatro o cinco cabras. Dos cabras maduras de raza lechera son todo lo que necesita para obtener la cantidad requerida de leche para una familia promedio. Además, normalmente queda mucha leche para hacer queso y yogur. A las cabras les parece bien que las mantengan en un edificio de tres lados, con forma de cobertizo y forrado con paja. También necesitará construir una gran área vallada donde puedan disfrutar de su propia compañía. Idealmente, es posible que deba colocar algunas rocas grandes para que trepen en el área cercada.

Debe alimentar a sus cabras y ordeñarlas al menos dos veces al día como parte de la rutina de cuidado. Su necesidad nutricional no es tan difícil, solo asegúrese de que tengan acceso a buenos pastos o fardos de heno, como mínimo. Además, haga de la limpieza a fondo de sus corrales una tarea semanal y recorte sus cascos al menos una vez cada seis semanas. Sin embargo, las cabras son animales extremadamente curiosos, lo que significa que debe tener una cerca que sea lo suficientemente resistente para evitar que irrumpan en el jardín de flores o vegetales de su vecino. Los machos cabríos maduros no suelen ser adecuados para la vida en la ciudad; por lo tanto, es posible que deba llevar a sus cabras a cualquier granja de cabras en el campo más cercano a usted para que puedan reproducirse. Tenga en cuenta que las cabras también producen un excelente abono que resultará muy útil para las frutas y verduras de su jardín.

Si tu ciudad te lo permite, otro ganado que puedes criar en tu patio trasero incluye vacas, cerdos, caballos y otros animales grandes. Si lo desea, incluso puede agregar algunas abejas a su colección de animales de granja.

Capítulo 9

Pautas de Alojamiento y Espacio Para los Animales de su Patio Trasero

L a vivienda es el requisito más básico para los animales de granja. No debes dejar a tus animales al aire libre en todo momento. Debe haber un refugio donde puedan reclinar la cabeza al final de cada día. Los animales productores de leche, como las cabras o el ganado, son más vulnerables a las bajas temperaturas que otros animales. Sin un alojamiento adecuado, sus pezones pueden congelarse, lo que detiene por completo la producción de leche o, al menos, ralentiza la producción. Un refugio de animales adecuado es clave para mantener a su ganado feliz, relajado y productivo. Los animales de granja requieren algún tipo de refugio para mantenerlos a salvo de los muchos elementos que se encuentran al aire libre. Desafortunadamente, muchos colonos cometen el error de pensar que el patio trasero abierto es suficiente refugio para su ganado; esto está mal. Algunos incluso creen que el único momento para proporcionar refugio al ganado es durante los meses de invierno. Pero el hecho es que los animales pueden tolerar el frío incluso mejor que los humanos, gracias a su pelaje natural. El calor del verano es mucho más insoportable para la mayoría del ganado y los animales de granja. Si no proporciona sombra a sus animales durante las temperaturas más altas, es probable que no lo perdonen, y esto será obvio en la forma en que se relacionan con usted.

El tipo de edificio que proporcione a sus animales dependerá en gran medida del clima del área donde vive. Los refugios vienen en diferentes formas. Tenemos graneros, galpones para postes. Cinturones de árboles, matorrales, cercas y muchos otros tipos de refugios en los que se pueden mantener los animales de granja. Independientemente del tipo de vivienda que desee construir, el refugio debe construirse de acuerdo con el tamaño de los animales. Si tiene muchos animales de diferentes especies, debe proporcionar un espacio adecuado para evitar el hacinamiento y el descontento entre los animales.

Ya sean las estructuras que construye para ellos como sus casas o los árboles alrededor de su patio trasero, siempre debe haber una fuente de sombra para sus animales de granja. Si les construye algunas estructuras para vivir, debe asegurarse de que haya suficiente ventilación en los edificios. Muchos animales de granja, como los conejos, no tienen que sudar, lo que los hace muy vulnerables al golpe de calor. Un cobertizo de tres lados con una puerta abierta o un frente es a menudo el edificio de elección para la mayoría de los animales que viven en pastos, por ejemplo, cabras. Al diseñar el cobertizo de tres lados, asegúrese de que el frente esté en dirección sur, lejos de los fuertes vientos. Construya el refugio en un terreno bien drenado, elevado y nivelado donde pueda alimentarlos y proporcionarles agua fácilmente.

Al construir un refugio para su ganado, debe tener en cuenta algunos factores. Uno de ellos es la calidad del aire del edificio. Los cobertizos y refugios para animales de granja deben tener ventilación natural, por lo que se recomienda mantener el frente abierto. Si desea mantener el refugio cerrado, asegúrese de que haya suficientes ventiladores y entradas de aire para ayudar a que el aire circule mejor en el edificio. Los edificios estrechos sin una ventilación adecuada a menudo producen una concentración de olores de animales y gases de respiración, que pueden dañar los pulmones de su ganado y provocar neumonía. También puede desencadenar el aumento instantáneo de los niveles de amoníaco, lo que puede provocar la asfixia y la muerte de sus animales.

También debe tener en cuenta los borradores al construir su refugio para ganado. Los animales pueden soportar temperaturas más frías que los humanos, pero esto no significa que no debas protegerlos de las corrientes frías. La construcción de paneles resistentes frente al refugio abierto reduce en gran medida la acumulación de corrientes de aire. Piense en corrientes de aire a la altura de un animal, en lugar de a una altura humana. Cuando permite que su ganado deambule libremente en el corral en lugar de engancharlo, naturalmente buscará los lugares más cómodos para establecerse en el refugio del patio trasero.

La zona de descanso y de cama de los animales debe mantenerse lo más seca posible. Los animales se sienten mucho más cómodos durante los meses de invierno cuando tienen camas secas que también están limpias. La ropa de cama gruesa y seca ofrece el calor del suelo frío. Reduce la cantidad de energía corporal que el animal tiene que gastar para mantenerse caliente. El refugio lejos de la lluvia y la nieve también permite que el pelaje de los animales se mantenga seco, lo que aumenta aún más su valor aislante.

Todos los animales de granja necesitan un suministro de agua regular, probablemente más de lo que necesitan su alimento. El agua es esencial para la supervivencia de su ganado. En temperaturas frías, asegúrcsc de que haya un suministro regular de agua dulce. Si no, ponga a disposición un dispositivo de riego a prueba de congelación para mantener saciada su sed. Es más probable que los animales beban cuando se mantiene el agua a 50 grados Fahrenheit. De lo contrario, pueden sufrir deshidratación sin que usted se dé cuenta. Los alimentos frescos y adecuados son tan importantes para la supervivencia de sus animales como el suministro de agua. Los animales manejan mejor las temperaturas más frías cuando tienen suficiente comida para producir energía y luego convierten la energía en calor corporal. Los animales también necesitan la energía que proviene de sus alimentos para un crecimiento y mantenimiento adecuados. Por lo tanto, debe proporcionarles alimentos de mayor calidad durante los climas fríos. Para los herbívoros, asegúrese de proporcionarles el alimento comprado y heno de libre elección.

Espaciado

Dependiendo del tamaño de su patio trasero, necesita espacio para proporcionar a sus animales patios de ejercicio y pastos. Si no desea practicar el pasto en absoluto, deberá comprar suficientes alimentos para mantenerlos en funcionamiento, reservar un patio de ejercicios y crear un buen plan para el manejo efectivo del estiércol. Si utiliza pastos, la cantidad de animales que el pastizal puede soportar dependerá en gran medida de la fertilidad de la mezcla del suelo y otras consideraciones ambientales. Las consideraciones ambientales varían en todo el país. El uso del método de pastoreo rotacional evita que los animales se sobrealimenten en los pastos disponibles, previene la sobrecarga de plagas y parásitos, y brinda apoyo a más animales que otros sistemas, como un sistema de ganado fijo.

Capítulo 10

Cuidando su Ganado

Cuidar a sus animales no se trata solo de alimentarlos y proporcionarles un suministro regular de agua. Hay otros aspectos del cuidado y mantenimiento de los animales que debe tomar en serio si desea tener éxito en su empresa de cría de animales. Como se explicó, el suministro de agua adecuado es vital para la supervivencia de sus animales. Ya se han proporcionado algunas pautas sobre cómo puede hacer que el agua esté disponible para su ganado. Sin embargo, hay una pauta muy importante que resulta útil durante los meses más fríos. En los meses de invierno, ayuda a calentar el agua que le das a tus animales. Darle agua fría al ganado mientras lucha con la temperatura baja reduce su temperatura corporal, lo que hace que queme más grasas corporales para mantenerse calientes. Sin darse cuenta, esto también significa que necesitará alimentarlos más para que puedan seguir reponiendo su energía. La cantidad adecuada de agua limpia y fresca es clave para la salud y supervivencia de su ganado. El agua ayuda a reducir o eliminar el riesgo de cólicos o impactación.

Eso sí, ya sabes que tienes que alimentar a tus animales con los alimentos más nutritivos que potenciarán su salud y crecimiento. Los animales de granja necesitan un equilibrio de nutrientes muy necesarios para mantener su salud. Los alimentos que les proporcione deben tener una buena combinación de los minerales, proteínas y vitaminas adecuados que les proporcionarán toda la energía que necesitan. Los nutrientes como estos se obtienen mejor de los alimentos mezclados orgánicamente más que de los forrajes, pero eso no implica que la búsqueda de alimentos no desempeñe un papel en su salud. Durante el invierno, debes aumentar la ingesta de alimentos de tus animales. Cuanto menor sea la temperatura, más alimentos (energía) necesitarán los animales para conservar y regular la salud corporal. Asegúrese de controlar la ingesta individual de alimentos de cada animal para evitar sobrealimentar o subalimentar a cualquiera de ellos. Esto es especialmente importante con las bandadas de pollos donde comen en el orden de la jerarquía establecida en el orden jerárquico. Alimenta a tus animales con pequeñas cantidades de alimento cada dos horas para reducir la producción de agua, independientemente de la cantidad de animales que tengas en la granja.

Grandes cantidades de lodo / estiércol en los alojamientos de los animales pueden hacerlos muy incómodos. La situación empeora aún más cuando estás en invierno. Un refugio con ropa de cama sucia es una receta para la enfermedad y la enfermedad de los animales. No deje que el estiércol y el barro se acumulen hasta el punto en que puedan afectar la salud de sus animales. Use baldosas, virutas de madera y arena fresca en el piso del refugio de animales donde y cuando sea necesario. Esto ayudará a asegurarse de que no tenga que lidiar con más desechos de los que puede manejar.

Ya sea que esté criando ganado como fuente de alimento para su familia, como pasatiempo o como fuente de ingresos, estas pautas de cuidado lo ayudarán a mantener las cosas en perspectiva.

El agua no es lo único que ayudará a que sus animales se sientan cómodos durante los meses de verano. Ciertos tipos de refugios son muy buenos para hacer frente a condiciones climáticas extremadamente calurosas. Los tipos ideales de refugios durante temperaturas extremadamente soleadas son aquellos que protegen a su ganado del sol y le brindan un efecto refrescante para ayudarlo a retener agua en su cuerpo.

Los refugios construidos son efectivos para mantener protegidos a los animales de granja durante el verano cuando el clima es muy caluroso. Los refugios como este se construyen con materiales que van desde telas para sombra hasta madera. Los techos están hechos idealmente con acero galvanizado o aluminio en muchos casos. Los refugios construidos son buenos para reflejar la radiación del sol. Los árboles que tienen grandes copas también sirven como refugio efectivo para sus animales durante el clima cálido. Naturalmente, los árboles tienen este efecto refrescante que hace que sus cobertizos sean extremadamente relajantes tanto para los animales como para los humanos. Esto se debe a la absorción de calor por las hojas del árbol. Durante las temperaturas soleadas, es importante dirigir el flujo de viento hacia los animales para mantenerlos frescos. Por lo tanto, tenga esto en cuenta cuando esté reflexionando sobre la ubicación y el tipo de alojamiento para construir para sus animales. Asegurarse de que los animales de su granja se mantengan frescos durante los climas más cálidos es una parte clave del cuidado del ganado.

A menos que sea totalmente inevitable, nunca debes manipular a tus animales cuando estén en celo. Si es absolutamente necesario, asegúrese de hacerlo durante el momento del día en que las temperaturas están en su punto más bajo. Esto suele ser temprano o tarde en el día. Según la investigación, manipular ganado como cabras o ganado durante las condiciones climáticas cálidas puede aumentar la temperatura de su cuerpo de 0,5 grados a 3,5 grados, que es bastante. Es posible que los animales no puedan soportar las temperaturas a ese nivel. El aumento del estrés por calor y las temperaturas puede resultar en la pérdida de productividad en el ganado e incluso puede afectar sus funciones normales. Por otro lado, mover animales durante las condiciones climáticas más frías puede reducir el impacto que la temperatura tiene en el rendimiento de la producción.

Si necesita transportar a sus animales durante climas extremos, debe tener en cuenta su bienestar. El transporte de ganado durante el calor o el frío extremo puede afectar negativamente a la salud de los animales; por lo tanto, debe evitarse en general. Sin embargo, si absolutamente necesita transportarlos y no puede posponerlo, debe trazar un plan de viaje que minimice el efecto del clima en su salud. El paso más básico a tomar es predeterminar la ruta que tomará para su viaje. Además, marque las posibles paradas en el camino y vea si hay lugares donde pueda detenerse para obtener sombra y agua. Si necesita detenerse a lo largo del viaje, estacione su vehículo a la sombra y asegúrese de estar en los ángulos correctos para que el viento venga hacia los animales. Mantenga las paradas al mínimo para que pueda llegar a su ubicación lo antes posible. El calor aumenta aún más cuando un vehículo en movimiento permanece parado por un tiempo.

Algunos animales corren un mayor riesgo de sufrir estrés por calor que otros, y debe tener esto en cuenta al cuidar el ganado de su patio trasero. Los animales más jóvenes, los animales de color más oscuro y los animales enfermos tienen mayor riesgo de sufrir estrés por calor. La capacidad para tolerar el estrés por calor suele variar de una especie a otra. Por ejemplo, las cabras son menos propensas al estrés por calor que los animales como los cerdos, las llamas, etc. Las cabras lecheras son, sin embargo, más susceptibles al calor que las cabras para carne. Los ejemplos continúan así entre los muchos animales de granja que se pueden criar en una granja en el patio trasero. Observe de cerca a los animales que son más propensos al estrés por calor para ver si hay signos de estrés por calor durante los climas más cálidos.

¿Cómo identifica el estrés por calor?

Hay muchos signos que debe tener en cuenta en sus animales, pero algunos de los más generales que se mostrarán en la mayoría de los animales de granja incluyen:

- Aumento de la frecuencia respiratoria
- Jadeo
- Mayor ingesta de agua

- Pérdida de apetito

- Aumento de la salivación

- Letargo

- Pérdida del conocimiento, en casos extremos de estrés por calor

Si alguno de sus animales presenta síntomas de estrés por calor, algunas de las cosas que puede hacer para ayudarlos a enfriarse incluyen:

- Muévalos debajo de la sombra inmediatamente que note. Elija un lugar con una brisa. Si el animal está demasiado estresado para moverse de su lugar, busque una manera de proporcionar sombra en ese lugar.

- Ofrézcales mucha agua limpia y fresca y anímeles a beber en pequeñas cantidades. Rocíe su pelaje con agua fría, especialmente en las piernas y los pies, o déjelo sentarse o pararse en un charco de agua.

- Aumente la circulación de aire en esa área. Haga esto con ventilación, ventiladores y cualquier cosa que pueda hacer que el aire se mueva más libremente.

- Comuníquese con su veterinario si los animales no muestran ningún signo de mejora.

Aunque el estrés por calor no es completamente evitable, sus efectos se pueden reducir en un grado razonable siguiendo las pautas y consejos de cuidado anteriores.

Capítulo 11

Cómo Proteger a sus Animales de Granja de los Depredadores

Cualquier buen agricultor que se preocupe por sus animales sabe que los depredadores son un problema que debe ser atendido. Naturalmente, debes preocuparte por los depredadores y el daño que pueden causar a tu ganado si no tienes cuidado. También debería preguntarse acerca de los pasos que puede tomar para mantener a su ganado protegido de los depredadores. Existen diferentes formas de proteger a los animales de granja de los depredadores. Aún así, algunos métodos son más sencillos y fáciles que otros. En este capítulo, examinamos algunas de las formas más fáciles y efectivas de proteger a los animales de granja de los depredadores. Hay una variedad de opciones para usted, así que siéntase libre de elegir uno o más de los métodos. Lo bueno de los métodos es que puede combinar dos o más para brindar a sus animales la mayor seguridad posible.

El primer método eficaz es utilizar animales guardianes, como perros, para proteger a su ganado. Los perros guardianes existen desde hace años y se desarrollaron mediante la cría selectiva de razas de perros específicas en Europa y Asia, específicamente para proteger al ganado de los animales salvajes, como osos y lobos. Entonces, sí, hay perros que pueden dedicarse por completo a la protección de los animales de su patio trasero. De muchos animales guardianes, los perros se consideran los más efectivos y por razones obvias. Pueden proteger al ganado de una amplia gama de depredadores de todos los tamaños. Si se crían y entrenan adecuadamente, los perros guardianes pueden ayudar a disminuir o eliminar por completo la depredación en su granja. Incluso pueden ayudar a su ganado a agregar más peso (y carne) ya que la ausencia de depredadores les ayuda a pastar y forrajear más cómodamente. Sin embargo, no todos los perros son perros guardianes. Por lo tanto, asegúrese de preguntar específicamente por una raza de perro guardián cuando busque perros para la protección de sus animales. Conseguir un perro que no haya sido especialmente entrenado para ser un perro guardián puede causarle muchos problemas.

La cerca es otro método eficaz para mantener a los depredadores alejados de su ganado y sus jardines. Los coyotes pueden ser una preocupación extremadamente problemática para usted si decide agregar algunas ovejas a su granja. Los coyotes adultos pueden pasar a través de alambre tejido de 4 por 6 pulgadas y también pueden saltar vallas de menos de 66 "de altura. Esto significa que es casi imposible construir una cerca completamente a prueba de depredadores. Algunos colonos han aprendido con éxito para agregar alambres electrificados a sus cercas para evitar que los depredadores ingresen a su patio trasero. Otros simplemente aumentaron la cantidad de alambres de disparo y superiores en sus cercas, y aún así siguieron adelante para electrificar la cerca. De una extensa investigación entre los colonos exitosos en el patio trasero, se puede decir que las redes electrificadas son la mejor manera de mantener a los depredadores fuera del patio trasero usando su cerca. Aunque las cercas con redes electrificadas ciertamente no duran tanto como las alambradas, son económicas en comparación y pueden reducir la invasión de depredadores del 47 por ciento a aproximadamente 6 Por ciento. Eso es mucho, como puede ver. Otra forma de usar cercas para mantener a los depredadores lejos de la granja es usar un fladry. Fladry implica aparejar una cerca con wi res, así como banderas. Sin embargo, el fladry es más efectivo para áreas más pequeñas, como un pasto de parto. Se combina mejor con una posición de pastoreo estratégica. Por lo tanto, no es exactamente la mejor opción de cercado para toda una granja de patio trasero. Pero puede ayudar con áreas pequeñas en el jardín.

Hacer cambios regulares en la cría y manejo de animales es otra forma de proteger a su ganado de los depredadores. Básicamente, esto significa que adoptas prácticas agrícolas que reducen la exposición de tus animales a los depredadores. Por ejemplo, siempre debe mover cualquier animal muerto lejos del jardín para reducir la posibilidad de que un carroñero sea atraído hacia la manada. También puede ajustar las épocas del año en que corre, cría o da a luz. El clima de abril a mayo no solo se considera agradable, también es el momento en que muchos animales silvestres están dando a luz a sus crías. Cuantas más oportunidades tengan de concentrarse en algo que no sea su ganado, mejor para usted y los animales.

Hacer cambios de manejo también implica cambiar el horario de sus animales, es decir, la hora en que salen de sus refugios, la hora en que comen y la hora en que regresan al refugio. También es posible que deba cambiar el tipo de supervisión que reciben mientras viven sus vidas. La gestión del ganado no es una tarea sencilla. Si lo fuera, todos tendríamos un par de ganado, pollos, cabras, pavos y otros animales que estamos manejando en nuestros patios traseros. Pero si quieres ser un granjero exitoso, es algo por lo que debes preocuparte y dedicar tu tiempo. Suponga que necesita revisar su horario para manejar los problemas de depredación. Como ejemplo, puede considerar trasladar su ganado a otra parte del patio trasero si hay suficiente espacio. Puedes cambiar su cronograma de alimentación y forrajeo, y puedes actualizar la tecnología instalada en tu granja para que puedas manejar mejor tu ganado. Esto incluye instalar sistemas de alarma y colocar trampas con cables trampa para atrapar a los depredadores y advertirles que no regresen a su propiedad.

PARTE V

Prevención y Control Efectivos de Plagas en su Huerto de Frutas y Verduras

Los problemas de plagas son francamente molestos. Una temporada aparentemente abundante puede terminar de forma tan abrupta debido a una desagradable infestación de plagas. Lidiar con las plagas es un aspecto natural e inamovible de la jardinería, independientemente de lo que esté plantando. Incluso los mejores jardineros experimentan pérdidas de cosechas ocasionalmente. Es imposible encontrar un jardinero o agricultor que le diga que nunca ha tenido un problema con las plagas; si encuentra alguna, asegúrese de que le cuenten su secreto para que todos podamos aplicarlo en nuestros jardines. Sin embargo, controlar las plagas en su jardín puede ser tan fácil como lo es para que las plagas se hagan cargo. Y es increíblemente divertido e instructivo, pero solo si los evita antes de que se apoderen de su jardín. Es mejor prevenir que curar. Una vez que ocurre el brote, las plagas se vuelven mucho más difíciles de manejar de manera efectiva. Incluso si finalmente puede contener el brote, el daño a sus cultivos se habría hecho. Y habría desperdiciado una gran cantidad de tiempo, dinero, esfuerzo y otros recursos que se destinan a plantar y cultivar frutas y hortalizas. La sola idea de perder sus amadas cosechas puede ser muy aterradora.

Una cosa que muchos colonos no saben es que algunos pesticidas orgánicos son tan dañinos para los cultivos en crecimiento como los aerosoles químicos. Es mejor evitar el uso de pesticidas para sus jardines, orgánicos o de otro tipo. El objetivo de los pesticidas es matar insectos que se benefician del crecimiento de sus plantas. Matar insectos es el propósito de aplicar pesticidas. Sin embargo, a menudo terminan alterando los niveles de pH del suelo. También dejan residuos tóxicos en sus cultivos. Eso no es todo: los pesticidas también pueden destruir los microbios beneficiosos que se encuentran en suelos sanos. O pueden provocar una combinación de estos tres efectos negativos. Uno de los pesticidas comunes utilizados por muchos jardineros es el rocío de agua y jabón que se ha demostrado que tiene el potencial de matar microbios y alterar los niveles de pH del suelo, dependiendo de la dilución de la solución. Si no desea dañar el ecosistema de su jardín, es mucho mejor prevenir las plagas que combatirlas.

Una forma vital de prevenir las plagas de forma natural en su huerto de frutas y verduras es la paciencia y la resistencia. En lugar de ir directamente a los pesticidas cuando sufre una infestación de plagas, a veces le ayuda esperar un poco y continuar siguiendo todas las técnicas naturales de prevención de plagas que pronto discutiremos. Mientras continúas haciendo tu parte, los microbios del suelo seguirán aprendiendo y familiarizándose con el nuevo entorno. Eventualmente, se logrará un equilibrio. Probablemente se esté preguntando cuál es la conexión entre los microbios beneficiosos del suelo y las plagas. Bueno, los microbios del suelo son los que alimentan a sus plantas, ayudándolas a mantenerse saludables y bien protegidas contra las plagas. Cuando rocía insecticida, afecta el nivel de pH e interrumpe el establecimiento de los microbios beneficiosos de su suelo. Esto significa que no obtendrá el equilibrio que desea, lo que además significa que los microbios no podrán alimentar a sus plantas de manera tan saludable como deberían. A partir de ahí, desarrollará una dependencia interminable de los pesticidas porque los seguirá usando si sus microbios no pueden mantener alejadas las plagas de manera efectiva. La paciencia suele ser la clave en situaciones como esa.

Para evitar que las plagas del jardín destruyan su huerto de frutas y verduras, estos son algunos de los consejos que pueden ayudar. Con estos consejos, no necesitará aerosoles de insecticidas orgánicos o de base química.

- El primer gran paso es mejorar la calidad y la salud de su suelo. Los suelos saludables dan a las plantas un sistema inmunológico saludable. Con un sistema inmunológico más fuerte y saludable, las plantas se vuelven mucho mejores para combatir enfermedades y plagas. Un suelo saludable es clave para alimentar a sus plantas con microbios beneficiosos.

- Algunas variedades de plantas son más resistentes a plagas y enfermedades que otras. Elija variedades de frutas y verduras que sean naturalmente resistentes a las plagas. Los catálogos generalmente contienen información sobre las variedades que son mejores para resistir enfermedades y plagas.

• Asegúrate de elegir el lugar perfecto con la cantidad adecuada de exposición al sol y todo lo que necesiten tus plantas. Si sus plantas necesitan pleno sol, asegúrese de plantarlas a pleno resplandor del sol. Asimismo, puede plantar sus frutas y verduras de acuerdo con su requerimiento de agua. Si una planta necesita mucha agua para mantener su salud, entonces debes plantarla en el lugar que retiene la humedad mejor que las demás.

• Anime a los insectos beneficiosos a que vengan a su jardín. Los insectos beneficiosos son los insectos que consumen las plagas de su plan. Ellos mismos vienen naturalmente a los jardines en busca de néctar, polen y refugio. Anímelos a que sigan viniendo o se queden cultivando flores que sigan atrayéndolos y satisfaciendo sus necesidades. Una vez que los insectos beneficiosos sepan que tienen un hábitat en su jardín, comenzarán a poner huevos para expandir su ejército y comenzar a deshacerse de las plagas de su jardín.

• Si planta hierbas aromáticas con sus verduras, pueden ser muy eficaces para eliminar las plagas. Es una forma súper fácil y efectiva de prevenir las plagas del jardín y al mismo tiempo ayudarse con las hierbas. Algunas de las mejores hierbas aromáticas que puede plantar junto con sus verduras son el ajo, el cilantro, la caléndula, etc. Estas hierbas deben plantarse en el borde del jardín para evitar que las plagas se acerquen a los cultivos.

- Practique la rotación de cultivos. Usar la rotación de cultivos para hacer crecer sus cultivos confunde a las plagas y mejora la fertilidad del suelo en el jardín. La rotación de cultivos es un desafío para usar en un patio trasero pequeño de manera efectiva, pero no es inalcanzable. Si algunas plagas se apoderan de una planta en un lugar en particular, no la plante en el mismo lugar las dos temporadas siguientes. O puede usar un cultivo de cobertura para permitir que ese cultivo descanse durante una temporada. La rotación de cultivos es difícil pero eficaz para prevenir plagas.

- Intercalar es otro gran método preventivo que se enfoca en alternar ciertos cultivos, flores y hierbas para confundir a las plagas. Naturalmente, a las plagas les encanta atacar los monocultivos, razón por la cual las granjas comerciales tienen que usar mucho pesticidas en las plantas. En lugar de plantar su jardín con monocultivos, alterne cada hilera de vegetales con una hilera de flores que atraen insectos y hierbas repelentes de plagas. Confundir plagas es una forma engañosa de ocultar sus cultivos lejos de la fuerte nariz de las plagas.

- Cuando todavía tenga plantas jóvenes, use cobertores de hileras flotantes para mantener alejadas a las plagas. Las cubiertas livianas para hileras permiten que la luz y el agua penetren en las plantas mientras mantienen alejadas a las plagas. Si experimenta un problema recurrente de plagas con un vegetal en particular, debe considerar el uso de aros de túnel bajo para proteger ese cultivo. Pero asegúrese de que su vida cubra su hilera todas las mañanas para que los polinizadores puedan encontrar su polen.

- Construya senderos en el jardín. Los caminos permanentes son efectivos para incentivar la llegada de insectos benéficos al jardín, ya que los temporales que hay que labrar cada año suelen acabar destruyendo los insectos y su hábitat. El tipo de material que utilice para su recorrido dependerá en gran medida de la situación en la que se encuentre. Sin embargo, la grava, el trébol blanco y las astillas de madera son algunos de los materiales que puede utilizar. La construcción de caminos permanentes significa que también tendrá camas de jardín permanentes que continuarán aumentando su fertilidad con el tiempo. Por supuesto, la fertilidad es uno de los principales factores que determinan la capacidad de su jardín para repeler las plagas.

- Si tiene algunas plagas en su jardín, no se deshaga de ellas. A veces, tener algunas plagas en el jardín realmente funciona a su favor. Puede parecer contraproducente, pero sin algunas plagas para mantenerlas en su jardín, los insectos benéficos que están destinados a alimentarse de los insectos no se quedarán. Las plagas benéficas solo se sienten atraídas por los jardines donde pueden encontrar insectos, sus alimentos favoritos.

- Cuando las pocas plagas en su jardín se conviertan en un brote, elimine inmediatamente la planta infestada para mantener el daño bajo control.

- Sea proactivo en lugar de reactivo en su enfoque de manejo de plagas. Ser proactivo significa tomar medidas para prevenir la infestación de plagas en lugar de esperar a que ocurra primero. Un posible brote de plagas es una forma potencial de aprender formas en las que puede fortalecer su ecosistema. Por ejemplo, puede observar su suelo e intentar determinar si le falta un mineral vital que está dejando las plantas lo suficientemente enfermas como para atraer insectos. Si es así, ¿existe algún material orgánico que pueda sustituir efectivamente ese mineral?

Realice un seguimiento de las plagas que encuentre en su jardín, la hora en que aparecieron, cómo trató de manejarlas y los resultados de sus técnicas preventivas y de manejo. Esto puede abrir su mente a los aspectos en los que desea enfocarse en el viaje para evitar que las plagas infesten su jardín.

Los pollos y otros animales de ganado también son muy eficaces para controlar plagas en el jardín. Si está cansado de que las plagas destruyan sus plantas, simplemente coloque sus animales sobre ellas. Los pájaros de su granja no están ahí solo para que pueda comerlos a ellos oa sus huevos; también pueden marcar la diferencia en sus esfuerzos por mantener a raya a las plagas. Los pollos, pavos, patos, etc. son encantadores para controlar insectos y babosas. Usar sus animales de granja para deshacerse de las plagas es una opción rentable; también es libre de químicos, lo que significa que sus plantas permanecerán seguras independientemente.

Las aves de corral tienen una vista muy aguda que les permite ver insectos en cualquier lugar del jardín, campo o césped. Incluso pueden detectar roedores y serpientes y también deshacerse de ellos. Las gallinas de Guinea, en particular, son excelentes para este propósito. No solo pueden detectar insectos, babosas, roedores y serpientes desde lejos, sino que también tienen un sistema de alarma para avisarle cuando haya intrusos en su jardín. Las gallinas de Guinea consumen cualquier cosa, desde los insectos portadores de enfermedades más feroces hasta los más suaves. Para mejorarlo, también pueden servir como patrulla fronteriza para su granja. Entonces, si no desea que un perro guardián controle a sus animales, puede conseguir que una gallina de Guinea realice la misma tarea. Pero solo si está seguro de que usted (y sus vecinos) pueden manejar su volumen. Se sabe que las gallinas de Guinea son muy ruidosas, y las hembras son incluso más ruidosas que los machos. Las gallinas de Guinea machos generalmente no te llamarán a menos que tengan una razón absolutamente importante para hacerlo. Sin embargo, una vez que el macho grita, el resto de la bandada comienza a repicar, hasta que crean una alarma intimidante que debería llevarte inmediatamente a la granja.

Evitar que las plagas se apoderen de su jardín y pongan en peligro años de arduo trabajo es una parte vital de su viaje de jardinería. Recuerde que es mejor prevenir que curar, por lo tanto, en lugar de esperar hasta que le ataque una plaga, comience a tomar medidas proactivas para minimizar los riesgos y las posibilidades. Esto te ayudará mucho mejor que cualquier método combativo.

Capítulo 12

Cosecha y Preservación

Entonces, ha plantado con éxito sus frutas y verduras, las ha cuidado, y ahora, llega el momento en que puede cosechar el fruto de su trabajo. ¿Cómo se realiza la cosecha?

Antes de cosechar sus verduras, asegúrese de que estén realmente listas para la cosecha. En un capítulo anterior, di instrucciones sobre cómo puede determinar cuándo es el momento de la cosecha de sus vegetales. Si ha comprobado que el momento de la cosecha es el adecuado, comience a recoger las verduras frescas. Un gran error que cometen muchos veteranos y nuevos jardineros es que esperan a que sus vegetales se vuelvan realmente viejos y maduros antes de comenzar a cosechar. Nunca debe esperar hasta que sus productos estén demasiado maduros, viejos o grandes. Si lo hace, los productos pueden volverse amargos, duros e incluso dañados. Revise su huerto todos los días para ver cuáles de sus vegetales están listos para ser recogidos, conservados y almacenados. La recolección frecuente es una forma de mejorar la capacidad productiva de sus vegetales. Por lo tanto, elija sus verduras cuando aún estén tiernas y tiernas. Recuerde que las hortalizas de jardín de cosecha propia rara vez llegan a ser tan grandes como las que compra en los mercados, considerando que no agregará ningún producto químico para acelerar el crecimiento.

Cosecha siempre cuando veas que las plantas están secas. La recolección de productos húmedos puede desencadenar la propagación de enfermedades, especialmente en algunas verduras. El mejor momento para cosechar es temprano en el día cuando su producto está hidratado. Una vez cosechadas, debes consumir las verduras en un plazo de dos a tres días para no reducir la frescura. Sin embargo, si prefiere almacenar las verduras para su uso posterior, debe seguir las pautas a continuación para conservar y almacenar sus verduras.

La mayoría de las frutas y verduras se almacenarán durante meses si las cosecha y conserva de la manera correcta. La clave para almacenar con éxito sus cultivos es mantenerlos en las condiciones adecuadas y controlarlos regularmente para deshacerse de cualquier elemento enfermo. Los especímenes deben permanecer impecables durante la conservación. Por ejemplo, una manzana podrida puede arruinar el resto del lote si no las revisa con regularidad para eliminar las podridas y dañadas. Almacenar su cultivo en un área seca y bien ventilada puede evitar que se pudra. Es útil comprar cajas de almacenamiento donde pueda guardar los cultivos hasta que esté listo. Sin embargo, las cajas de madera y las cajas de cartón poco profundas pueden funcionar igual de bien.

Para preservar su cosecha, hay muchos métodos que puede utilizar, dependiendo de los tipos de cultivos que esté preservando. Congelar, enlatar, secar y encurtir son formas efectivas de conservar las frutas y verduras, así como las hierbas, si decide cultivarlas. El método que utilice a partir de estas cuatro técnicas estará determinado por lo que desee hacer con el producto cuando sea el momento de consumirlo. Por ejemplo, si cosechas algunos arbustos de arándanos y te gustaría guardarlos para hacer muffins de arándanos más tarde, congelar los arbustos de arándanos es lo correcto. Pero si prefiere convertir los arándanos en una mermelada para usar durante el invierno, el mejor enfoque que puede tomar es enlatar los arándanos en una o más mermeladas.

La congelación es una forma eficaz de conservar una variedad de frutas y verduras de su jardín. Si bien es un método de conservación relativamente simple, implica mucho más que tirar las verduras en una bolsa hermética y luego tirar la bolsa en el refrigerador o congelador. Antes de congelar las verduras, es mejor blanquearlas. Blanquear las verduras significa cocinarlas brevemente en agua hirviendo. Esto debe hacerse con verduras como tomates, guisantes, maíz dulce y frijoles. Congelar sus verduras tan pronto como las coseche de la granja es lo mejor que puede hacer. Blanquear las verduras antes de congelarlas ayuda a preservar el color original de las verduras, reduce la pérdida de vitaminas beneficiosas y limpia las verduras. Debe omitir el escaldado cuando esté congelando frutas. Tenga en cuenta que a algunas verduras simplemente no les gusta cuando están congeladas. Estos incluyen repollo, pepinos y apio. Por lo tanto, no se moleste en congelarlos para evitar que se ensucien. Las verduras congeladas pueden durar hasta un año en el congelador si lo mantiene a cero grados Fahrenheit.

Se sabe que el secado cambia el sabor del producto. Esto se debe a la eliminación de agua, lo que conduce a la concentración del sabor. El secado también cambia la textura de las verduras. Los pimientos son ejemplos de verduras que se almacenan mejor secándolas. Solo necesita encontrar un área oscura y fresca donde pueda colgar los pimientos. Es útil dejar que las verduras se calienten un poco cuando las seca para guardarlas. Secar sus verduras implica cuatro pasos:

• Prepare las verduras limpiándolas a fondo y quitando cualquier residuo o suciedad.

• Escaldar las verduras.

• Secar las verduras

- Almacene en recipientes herméticos y guárdelo en el armario o despensa.

Controle las verduras a medida que se secan, ya que pueden secarse demasiado y posiblemente quemarse si las deja secar por mucho tiempo. Puede saber si una verdura se ha secado una vez que se vuelve escamosa y desmenuzable. Los pimientos y los tomates se vuelven crujientes cuando están listos para ser almacenados.

El encurtido se usa principalmente para almacenar pepinos, pero también puede usar el método para zanahorias, repollo, guisantes y frijoles. Hay dos formas de decapado: decapado en frigorífico y decapado fermentado. A continuación se muestran los pasos para encurtir en el refrigerador sus verduras.

- Esterilice los frascos de encurtidos poniéndolos en cacerolas grandes, cubriéndolos con agua hasta el borde y póngalos al fuego. Deja que el agua hierva para esterilizar los frascos.

- Pique las verduras que desee encurtir en palitos, rodajas o de cualquier otra forma. Asegúrese de que todos sean del mismo tamaño. Llena el frasco con las verduras.

- Vierta una taza de vinagre en una cacerola pequeña y agregue una cucharada de sal. Espere hasta que se disuelva, luego agregue una taza de agua y déjela reposar del fuego.

- Agregue condimentos al frasco donde tiene sus verduras. Puede ser cualquier cosa, desde un diente de ajo hasta granos de pimienta. También puede agregar una cucharada de condimento para pepinillos.

• Vierta la solución de vinagre en el frasco de verduras y deje que las verduras estén completamente cubiertas. Espere hasta que se enfríe antes de tapar y guardar en el refrigerador.

Deje que los pepinillos permanezcan en el refrigerador por un par de horas antes de probar uno. Debería tener un verdadero pepinillo, pero el sabor seguirá desarrollándose durante las próximas semanas. Los encurtidos refrigerados pueden durar unos meses.

El enlatado es el método de conservar las verduras haciéndolas inaccesibles para las bacterias. Se puede enlatar cualquier vegetal, desde los tomates hasta los arándanos. Sin embargo, el enlatado es el más complicado de todos los métodos de conservación que se han discutido hasta ahora. Hay tantas cosas a tener en cuenta al enlatar verduras. Solo se pueden utilizar verduras que hayan sido cosechadas directamente del huerto. Los frascos de vidrio para conservas son los mejores para almacenar las verduras; asegúrese de que no estén agrietados o astillados. Antes de envasar cualquiera de tus productos, asegúrate de que las latas estén completamente selladas.

Conclusión

L a agricultura en el patio trasero es una forma muy sostenible y autosuficiente de mejorar su calidad de vida produciendo los alimentos que consume. Desde sus verduras favoritas hasta frutas y carnes, no hay nada que no pueda cultivar y criar de manera efectiva en una granja en el patio trasero. Este libro, como se prometió, brinda la mejor información, pautas, técnicas y métodos para mantener un huerto de frutas y verduras, al mismo tiempo que cría ganado, todo en una granja urbana. Sin más preámbulos, lo único que queda por hacer es ir directo al jardín trasero y comenzar a poner en práctica todo lo que ha aprendido.

AGRICULTURA EN EL PATIO TRASERO

Cultivo de Flores y Apicultura
en Una Casa Urbana

MONA GREENY

Introducción

Hace siglos, la autosuficiencia era la única forma de vivir; la sociedad moderna, la maquinaria industrial y muchas de las cosas que hoy damos por sentado no existían en ese entonces. Dicho esto, si realiza un seguimiento de la ocupación a lo largo de los años, siempre volverá a la agricultura. Aunque pueda parecer extraño para las personas de hoy en día buscar canales sostenibles y autosuficientes en lugar de optar por comprar en la tienda de al lado, puede ser útil en momentos de necesidad y durante crisis. Es importante profundizar en las raíces históricas de las granjas y cómo las sociedades vieron la autosuficiencia tanto a nivel micro como macro.

Muchos de los primeros filósofos políticos, como John Locke, han pensado en las granjas como una forma que puede resolver el argumento de la propiedad de la tierra; hacer trabajo en la tierra, en su opinión, beneficiaría a toda la comunidad. La progresión mecánica e industrial de muchos países les ha hecho darse cuenta de que pueden beneficiarse de muchas tierras baldías. Aparte del derecho consuetudinario, las leyes estatutarias formuladas por Estados Unidos sentaron las bases para muchas adquisiciones importantes de tierras que beneficiaron a la gente.

La Homesteading Act de 1862 se considera uno de los actos legislativos más importantes y eficaces que han cambiado el curso de los Estados Unidos en los próximos años. Firmado bajo las duras condiciones de la Guerra Civil, Abraham Lincoln sabía que aprobar la ley significaba que las personas podrían hacer uso de más de 270 millones de acres de tierras públicas, que equivalían a alrededor de una décima parte de la tierra de todo Estados Unidos.

El requisito de ser un colono, según la ley de 1862, era bastante simple; los individuos en cuestión tendrían que tener 21 años y se les prohibió tomar las armas contra el gobierno. Esto permitió a colonos de todo el mundo reclamar tierras, además de mujeres solteras, ex esclavas y otras personas cuyos derechos no estaban en la mejor forma en ese entonces. Para poseer la tierra, una persona tenía que construir su casa, hacer mejoras y cultivar una granja sostenible durante más de 5 años. Este proceso se llevaría a cabo solo después de que el propietario presentara una solicitud oficial y se evaluara su propiedad. Después de 5 años de mejorar la tierra, el propietario finalmente recibiría su patente de tierra firmada por el presidente del país.

La Ley de Homestead permaneció en vigor durante unos 114 años hasta que la mayoría de las tierras de primera calidad disponibles se convirtieron en viviendas. Sin embargo, la certificación de propiedad o la patente de la tierra continuó siendo un orgulloso signo de determinación y aptitud. Este viejo concepto revolucionario todavía se filtra en la cultura moderna a medida que más personas están considerando un estilo de vida autosostenido en lugar de depender completamente de menos opciones y alternativas menos diversas.

En los años 70, movimientos como Back to the Land son un ejemplo estelar de cómo las comunidades urbanas y suburbanas y la cultura no estaban enfocadas en la autonomía y la autosuficiencia. En lugar de ser un medio para sobrevivir, la ocupación se convirtió en un estilo de vida que practicaban miles de personas. Como tal, ponerse en contacto con las raíces ancestrales de uno se ha vuelto común en Europa también, ya sea por supervivencia, distributismo o lucha contra la contaminación.

Si bien esta perspectiva puede parecer política para aquellos que solo quieren mantenerse a sí mismos para reducir sus gastos en los vecindarios urbanos, comprender la verdadera naturaleza de estos movimientos modernos es igualmente importante. La vida moderna puede ser agotadora y puede tener opciones limitadas, lo que hace que muchas personas reconsideren su posición y tomen una iniciativa proactiva. Cosas como la corrupción del gobierno, la estigmatización social y el consumismo excesivo han llevado a importantes eventos que cambiaron el panorama, incluida la Guerra de Vietnam, escándalos como Watergate y varios tipos de contaminación.

No es contradictorio que las personas comiencen a considerar cortar algunas de las raíces que hacen que su vida sea cada vez más difícil y esté bajo el control de entidades orientadas a los negocios. Los primeros grupos de personas que comenzaron a reorganizar su vida para sincronizarse con la agricultura fueron aquellos que ya estaban familiarizados con la agricultura, la vida silvestre y la vida rural. Lo que comenzó como un simple movimiento a finales de los años 60 se transformó en un enfoque filosófico y económico completo que países enteros ahora están tratando de adoptar. Los problemas de sostenibilidad que enfrentan muchos países plantean graves peligros tanto para la población como para el medio ambiente, lo que la convierte en una de las principales prioridades tanto de los países en desarrollo como de las superpotencias.

Aquellos que no tienen mucha experiencia en agricultura, crianza de animales o viviendo en áreas rurales pueden estar demasiado abrumados para tomar esa decisión en consideración, lo cual es normal. Esta es la razón por la que muchas personas comienzan a recurrir a cosas como la agricultura y la jardinería en el patio trasero para proporcionar lo mínimo que necesitan para sí mismos. La buena noticia es que el progreso nunca se detiene; Una vez que empiece a mantenerse en un departamento, querrá pasar al siguiente.

Homesteading es uno de los mejores estilos de vida que puede adoptar si está buscando perfeccionar y mejorar su ética de trabajo. No es raro ver a niños de 7 y 8 años asumiendo alguna responsabilidad en la casa en granjas rurales, ordeñando vacas, entrenando perros y ayudando con la cocina. Este puede ser un elemento importante que quizás desee tener en cuenta si está planeando formar una familia con una sólida ética de trabajo y un sentido de dependencia que les permita elegir por sí mismos lo que quieren hacer con sus vidas, que es definitivamente mejor que los métodos estándar y genéricos.

Si eres alguien a quien le gusta cocinar su propia comida, definitivamente disfrutarás plantar y cultivar tus propias verduras. Si bien es posible que no se acostumbre a no tener la conveniencia de comprar todo en el supermercado, adoptar este estilo de vida puede desbloquear muchas alegrías simples que no sabía que existían. Es importante comprender que, afortunadamente, la agricultura en esta época no es un medio para sobrevivir. Tienes el espacio que te permite cometer errores y aprender de ellos a tu propio ritmo. Muchos agricultores en áreas rurales pueden sentir la presión de mantener ciertos cultivos para evitar cambios estacionales que pueden impedirles tener acceso a alimentos durante todo el año. Podrás elegir progresivamente tus cultivos en función de tus necesidades y progresar gradualmente a partir de ahí para poder mantener productos sostenibles que te permitan depender de ellos.

Su perspectiva está destinada a cambiar una vez que realmente comience a trabajar por las cosas que siempre ha dado por sentado de manera espectacular. Esto no significa que estará sufriendo y desperdiciando todo su tiempo sembrando cultivos y apicultura, sino que los apreciará más como actividades y no solo como un medio para mantenerse a sí mismo. Podrás disfrutar de los frutos literales de tu trabajo, lo que de alguna manera hace que todo lo que pruebes y veas valga la pena. Notarás que todo lo que obtienes de la granja tiene una vida útil más larga y se utiliza mejor, y también podrás reducir el desperdicio.

La ocupación tiene un aspecto financiero serio que a menudo se puede pasar por alto si las personas se obsesionan con los costos iniciales o la mano de obra. Puede que le lleve algún tiempo darse cuenta, pero una vez que empiece a darse cuenta de que se está volviendo menos dependiente de los precios del mercado, descubrirá que está ahorrando mucho dinero. No habrá necesidad de preocuparse por el suministro de alimentos centralizado o los mercados que de repente tienen sus precios subidos. Este tipo de independencia le ahorrará muchos gastos en el futuro, especialmente si comienza a pensar en alejarse de la red eléctrica principal y establecer su propio suministro o fuente de energía.

A diferencia de los hogares convencionales, perder su trabajo no sería necesariamente un golpe devastador para toda su vida. Por supuesto, quedarse desempleado aún plantearía muchos problemas, pero la ocupación asegura que no afecte su seguridad alimentaria y capacidad de supervivencia. Cuando cultivas tu propia comida, una gran parte de ella no se consume, sino que se conserva. No es raro encontrar muchos colonos con un suministro de alimentos que puede durarles meses porque lo han conservado en congeladores, alacenas y despensa. Dependiendo del tipo de vivienda que esté planeando hacer, la seguridad alimentaria será la menor de sus preocupaciones la mayoría de las veces. No tiene que pensar en situaciones extremas de supervivencia, pero aún así es reconfortante saber que su patio trasero podrá sostenerlo, incluso si pierde temporalmente su fuente de ingresos.

Te embarcarás en un viaje que puede mostrarte las verdaderas raíces de la civilización, donde te pondrás en contacto con la naturaleza innata de supervivencia que todos tenemos en lo más profundo de nosotros. Todo lo que necesita para comenzar su viaje de granja es un modesto patio trasero, que lo sorprenderá a medida que su verdadero potencial se desarrolla lentamente cuando se esfuerza. Esta guía se enfocará principalmente en los aspectos de jardinería de la agricultura, específicamente cuando se trata de cultivar flores, diseñar un jardín, labrarlo y cuidarlo. La segunda sección del libro contiene guías detalladas que deberían ayudar a un principiante a comenzar su propio pequeño esfuerzo apícola, junto con todos los detalles e información que pueda necesitar en su viaje apícola.

Capítulo 1

Tool and Equipment

E ntrar en el mundo de las granjas no es tan complicado como podría parecer, pero tampoco es tan simple a menos que esté bien preparado. Este no es el tipo de esfuerzo que podría emprender al azar sin ninguna consideración o planificación. Sin duda, vale la pena el esfuerzo de ser autosuficiente, pero debes dedicar tiempo y dedicación para poder cosechar las recompensas de tus esfuerzos. Para dedicarse a la agricultura, debe tener las herramientas y el equipo adecuados.

Debe comenzar por establecer un presupuesto para cada artículo, de modo que sepa qué puede estar fuera de los límites y qué es asequible. Para entrar en la granja, tendrá que tener algo de capital para comprar todas las cosas que lo ayudarán en este increíble viaje. En este capítulo, exploraremos todas las herramientas y el equipo que necesitará para la agricultura, ¡así que tome papel y lápiz!

Para el jardín / patio trasero

Horquilla de jardín

La mayoría de las personas que se dedican a la agricultura lo hacen porque quieren cultivar sus propios alimentos, y eso significa que usted se dedicará a la jardinería y la agricultura. Para comenzar la lista, necesita una horquilla de jardín pesada y confiable. Esta herramienta es particularmente importante si no ha prestado atención a su espacio por un tiempo, lo que probablemente significa que no ha tenido tiempo para mejorar la tierra del jardín con arena friable y abono rico. El tipo de tenedor que debe obtener debe tener 3 o 4 dientes (púas).

El tenedor de jardinería debe ser resistente con un mango de 44 pulgadas y debe estar hecho de materiales excelentes; preste atención al tipo de acero utilizado y asegúrese de que sea de alta calidad. Tenga cuidado de no confundir este tenedor con el de mango largo que se usa para el heno. Una horquilla de jardín de alta resistencia no es barata, pero ciertamente vale la pena la inversión debido a su versatilidad y la cantidad de tareas para las que puede usarla.

Carro o vagón

Esta es una de las herramientas más importantes para cualquier agricultor. Siempre debe priorizar la obtención de un carro o vagón con ruedas antes que cualquier otra herramienta. Siempre estarás moviendo fertilizante, ropa de cama para animales, abono para el jardín, limpieza de puestos y muchas otras cosas. Para esas tareas, necesitará un carro o carreta resistente. Le quitará una carga de la espalda, literalmente, y lo ayudará a transportar artículos por el patio trasero con facilidad y eficiencia, sin mencionar la rapidez también.

Hay muchas cosas a considerar cuando se trata de un carro con ruedas. Primero está el número de ruedas, que variará según el tamaño y sus necesidades. También es imperativo que considere los materiales con los que está hecho el carrito. Cuanto más resistente sea, más durará y más fiable será durante sus tareas diarias. Los carros de metal son ideales para cargas más pesadas y encontrará que manipularlos es mucho más fácil cuando mueve artículos grandes o voluminosos.

Tractor

Un tractor no es imprescindible, pero definitivamente es útil si se toma en serio la agricultura y la agricultura. El tamaño y las habilidades del tractor dependerán de su presupuesto, porque esos no son precisamente baratos. Sin embargo, son una excelente inversión. Un tractor lo ayudará a arar la tierra y también será útil para labrar, desgarrar, desgranar, plantar y muchas otras tareas. Una de sus principales ventajas es lo versátil que es porque no solo lo usarás en la agricultura. Se puede usar un tractor para tirar de otra maquinaria y artículos pesados, así como para empujarlos, lo que resulta bastante útil para los colonos.

Conseguir un transportador motorizado no es una obligación para los colonos, pero si invierte en uno, ciertamente no se arrepentirá. Ni siquiera necesita un tractor de dos toneladas; máquinas de diferentes tamaños podrían satisfacer sus necesidades sin ser demasiado pesadas o costosas. Tiene opciones más baratas y más pequeñas, como caimanes o vagones motorizados, que le brindan la ventaja de una máquina hidráulica para ayudarlo en las tareas más pesadas en la granja o en el patio trasero, mientras que son más baratas y fáciles de mover que los tractores gigantes.

Podadora

Algunas personas piensan que las podadoras de césped son un accesorio elegante que solo tiene el valor estético de un patio trasero, pero cumplen una función mucho más importante que esa. Le ayudará a mantener la longitud de su césped y malezas para que no se salgan de control y corran el riesgo de comprometer sus esfuerzos. Algunos granjeros usan cabras para ese propósito en pastos y campos, pero una cortadora de césped es una herramienta mucho más efectiva, especialmente si se considera que se trata de una granja en el patio trasero. Esto lo hace ideal para esos espacios, mientras que las granjas con mayor superficie utilizan tractores para cortar el césped y las malas hierbas. Investigue las opciones disponibles y encuentre una cortadora de césped que se adapte a sus necesidades y a su patio trasero.

Pala de corte

También necesitará una pala de corte resistente para su suelo. Es una de las herramientas agrícolas más antiguas y su función ha cambiado a lo largo de los años, pero sigue siendo tan importante como siempre para los colonos. Una pala de corte confiable lo ayudará a cortar el césped o cualquier terrón de arcilla que pueda moverse accidentalmente mientras usa el tenedor de jardín. Esas dos herramientas funcionan bien juntas y se pueden usar en una variedad de tareas como sacar rocas del suelo y cosas por el estilo.

Cesto de basura

Un contenedor de abono se usa alrededor de los patios traseros o granjas para hacer y almacenar abono hasta que pueda usarlo en el jardín. Entonces, ¿qué tiene de especial? El contenedor de compost puede acelerar la descomposición de sustancias orgánicas al proporcionar aireación y retención de humedad, lo que significa que puede usar el compost cuando lo necesite sin demoras.

cultivador

Un cultivador es una de las herramientas más importantes para cualquier agricultor, no solo para los colonos. Esta máquina está diseñada para romper el suelo duro que es compacto y áspero en tierra suelta que puede utilizar para cultivar o plantar. Hay cultivadores de púas delanteras y traseras, y estaría mejor con este último. Debe estar hecho de hierro fundido, acero y bronce para una máxima eficiencia. La cultivadora de púas traseras ayudará a los colonos que quieran experimentar con la jardinería orgánica e incorporar potenciadores naturales del suelo como arena, estiércol y abono en sus patios traseros o granjas.

Para carpintería y reparaciones

Hacha

Un colono hará mucho trabajo en madera y carpintería, y para eso necesitas un hacha. Le ayudará a cortar, dar forma y partir cortezas, sin mencionar que también es útil para cortar árboles y cosechar la madera que necesita para la leñera.

Perforar

Un taladro es un elemento indispensable para cualquier granjero, especialmente uno que le gusta trabajar con sus manos. Para trabajar la madera, consiga un taladro o destornillador inalámbrico que pueda moverse libremente mientras está en la leñera. Te ayudará a construir todo lo que quieras con madera, sin importar tu nivel de habilidad. Hace que sea mucho más fácil manipular madera y construir estructuras con ella, grandes o pequeñas, por lo que es una herramienta esencial. El taladro o el destornillador también lo ayudarán, en caso de que necesite una herramienta para realizar cualquier otra reparación en la casa o la granja.

Martillo

También necesitará un martillo porque sigue siendo la mejor herramienta para clavar clavos o estacas, y esto lo hará bastante beneficioso en el jardín o la casa de un granjero. También es bastante útil para trabajar la madera, especialmente para estructuras de madera más delgadas o más débiles en las que está trabajando donde un taladro podría no ser apropiado. Un martillo es tan bueno para clavar clavos como para arrancarlos, lo que también puede resultar útil en reparaciones en su casa.

Sierra utilitaria

Si bien una buena sierra de mano pasada de moda es útil, y debería obtener una, una sierra circular para uso general es otra cosa y es mucho más versátil y útil. Es la herramienta perfecta para cualquier carpintería de la casa y se puede utilizar en muchas otras tareas. Una gran cosa acerca de la sierra circular es el hecho de que las hojas son fácilmente reemplazables, por lo que puede reemplazar las que estén dañadas o simplemente poner nuevas hojas de diferentes medidas para una determinada tarea que requiera este cambio.

Aserradero

Una sierra para uso general es excelente y puede hacer muchos de los trabajos de madera que necesitará en la granja, pero si planea usar madera con frecuencia en su hogar, entonces un aserradero podría ser una mejor inversión y la herramienta más adecuada para usar. Es mucho más eficiente que una sierra para uso general o incluso una motosierra, y puede realizar el trabajo de una manera más limpia y suave para un mejor acabado. Sin embargo, este no es el tipo de artículo que tiene dentro de su casa, así que considere un aserradero solo si tiene un cobertizo para leña separado donde hace la mayor parte de la carpintería.

Herramientas varias

Debe obtener un juego de alicates de estudio de diferentes tamaños porque los necesitará. Los alicates lo ayudarán a cortar, doblar y manipular cables, así como una serie de otras funciones. Un juego de destornilladores es otra necesidad para manipular cualquier clavo en la casa, y resultan ser bastante funcionales y útiles. Hablando de clavos, siempre es una buena idea abastecerse de muchos clavos de diferentes tamaños para trabajos de reparación y cualquier problema inesperado que encuentre en su hogar, y habrá muchos de esos, por lo que siempre es mejor estar preparado .

Una pistola de grapas es otra herramienta que resulta bastante útil en una granja y puede ahorrarle mucho tiempo y esfuerzo en pequeñas tareas que no serían tan pequeñas sin esta herramienta. Una pistola de grapas une las cosas rápidamente, por lo que te ayudará con techos, telas, madera y cualquier cosa que quieras armar de manera eficiente y rápida.

También debe obtener diferentes tipos de llaves (tubería, combinación, llave hexagonal, etc.), gafas de seguridad, cinceles, escaleras y cualquier otra herramienta que pueda usar en su casa, incluso si piensa que no la usaría de esa manera. a menudo. Es importante encontrar todo lo que pueda necesitar a mano para no tener que posponer el trabajo en ningún proyecto.

Para la cría de ganado

La cría de ganado es esencial si realmente quieres ser autosuficiente, que es de lo que se trata la agricultura. Si desea ser completamente autosuficiente, hay algunas cosas que necesitará para facilitar la crianza de ganado para usted y los animales.

Comederos para pollos

Criar pollos es bastante útil, ya sea por sus huevos o su carne, y siempre resultan ser una valiosa adición a cualquier granja. Un comedero para pollos es importante para que pueda mantenerlos bien alimentados. Lo más importante es que también necesitará un bebedero para pollos, porque deben tener acceso a agua potable limpia y fresca para crecer sanos.

Vallas y jaulas

No todos los colonos crían pollos. Otros prefieren los conejos, por ejemplo, y estos necesitan ser contenidos, o de lo contrario podrían huir fácilmente. Para otros animales como vacas o cabras, necesitará una cerca sólida para mantener contenido su patio trasero para que los animales no se alejen, lo que puede ser peligroso si hay depredadores en su área. Cuando obtenga una cerca, asegúrese de obtener también las herramientas necesarias para mantenerla, como alicates para cercas.

Poder

Muchos colonos están preocupados por el medio ambiente. Es por eso que intentan usar fuentes de energía más limpias, lo cual es bastante factible e incluso recomendado para los colonos. También puede verse acorralado en una esquina si no está cerca de una fuente de alimentación confiable. Una de las ventajas de los colonos en el patio trasero es el hecho de que a menudo se encuentran en áreas rurales, lo que les da más opciones de energía limpia, aunque se puede hacer en entornos más urbanos. En cualquier caso, para el granjero promedio, debe tener en cuenta muchos factores y prepararse en consecuencia.

Paneles solares

La energía solar es probablemente la mejor fuente de energía para los colonos, y tiene muchos beneficios. No tiene que estar cerca de una fuente de energía, lo cual, como se mencionó, es un problema al que se enfrentan muchos. El sol siempre está alrededor, y puede utilizar su energía para alimentar su casa y granja instalando paneles solares. Debe comprender de antemano las necesidades de energía de su hogar, para saber qué tamaño de paneles solares necesita e invertir en consecuencia.

Los paneles solares son, de hecho, una inversión porque le permiten ahorrar mucho dinero a largo plazo. Además, aumentan el valor de la propiedad porque la energía limpia es la dirección en la que se dirige el mundo en este momento. Por último, pero no menos importante, la energía solar es excelente para el medio ambiente y tiene una huella de carbono mínima, por lo que es ideal para los colonos que desean vivir lejos de la contaminación de la ciudad y sus fuentes de energía.

Turbina eólica

Otra fuente de energía renovable que utilizan muchos colonos es el viento. Esto es particularmente útil en áreas donde el viento sopla con fuerza, y puede aprovechar esa energía para encender su hogar. Solo necesita instalar una turbina eólica, y encontrará que es bastante práctica y eficiente para proporcionar a su casa la energía que necesita.

Generador

Incluso si depende de la energía solar para obtener energía, que no se ve afectada por cortes de energía, sigue siendo una buena idea obtener un generador de respaldo. Nunca se sabe lo que podría suceder, y lo último que necesita es funcionar durante unos días sin electricidad debido a una tormenta o un clima inesperado que podría afectar sus paneles solares. Dicho esto , se recomienda que invierta en un generador de servicio pesado que pueda satisfacer las necesidades de su hogar en términos de energía en caso de que algo salga mal.

Stock de combustible

Siempre abastecerse de tanques de combustible adicionales, ya que son esenciales para una granja. Ya sea para la cortadora de césped, el tractor, el generador o cualquier otro aparato que funcione con gasolina o diesel, los tanques de combustible deben estar siempre disponibles, o de lo contrario podría obstaculizar su progreso y afectar negativamente algo en lo que está trabajando.

Para la cocina

Para un granjero, ir a la tienda de comestibles cada vez que necesite algo no es realmente una opción, por lo que debe asegurarse de tener todo lo que pueda necesitar. La herramienta más importante para su cocina podrían ser las envasadoras a presión, ya que se usarán para almacenar alimentos que no tengan un alto contenido ácido, y eso incluye cualquier cosa, desde tomates hasta guisos o arroz. Una picadora de carne también será útil en la cocina, considerando que lo más probable es que procese su carne, así que asegúrese de obtener una si ese es el objetivo.

Necesitará un juego de cuchillos de diferentes tamaños - asegúrese de conseguir unos grandes para cortar o desollar ganado. Mezcladores, cortadores de carne, hornos solares, sierras para carne, molinillos de café y licuadoras también son algunos de los electrodomésticos que puede necesitar en la cocina de su hogar.

Antes de comenzar a trabajar en la construcción de su propio huerto familiar, es esencial asegurarse de tener todas las herramientas necesarias a mano. Algunas de estas herramientas son más avanzadas que otras y pueden no ser necesarias para un principiante, mientras que otras pueden estar ya en su cocina o en su equipo de mantenimiento. Puede buscar precios en línea para obtener las mejores ofertas, especialmente si planea comprar herramientas al por mayor.

Capítulo 2

Configuración Básica

Ahora que conoce las herramientas y el equipo, necesitará comenzar una granja; es hora de entender cómo puede tener una configuración básica y cómo puede poner en marcha su propia propiedad. Es importante que se tome las cosas con calma en este paso porque implican muchos detalles. Tienes que ser organizado y disciplinado, para que la fase de configuración se desarrolle sin problemas y sin complicaciones. Esto es lo que necesita saber.

Evalúe sus necesidades y la propiedad

Antes de comenzar a configurar su propiedad, debe tomarse un momento para evaluar sus necesidades completamente y lo que desea lograr a través de esta experiencia. Homesteading no es algo que deba tomarse a la ligera, y no puede sumergirse en esto sin la debida consideración. Este paso conlleva mucho trabajo duro y dinero, por lo que debes estar seguro de que esto es lo que quieres. Mucha gente idealiza la idea de la ocupación sin comprender completamente cuánto esfuerzo se requiere para que esto funcione. Es por eso que debe estar seguro de que esto es lo que usted, y lo que es más importante, su familia, desea. Su pareja y sus hijos también deben estar a bordo, porque también se les pedirá que trabajen en la granja. Esto no es adecuado para hogares de un solo miembro.

Si ha llegado a la conclusión de que esto es lo que quiere, es hora de considerar qué grado de autosuficiencia está buscando. Algunos colonos simplemente plantan su propia comida y, de lo contrario, dependen de fuentes externas para cualquier otra cosa. Por lo tanto, debe decidir si esto es algo que sería conveniente para sus necesidades, o si desea ir a toda velocidad y criar ganado mientras obtiene su fuente privada de energía a través de paneles solares o turbinas eólicas.

Al decidir qué grado de propiedad está buscando, debe tener en cuenta su propiedad. ¿Su tamaño te permite criar ganado? ¿Se puede instalar una fuente de energía renovable o se ve obligado a recurrir a centrales eléctricas? Si esta es una propiedad que planeas dejar algún día, esto es algo que tienes que tener en cuenta. ¿Valdrá la pena gastar todo ese dinero en turbinas eólicas o paneles solares, tractores y todas las demás herramientas y configuraciones si se muda en unos años? Estas son preguntas que solo tú puedes responder.

Priorizar

Dejando a un lado las complicaciones y dificultades de la vivienda, es un esfuerzo muy gratificante y emocionante que lo mantendrá ocupado con el trabajo físico. Por eso es importante tomarse las cosas con calma. Debe comenzar haciendo una lista de todas las cosas que desea hacer en su hogar porque puede estar seguro de que se sentirá abrumado por las ideas y las cosas que puede hacer en cada rincón de su hogar. Por lo tanto, haz una lista de todos los proyectos e ideas que te gustaría emprender. Esta lista se hará realidad después de que evalúe su propiedad en términos de tamaño, suelo y capacidad para alojar animales, y en base a eso, establecerá sus metas. ¿Qué tipo de proyectos quieres lograr en tu casa? A través de esta lista, aprenderá la respuesta a esa pregunta.

Puede dividir la lista en diferentes categorías, según el tipo de proyectos que le interesan y a qué aspecto de la propiedad pertenece. Por ejemplo, puede decidir qué hierbas, frutas o verduras desea plantar. Luego, puede decidir qué tipo de animales desea criar en su granja (si es posible) y si desea que se reproduzcan o si solo los criaría para carne y productos lácteos o huevos. También puede instalar una colmena para obtener miel fresca. Estos son meros ejemplos del tipo de cosas que podrías hacer en tu casa, y el cielo es el límite si lo piensas.

Sin embargo, debe tener mucho cuidado para evitar dejarse llevar por todas esas ideas increíbles. Necesitas priorizar. Si intenta hacer todo a la vez, no podrá hacer nada correctamente. Por lo tanto, debe establecer sus prioridades y concentrarse en las cosas que necesita con urgencia. Lo más probable es que esto tenga que ver con el poder o el sustento. Siempre debe concentrarse en eliminar esos asuntos urgentes antes que nada.

Comience con un jardín

Discutiremos los detalles del diseño de un jardín y cómo puede hacerlo más adelante en el libro, pero por ahora, debe saber que lo primero en lo que podría comenzar a trabajar es en esto. Esto puede parecer abrumador para muchas personas, pero solo requiere un poco de planificación y podrá hacerlo si está dispuesto a esforzarse. Lo primero que debe hacer es aprender qué es adecuado para crecer en su suelo y clima. Definitivamente no querrá perder tiempo, energía y dinero tratando de cultivar algunos cultivos que no tienen ninguna posibilidad en su tipo de suelo.

Puede visitar la oficina de extensión local para conocer el calendario de siembra de su tierra: qué cultivos pueden crecer y en qué época del año en particular. Este paso es particularmente importante para los principiantes en el mundo de la agricultura y la agricultura, porque hay muchas cosas en la agricultura que le toma tiempo aprender y necesita ayuda para eso.

Configurar un sistema de riego

Para la mayoría de las personas, lo primero con lo que suelen empezar es un pequeño jardín o plantar árboles. Para que eso suceda, necesita instalar algún tipo de sistema de riego alrededor de su casa porque probablemente lo necesitará a largo plazo. Los sistemas de riego son complicados y configurar uno implica la comprensión de muchos detalles intrincados, pero profundicemos en la idea general. Cualquier sistema de riego se divide en una de dos categorías: riego de flujo alto o bajo. Como lo indican los nombres, para el flujo bajo, el agua gotea sobre el suelo a un ritmo lento. En cuanto a los sistemas de flujo rápido, se utilizan mayores cantidades de agua y la presión también es significativamente mayor. Entonces, ¿con cuál deberías ir?

La respuesta a esa pregunta depende de su preferencia y de un par de otros factores. Para empezar, ¿qué tan grande es el área que desea regar? Si es solo su patio trasero como casa, entonces podría estar mejor con un sistema de bajo flujo. Pero si se trata de acres de tierra, un sistema de riego de alto flujo es la opción razonable porque puede regar grandes extensiones de tierra a un ritmo mucho más rápido. Estos son los dos tipos generales de sistemas de riego en términos de velocidad y presión, pero hay otros términos con los que debe estar familiarizado:

El riego subterráneo es cuando el sistema está enterrado debajo del suelo, usted suministra agua directamente a las raíces de las plantas. Ejemplos de este sistema incluyen riego por goteo y un sistema de manguera de remojo, que son opciones de bajo flujo.

El riego localizado es un sistema diferente en el que el agua se dispersa a través de tuberías, y esto suele ocurrir por encima de la superficie. Si bien este sistema está sobre la superficie, en la mayoría de los casos, está diseñado de manera que no inunde el follaje, lo que ayuda a protegerlo del moho y otras complicaciones.

Tiene varios sistemas en cada categoría, desde mangueras de remojo hasta riego por aspersión o riego por goteo, y depende de usted decidir qué sistema funcionaría mejor con su jardín. En cualquier caso, debe leer todo lo que pueda sobre esos sistemas porque el riego lo es todo cuando se trata de cultivar correctamente. Si hace algo mal en este paso, sus cultivos pueden morir fácilmente. Obviamente, sería mejor consultar con un experto sobre qué sistema funcionaría mejor para su jardín, pero puede averiguarlo usted mismo si dedica suficiente tiempo a comprender el tema.

Composta

Otra recomendación de jardinería que debe aplicar desde el principio es el compostaje. Es mucho mejor para el suelo y lo mantendrá significativamente más saludable, mientras que también produce menos basura y desperdicios. Lo mejor del compostaje es que no es tan difícil como podría pensar, y puede hacer casi todo por su cuenta, ¡incluso construir su propio contenedor de compostaje! Solo necesita un bote de basura y puede agregar sus posos de café, cáscaras de huevo, hojas y recortes de césped. Y así, tienes tu propio compostador con gastos mínimos, y puede ayudar a tu suelo y aumentar su fertilidad a largo plazo, además de reducir los desechos.

Dale la vuelta a tu cocina

La cocina es uno de los lugares más importantes para un hogar que funcione correctamente, y debe tratarlo como tal. Harás tu propia comida y plantarás verduras y frutas, y esto necesita un manejo especial en la cocina si quieres que sobrevivan. Lo primero que debes aprender en la cocina es cómo conservar los alimentos, porque naturalmente vas a tener mucho exceso de comida, y necesita aguantar el tiempo y las condiciones para poder usarlo más adelante. Lo último que necesita es que el exceso de alimentos y productos se desperdicie porque no pudo conservarlos.

Necesitará aprender habilidades como deshidratación, enlatado, encurtido, congelación, ahumado, almacenamiento en frío y mucho más si desea mantener intacto el exceso de comida. Entonces, invierta en un deshidratador de alimentos y una tonelada de suministros para conservas, serán bastante útiles y le ahorrarán mucho dinero a largo plazo.

Criar ganado

Incluso si su propiedad no es tan grande, la cría de ganado sigue siendo una necesidad y algo que tendrá que hacer tarde o temprano. A menos que planee cultivar solo vegetales, necesitará al menos criar algunas gallinas. Sus huevos resultarán muy valiosos, ya sea para las comidas o para preparar otros alimentos. Además, las gallinas resultan mucho más útiles que solo proporcionar huevos o carne. Sus desechos se pueden convertir en abono y ayudarán a su suelo. También puede considerar las codornices, que no necesitan tanto espacio como las gallinas y también proporcionan huevos - también son silenciosas, a diferencia de las gallinas que hacen notoria su presencia.

Dejando a un lado el pollo y las codornices, si tiene espacio y condiciones adecuadas, se beneficiaría de algo de carne. Lo mejor del ganado que crías es el hecho de que controlas el medio ambiente y lo que comen y beben, por lo que comerás la mejor y más limpia carne que puedas comer. Hay muchas opciones para criar carne en su patio trasero, aunque las vacas y los cerdos no funcionarán en todas las granjas. Pero todavía tienes opciones como los conejos, por ejemplo, que son una gran fuente de carne blanca. En cualquier caso, usted puede decidir qué tipo de ganado quiere criar; solo asegúrese de poder satisfacer sus necesidades y mantenerlos sanos y bien alimentados.

Haz amigos de granjeros

Contrariamente a la creencia popular, los colonos no son reclusos que no hablan de su progreso. Descubrirá que muchos de ellos son amables y están muy ansiosos por compartir su experiencia y lo que han aprendido, y debe aprovechar eso. Su conocimiento puede resultar vital y lo ayudará a ponerse de pie y administrar con éxito su propiedad. Te encontrarás con un montón de problemas y complicaciones con los que probablemente tendrás dificultades para lidiar por tu cuenta, por lo que la tutoría de otros colonos es muy valiosa. Es probable que hayan atravesado cualquier desafío que esté enfrentando y pueden mostrarle cómo lidiar con cualquier problema que surja.

Aparte de la experiencia técnica, el apoyo moral también es bastante bueno. La agricultura familiar puede presentar algunos desafíos frustrantes y puede resultar demasiado difícil para algunos. Tener un sistema de apoyo de amigos que comparten su visión y creen en lo que usted cree puede ayudarlo a superar esos obstáculos y empujarlo hacia adelante. Además, tener amigos colonos abre la puerta a comerciar con ellos y ayudarse mutuamente. Es posible que tengan un producto que ellos quieran y viceversa, y pueden tratar con los demás con regularidad, beneficiando las granjas de los demás.

Ponte a mano

Si tiene una granja, debe convertirse en un manitas, le guste o no. Aprender a construir y reparar es una habilidad como cualquier otra, y usted también podría aprenderla si se lo proponga. Organice un pequeño taller donde pueda hacer cualquier trabajo manual en torno a su configuración, que será bastante frecuente. Las cosas se rompen o funcionan mal todo el tiempo, y debe poder lidiar con esas complicaciones por su cuenta. Realmente no sería autosuficiente si llamara a un reparador o contratista cada vez que un perno está suelto en la casa o sus tuberías necesitan un poco de ajuste.

Entonces, obtenga las herramientas y comience a trabajar. Intente construir un poco por su cuenta al principio para que pueda familiarizarse con las cosas al principio. Construye una mesa o un armario y experimenta con madera o acero. Cuanto más hagas esto, mejor te volverás y, muy pronto, te familiarizarás con un taller como un profesional. Esto no solo le ahorrará mucho dinero a largo plazo, sino que también le ayudará a ser verdaderamente autosuficiente e independiente sin estar a merced de los manitas.

Trabajar alrededor de la Casa

Ser un granjero no es solo trabajar en el granero, el jardín y el taller. También hay algunas cosas que deberá hacer en la casa. Para empezar, debes aprender a coser y arreglar ropa. La ropa que usa en la agricultura o la reparación se desgastará con bastante rapidez, y debe poder arreglarla porque salir corriendo para comprar un nuevo par de pantalones o una camisa cada vez que el suyo tiene un agujero no es realmente sostenible o autónomo. suficiente.

También debe intentar hacer cosas como hacer mantequilla, queso o yogur con leche cruda. Pruebe su suerte horneando, porque necesitará pan e ir a una panadería cada dos días no es el estilo del granjero. Aprenda a utilizar todos los recursos y herramientas que tenga en la casa; todo es útil y se puede utilizar para lograr algo, incluso si todavía no sabe cómo hacerlo.

Configurar la fuente de energía

Hablamos anteriormente sobre cómo obtener paneles solares o turbinas de viento para encender su hogar, y este es el paso final para completar la configuración de su hogar. Consulte con un experto en este para que pueda asesorarlo sobre qué funcionaría mejor con su ubicación, y luego puede invertir en paneles solares o turbinas eólicas, y asegúrese de que las conexiones las realice alguien que sepa lo que están haciendo desde esta será su principal fuente de energía.

Configurar su espacio de vivienda puede resultar una molestia en las primeras etapas, ya que querrá concentrarse en la funcionalidad, el costo y la eficiencia simultáneamente. Lo más importante es que querrá optar por opciones ecológicas, por así decirlo, que mantendrán el medio ambiente ileso y sus cultivos saludables. Si está buscando ahorrar en costos, a largo plazo, siempre debe optar por fuentes de energía naturales, como paneles solares, para mantener su hogar funcionando a bajo costo.

PRIMERA PARTE

Cultivo de Flores

Capítulo 3

Selección de los Tipos Ideales

Para convertirse en un mejor jardinero y granjero, hay muchas cosas con las que debe familiarizarse antes de elegir los tipos de flores ideales para su hogar. Para empezar, es esencial comprender las diferencias entre plantas perennes, bienales y anuales junto con sus pros y contras. De esta manera, tendrá una mejor oportunidad de tomar decisiones calculadas para ayudar a que su hogar en el patio trasero sea más abundante con flores variadas que sirven para diferentes propósitos, en lugar de perder tiempo y esfuerzo en cultivar plantas no beneficiosas. Muchos principiantes centran todo su esfuerzo y atención en cultivar alimentos mientras descuidan las flores, ya que siempre se las considera meramente ornamentales. Sin embargo, las flores no solo añaden un toque de color delicioso y una sensación de comodidad a su lugar, sino que muchas de ellas también son la opción perfecta de bajo mantenimiento cuando se trata de proporcionar polinizadores de alimentos.

Plantas anuales

Las plantas anuales suelen ser las primeras que querrás introducir en cualquier macizo de flores o paisaje natural, especialmente si estás cultivando hortalizas, ya que son las plantas complementarias perfectas para proteger tus hortalizas. Se identifican fácilmente al completar todo su ciclo de vida en menos de un año. Esto significa que pasan de una semilla a una planta completa que produce sus propias semillas y muere, todo en menos de 12 meses. Aparte de los trópicos y subtrópicos, la mayoría de los vegetales comunes son plantas anuales. Algunas de las opciones de flores anuales más populares incluyen caléndulas y petunias. Llueva o haga sol; verá un progreso en el crecimiento durante el mismo año con plantas anuales; son plantas de crecimiento rápido con flores en flor, que son excelentes para los principiantes porque ven que su esfuerzo está dando sus frutos sin tener que esperar pacientemente a que sus plantas crezcan en el transcurso de largos meses y años. Sin embargo, vale la pena señalar una cosa; las plantas anuales requieren el doble de esfuerzo porque tendrás que cosecharlas y plantar nuevas semillas cada primavera. Esto también se puede hacer trasplantando plantas jóvenes.

Pros:

• Las plantas anuales florecen rápidamente.

• Crecen con bastante rapidez.

• Pueden convertir fácilmente un terreno baldío en una granja establecida en menos de un año.

- Se consideran la forma que tiene la naturaleza de cubrir la tierra desnuda.

Contras:

- Tendrá que replantarlos cada primavera.

- Necesitan grandes cantidades de agua.

- Requieren un trabajo regular y constante.

Plantas bienales

Mientras que las plantas anuales tardan un año en crecer y morir, las plantas bienales necesitan dos años para completar su ciclo de vida. Durante el primer año, florecen sin producir semillas. Sin embargo, durante su regreso en la primavera del año siguiente, se producen semillas. Después de eso, las plantas mueren. Al igual que las plantas anuales, hay algunas malezas bienales que puede utilizar para cubrir la tierra desnuda, como el gordolobo. Dicho esto , también debe tener en cuenta que existen algunas condiciones duras que pueden obligar a las plantas bienales a actuar como plantas anuales. Tomemos las zanahorias, por ejemplo. Pueden crecer hasta convertirse en plantas en toda regla que se pueden cosechar durante el primer año. Si sobra el invierno, producen semillas, pero la planta en sí se enraiza demasiado en el suelo y es difícil de cosechar. Es por eso que muchas personas prefieren dejar solo unas pocas plantas para que pasen el invierno para guardar las semillas sin tener que esforzarse demasiado para cosecharlas todas.

El problema de hacer esto es que cuando las plantas bienales crecen como plantas anuales, se vuelven menos comestibles y más amargas una vez que comienzan a florecer. Esto puede representar un problema para usted si los está recolectando para su consumo. Sin embargo, esto puede ser más conveniente si simplemente los está plantando por razones de polinización. Por otro lado, si desea cosechas perfectas, deberá plantarlas y cosecharlas todos los años para asegurarse de que el sabor no se vea comprometido en caso de que planee usarlas para infusiones de hierbas y brebajes. Idealmente, puede cubrir su tierra con una capa gruesa de mantillo para evitar que se congele. De esta manera, puede usar plantas bienales para cultivos de invierno de bajo mantenimiento en lugar de tener que almacenarlas en ciertas condiciones para evitar que se echen a perder. Las plantas bienales comunes que son perfectas para este escenario son malvarrosas, coles de Bruselas, remolacha y col rizada.

Pros:
- Muchos tipos no solo proporcionan una cosecha perfecta rápidamente, sino que también proporcionan un segundo año de floración.

- Ayudan a establecer terrenos baldíos y mejorarlos sin mucho esfuerzo.

Contras:
- Se replantan todos los años para una cosecha perfecta.

- Requieren grandes cantidades de agua.

- Es posible que las floraciones del segundo año no sean de la misma calidad que las cosechas del primer año.

Plantas perennes

Las plantas anuales y bienales le ofrecen cierta flexibilidad y libertad para reemplazar sus plantas de acuerdo con sus necesidades, ya que tienen ciclos de vida relativamente cortos que duran uno o dos años. Con las plantas perennes, por otro lado, tiene menos flexibilidad ya que crecerán en su tierra por períodos más largos. Sin embargo, esto ofrece cierta tranquilidad. Solo tienes que plantarlos una vez, y seguirán volviendo año tras año sin que tengas que preocuparte por ellos. Si bien pueden requerir más tiempo para convertirse en plantas en toda regla, aún requieren menos esfuerzo de su parte y le ahorran tiempo a lo largo de los años. Tomemos los espárragos, por ejemplo. Estas son las plantas perennes más famosas que requieren al menos 3 años después de plantarlas antes de poder cosecharlas. Lo mismo se aplica a las frutas perennes y los arbustos de bayas que pueden producir pequeñas cosechas durante el primer y segundo año. Sin embargo, las cosechas perfectas solo ocurren después de que la planta está completamente establecida. Dado que las plantas perennes tienen raíces más grandes, requieren menos cantidades de agua, lo cual es perfecto para su hogar en las primeras etapas.

Si desea mezclar y combinar diferentes tipos de plantas en su granja, debe saber cuánto espacio ocupan las plantas perennes. Al principio, si planta los tres tipos mencionados anteriormente, debe esperar que las plantas bienales y anuales crezcan más abundantemente con sus malezas y parterres. Sin embargo, después de un tiempo, las plantas perennes tienden a convertirse en el tipo de planta dominante, ya que crecen mucho más que los dos tipos anteriores.

Pros:

- No requieren riego frecuente tanto como las plantas anuales y bienales .

- Ahorran agua.

- Continúan proporcionando buenas floraciones y cosechas todos los años sin tener que replantarlas.

- Proporcionan cosechas más grandes una vez que crecen por completo.

- Requieren mucho menos esfuerzo.

- Son polinizadores perfectos ya que atraen insectos beneficiosos, abejas y hermosas mariposas.

Contras:

- Dado que no tendrá la opción de replantar todos los años, tendrá mucha menos flexibilidad.

- Para poder beneficiarse de las plantas perennes, necesita hacer algunos cambios en su dieta y hábitos de cocina.

- Tienden a ocupar espacios más grandes en su tierra.

La configuración ideal

Una vez que se haya familiarizado con las tres categorías principales de plantas, ahora puede proceder fácilmente a planificar la configuración ideal para su propiedad. Para empezar, debe elegir plantas perennes como base de sus macizos de flores, ya que ocupan espacios mucho más grandes y necesitan algo de tiempo para crecer. Asegúrese de elegir diferentes tipos de plantas perennes que sean comestibles, aptas para polinizadores y que tengan diferentes tamaños y colores. Después de eso, puede cultivar su propio conjunto preferido de plantas anuales y bienales que le brindan diferentes adiciones beneficiosas a su hogar de acuerdo con sus necesidades. De esta manera, podrá crear un hábitat dinámico y vibrante que no solo agregará un toque de color a su hogar, sino que también le brindará una gran cantidad de diferentes frutas, verduras y flores que puede disfrutar.

Presentamos plantas aptas para polinizadores

Una vez que haya planeado la configuración ideal para su granja, debe considerar la posibilidad de introducir algunas plantas con flores como polinizadores. Hay dos enfoques para esta misión; Algunas personas prefieren llenar todos los rincones de su jardín con plantas aptas para polinizadores que también actúan como plantas complementarias. Otros prefieren crear áreas designadas para que los polinizadores puedan tener más control sobre su tierra. Decidir entre estos dos estilos de incorporación de plantas aptas para polinizadores no solo depende de su preferencia, sino que depende más de la cantidad de espacio que tiene, el tipo de plantas que desea elegir y las condiciones climáticas en su área.

Hay algunas reglas a seguir cuando intente incorporar plantas aptas para polinizadores en su granja. En primer lugar, debe comprender completamente que los pocos ejemplos incluidos pueden no ser completamente adecuados para las condiciones climáticas de su área. Por lo tanto, solo debe elegir una variedad que sea autóctona de su tierra porque ya están acostumbrados al clima y pueden atraer fácilmente a los polinizadores locales. En segundo lugar, incluir una variedad de plantas diferentes que se adapten bien a su clima en diferentes momentos mantendrá su granja como una fuente continua de alimento para los polinizadores. La mezcla y combinación entre flores que florecen en diferentes momentos también se puede mejorar siguiendo la siembra sucesiva, donde eliges diferentes momentos para tu siembra esporádica para asegurarte de tener alimento para los polinizadores durante todo el año.

En tercer lugar, al incorporar diferentes plantas en el jardín de su granja, asegúrese de incluir plantas con diferentes alturas, colores y semillas para atraer diferentes polinizadores. También puede agregar a su mezcla de flores algunas plantas que atraen a las larvas de mariposas y actúan como sus huéspedes, como el algodoncillo, el hinojo y el eneldo. Por último, pero no menos importante, es esencial que aprenda a practicar la jardinería orgánica sin el uso de pesticidas, especialmente cuando intenta atraer polinizadores. De esta manera, creará un entorno natural saludable. El establecimiento de un ecosistema dinámico se encargará de las plagas y las mantendrá bajo control mediante el uso de insectos beneficiosos y otras aves silvestres útiles sin ningún esfuerzo de su parte.

Plantas para polinizadores

Como se explicó, al intentar establecer una granja dinámica exitosa, es esencial elegir plantas que se adapten bien a su clima para garantizar el éxito. Aquí hay algunos ejemplos de plantas amigables con los polinizadores que no solo agregarán hermosos tonos de colores a su hogar, sino que también lo ayudarán a construir un ecosistema saludable que no requiere mucho esfuerzo de su parte.

Caléndula officinalis

Estas plantas anuales son la elección perfecta para agregar un arbusto corto y colorido a su hogar. Vienen en diferentes colores, principalmente con tonos amarillentos-anaranjados que proporcionarán no solo polen sino también néctar para sus amigos polinizadores. Las personas que creen en la medicina alternativa también pueden beneficiarse enormemente de las propiedades curativas medicinales de esta planta. La caléndula officinalis son flores parecidas a las margaritas y técnicamente se usan como hierbas que se pueden agregar a su ensalada para obtener un sabor delicioso único. Puede utilizarlos como plantas acompañantes de sus verduras para repeler plagas y atraer insectos beneficiosos como mariquitas y moscas flotantes. Tienden a florecer desde el comienzo de la primavera hasta finales del otoño y pueden adaptarse fácilmente a diferentes condiciones del suelo; sin embargo, la sombra parcial en un clima cálido es mejor para un crecimiento rápido.

Maravilla

Al igual que la caléndula, las caléndulas son plantas anuales que actúan como plantas compañeras con sus hermosos tonos de amarillo y tonos más cálidos de naranja y rojo. Repelen insectos dañinos como la polilla de la col. Crecen más que la caléndula, a partir de solo 6 pulgadas y pueden crecer hasta 4 pies de altura. Su altura podría comenzar a causar problemas a otras plantas, por lo que es posible que sea necesario podarlas para que sean más adecuadas para su entorno. Dado que florecen continuamente desde finales de la primavera hasta finales del invierno, puede asegurarse de que su granja atraiga mariposas durante todo el año.

Lavanda

Todos sabemos los infinitos beneficios que tiene la lavanda como planta. Con sus propiedades calmantes y hermosos colores, la lavanda no es solo nuestro favorito personal, sino que también funciona muy bien para atraer abejas y repeler mosquitos y moscas. Los tamaños y formas de la lavanda varían, pero generalmente son picos altos, que se pueden encontrar floreciendo sobre pequeños arbustos que tienden a tener tonos más plateados. La lavanda actúa como planta perenne en algunas zonas y como planta anual en otras, pero florece casi todo el año, desde el verano hasta el otoño.

Girasoles

En el pasado, esta planta anual muy querida ha sido reconocida como una de las flores más hermosas y beneficiosas de la historia. Ha sido domesticado desde 1000 a. C. La gente vio el valor de plantar y cosechar semillas de girasoles, no solo para hacer aceite, sino que las semillas secas son la merienda perfecta tanto para nuestros amigos emplumados como para nosotros. Los girasoles vienen en todo tipo de tamaños, formas y colores. Tienen una estructura amplia que facilita mucho la atracción de abejas. Una cosa que debe tenerse en cuenta es que los girasoles deben crecer en un área donde puedan recibir la luz solar adecuada ya que tienden a moverse constantemente durante el día para estar en contacto directo con el calor. Los girasoles son la opción de planta perfecta para incorporar una variedad de alturas en su hogar, ya que tienden a crecer más que la mayoría de las flores hasta el punto de que pueden requerir algo de apoyo con estacas.

Zinnia

La mayoría de los colonos están familiarizados con los beneficios de agregar estas bolas de flores vibrantes y coloridas a los jardines. Con tonalidades que van desde el rosa y el amarillo hasta el verde lima; y alturas que van desde cortas hasta varios pies de altura, son versátiles y son conocidas por ser flores perfectamente cortadas. Sin embargo, es mejor dejarlos como un delicioso cebo para nuestros amigos polinizadores, especialmente las mariposas monarca y otros insectos beneficiosos. Al plantar flores de zinnia, debe tener cuidado de plantarlas donde desea que estén, ya que no toleran muy bien el trasplante. Sin embargo, si desea cultivarlos en el interior y trasplantarlos después, asegúrese de hacerlo mientras no estén completamente desarrollados y antes de que se endurezcan. Una vez que están arraigadas en su suelo, se convierten en plantas de siembra directa que no deben moverse. Las zinnias requieren un entorno mucho más controlado con requisitos muy específicos cuando se trata de su suelo, ya que necesitan un suelo rico en abono para crecer y convertirse en plantas establecidas.

Cosmos

Estas caprichosas flores parecidas a margaritas son una hermosa adición a cualquier hogar con sus diversos beneficios y usos. Se pueden encontrar diferentes tonos que van desde rosas y púrpuras hasta tonos más raros de marrón chocolate, rojo y amarillo. El cosmos atrae todas las formas de vida silvestre a las granjas de su patio trasero, como abejas, mariposas, pájaros y otros insectos beneficiosos. Puedes sacarle el máximo partido a sus pétalos y añadirlos a ensaladas o bebidas como guarnición. No solo son relativamente fáciles de manejar ya que no tiene que preocuparse por ningún problema de plagas, sino que las plantas Cosmo también se pueden usar como flores cortadas. Todo lo que necesita es esparcir sus semillas durante la primavera en el suelo desnudo después de asegurarse de que hayan pasado los peligros de las heladas. Con poca o ninguna preparación, el cosmos puede convertirse fácilmente en plantas completamente desarrolladas en diferentes condiciones de suelo y sin la necesidad de fertilizantes.

No hay especies de flores correctas o incorrectas para plantar en su jardín; todo depende de sus necesidades de vivienda y de si plantará hierbas para cosecharlas para el consumo o si buscará cultivar las especies perfectas que fomenten la polinización. Sin embargo, en general, cualquier cosa que elija cultivar en su jardín seguramente resultará útil tanto para su hogar como para el medio ambiente.

Capítulo 4

Diseño de un Jardín Familiar

L a jardinería de Homestead es más un estado mental que cualquier otra cosa. Cuando está haciendo una lluvia de ideas para diseñar ideas para el jardín de una casa en el patio trasero, realmente debería pensar en la autosuficiencia como una forma de existir. Por supuesto, al principio puede ser bastante desafiante averiguar por dónde empezar cuando se trata de diseñar un jardín, especialmente si no necesariamente tiene suficiente experiencia en el área. Sin embargo, una vez que ponga su mente en ser autosuficiente y aplique ese pensamiento en todo lo que haga con su jardín, el resto probablemente fluirá con mucha facilidad. Cuando se trata de diseñar cualquier jardín, comprender los conceptos básicos es clave para el éxito. Aquí hay algunos consejos que pueden inspirarlo a utilizar cada centímetro de espacio que tiene en su patio trasero para plantar el jardín perfecto.

Medir el espacio del jardín

El primer paso para realizar cualquier trabajo de diseño de jardín mide el espacio exacto que tiene para el jardín de su propiedad. Debe medir cada centímetro de espacio que tenga que pueda utilizarse para cultivar ese jardín. A continuación, trabaje lentamente para utilizar ese espacio de manera eficaz. Debería trazar un mapa visual de dónde irían las plantas elegidas en el área de la granja y tener en cuenta que las plantas varían en tamaño según sus tipos y a medida que crecen. Asegúrese de que sus medidas para el diseño permitan que las plantas crezcan en su propio espacio sin estar abarrotadas de otros árboles o plantas que luego puedan afectar el diseño general de su jardín. Utilice el conjunto adecuado de herramientas y equipos para tomar medidas exactas y no subestime la importancia de trazar un mapa de su jardín como primer paso, ya que puede ser un cambio total de juego.

Esenciales para un pequeño patio trasero

El tamaño no importa cuando se trata de plantar un huerto familiar. Ya sea que tenga un pequeño patio trasero suburbano o un espacio amplio, siempre puede planificar un diseño que se adapte a sus necesidades y se ajuste al espacio disponible que tiene para la autosostenibilidad. Si tiene un patio trasero pequeño, entonces el diseño de un jardín familiar tendría que limitarse a lo esencial en lugar de adiciones extravagantes. Puede comenzar plantando algunos árboles frutales en una esquina triangular, luego agregar un lecho de hierbas al otro lado y tal vez terminar con un pequeño cobertizo donde pueda criar aves de corral. Cuanto más espacio tenga, más árboles esenciales de frutas y verduras podrá plantar. Asegúrese de comenzar poco a poco y construir su camino para que no termine abrumando su suelo o incluso usted mismo con todo el trabajo requerido que se necesita para cuidar muchas plantas en un pequeño patio trasero. Los diseños de jardines pequeños y familiares dependen en gran medida del uso inteligente del espacio. Por lo tanto, recuerde hacer uso de cada centímetro y dividir el espacio en espacios pequeños, cuidadosamente diseñados y delineados donde puede plantar una o dos plantas de todo lo esencial.

Plano de distribución de acres amplios

Si tiene la bendición de tener un amplio espacio de acres para un jardín familiar, entonces diseñar un jardín familiar que tenga todo lo que necesita para ser autosostenible puede ser bastante fácil. Puede agregar más cultivos y traer más animales tan amplio como sea su espacio de acre para que pueda disfrutar de una mayor sostenibilidad. Comience con cajas de verduras y hierbas que se coloquen una al lado de la otra y agregue más según el tipo de espacio que tenga. Luego puede incluir árboles frutales más grandes para rodear su jardín. Los árboles grandes funcionarían como una cerca para el jardín de su propiedad privada, así como una fuente sostenible de alimentos. Dicho esto, los planos de distribución de acres amplios proporcionarían espacios de cobertizo para pollos y cabras o cualquier tipo de animal que pueda proporcionar carne y leche. Asegúrese de dejar algo de espacio en su diseño para estacionar cualquier equipo o vehículo grande, incluidos tractores u otra maquinaria pesada.

Diseños de viviendas comerciales

Si el espacio de su jardín es lo suficientemente grande como para tener un jardín familiar completamente funcional con todas las plantas y equipos de jardín esenciales, entonces podría considerar optar por un diseño comercial . De esa manera, aunque sea autosuficiente, también podría ganar algo de dinero extra. La única diferencia en el diseño que tendría que hacer es asegurarse de dejar más espacio para cultivos y animales que puedan generar más ganancias. Por supuesto, eso no significa descuidar el espacio esencial para el cuerpo que necesitaría usar de manera regular. Sin embargo, necesitaría ampliar el espacio para cultivos de alta demanda y asegurarse de que sus recintos o cobertizos para animales estén construidos con los beneficios comerciales en su mente para no perder de vista para qué está hecho su huerto familiar.

Jardín comestible

Todas las plantas ayudan en la sostenibilidad. Pero cuando esté planeando plantar su propio huerto familiar, es posible que deba concentrarse en cultivos comestibles que satisfagan sus necesidades más que cualquier otra cosa. Algunas personas se centran más en el aspecto del jardín de la granja que en los cultivos, y eso está perfectamente bien. Sin embargo, si está buscando más funcionalidad que glamour, entonces diseñar un jardín comestible podría ser el camino a seguir. La clave para diseñar un jardín comestible es saber exactamente qué plantas se pueden plantar una al lado de la otra y qué tipos de árboles ocuparían un espacio limitado pero proporcionarían altos resultados de cosecha al comienzo de la temporada. Tendría que aprovechar al máximo su espacio colocando literalmente lechos de plantas en cada esquina y dejando espacio para plantar hierbas o plantas pequeñas alrededor de árboles más grandes. Cuantos más cultivos puedas plantar, mejor.

Micro diseños

Si está buscando tener lo mejor de ambos mundos, que brinden funcionalidad y un diseño magnífico, entonces un micro diseño para un jardín familiar podría ser lo que necesita para trabajar. A diferencia de muchos otros diseños para huertos familiares, un micro diseño no proporcionaría mucho espacio para los animales. Sin embargo, podría plantar más árboles frutales y vegetales, así como plantas ornamentales como elemento de embellecimiento. Las plantas ornamentales no necesariamente entrarían en el tema de la autosostenibilidad, pero debes recordar que plantar cualquier árbol, grande o pequeño, todavía cuenta como una contribución sostenible. También ofrecería un elemento de elegancia para el diseño de su casa.

Planificar la rotación de cultivos

Las plantas son seres vivos que existen para un propósito y, en la mayoría de los casos, proporcionan cultivos útiles. Sin embargo, cuando diseñe un huerto familiar, es esencial darse cuenta de que los cultivos no seguirán creciendo durante todo el año. Para algunas plantas, una vez que producen su cosecha para la temporada, simplemente continuarían existiendo como plantas ornamentales en lugar de árboles que proporcionan frutas o verduras. Otras plantas proporcionarían cultivos durante unos años y luego se marchitarían después de cumplir su propósito. Por eso es importante tener en cuenta al diseñar un huerto familiar que la rotación de cultivos juega un papel crucial en la funcionalidad de su propiedad. Puede llegar un momento en que los árboles y las plantas tengan que ser reemplazados.

Diseños todo incluido

Tener un diseño de jardín familiar con todo incluido se trata de implementar estrategias de autosostenibilidad en cada pequeño centímetro del jardín y los edificios circundantes en la propiedad. No importa si el espacio es grande o pequeño, puedes tener un diseño todo incluido con cualquier tamaño de espacio si lo planeas inteligentemente. Esto significa que es posible que deba incluir fuentes de energía, planes de riego, lechos de plantas y tal vez incluso cobertizos para animales en el diseño del jardín. Sería incluso mejor si pudiera hacer que todo el jardín fuera verde en términos de las fuentes de energía utilizadas y limitar cualquier desperdicio mediante la implementación de diseños inteligentes para incluir todo lo que necesitaría para la autosuficiencia.

Diseño de familia grande / familia pequeña

Para muchas personas, tener un huerto familiar es útil para practicar un pasatiempo saludable que tiene numerosos resultados gratificantes para la persona que cuida el huerto, así como el medio ambiente en general. Sin embargo, algunas personas buscan tener un huerto familiar como forma de vida. Si ese es tu caso o el de la persona para la que estás creando un diseño, entonces debes considerar las necesidades familiares en el diseño. Si la familia es grande y tiene suficiente espacio en acres, entonces debe hacer más espacio para que los árboles frutales y los animales vivan en el jardín de la granja. Si la familia tiene pocos miembros o si tiene un pequeño espacio en el jardín, eche un vistazo a los elementos esenciales que necesitarían y diseñe un jardín efectivo que le permita a la familia vivir cómodamente y tener todas las plantas y la carne que necesitarían. Asegúrese de tener en cuenta el espacio habitable de la familia que reside en el jardín de la granja para que pueda diseñar el espacio que les permita cultivar cultivos útiles, así como disfrutar de un espacio habitable acogedor.

Diseñar rutas de riego

Una de las cosas más importantes a considerar al diseñar un jardín son los caminos de riego para regar sus plantas y árboles. Muchos diseñadores de jardines de granjas se distraen demasiado al planificar un diseño para el jardín y se olvidan de la necesidad del riego diario. Esto juega un papel importante en el éxito de su esfuerzo, por lo que este paso nunca debe tomarse a la ligera. Los caminos de riego se encuentran entre los primeros factores a considerar en el plan de su jardín, tal vez incluso antes de considerar dónde irían las plantas, ya que la ubicación de ciertas plantas podría depender en gran medida de lo fácil que sería proporcionarles suficiente agua. Cuando piense en el agua para el jardín de su casa, también tendrá que tener en cuenta los animales que pueda estar criando. Esto podría significar diseñar tanques de agua o macetas grandes para que se mantengan hidratados y saludables, especialmente en los días cálidos.

Hacer espacio para disfrutar del jardín

Huertos familiares no se trata sólo de tener suficiente alimento para sostener a sí mismo . También pueden ser excelentes áreas de espacios verdes para disfrutar y relajarse en su propiedad. Al diseñar un jardín familiar, debe recordar crear algunos senderos o áreas de reunión donde pueda sentarse o caminar, ya sea solo o con sus seres queridos, para disfrutar y pasar un momento agradable. Si tienes suficiente espacio, incluso puedes crear grandes espacios donde conectarte con la naturaleza simplemente sentándote con tus amigos y familiares junto a las plantas o realizando actividades divertidas.

Considerando las condiciones climáticas en el diseño

Las condiciones climáticas afectan enormemente el estado de cualquier tipo de jardín; sobre todo, un huerto familiar plantado para proporcionar cultivos esenciales para la autosostenibilidad. Al diseñar el jardín, debe tener en cuenta el tipo de condiciones climáticas que se sabe que tiene el área donde se encuentra el jardín. Si las condiciones climáticas son demasiado extremas, sería aconsejable diseñar invernaderos para que algunas de las plantas crezcan de manera segura. Diferentes plantas necesitarían diferentes disposiciones de diseño según su compatibilidad entre sí y según las condiciones climáticas. Asegúrese de investigar un poco o consultar con un profesional en jardinería antes de finalizar el plan de distribución del jardín de la granja.

Diseñar el jardín basado en las condiciones del suelo

De manera similar a las condiciones climáticas, las condiciones del suelo afectan a diferentes tipos de plantas y árboles. No todas las plantas se pueden cultivar en cualquier tipo de suelo, y eso es algo que debe tener en cuenta al diseñar un huerto familiar. Una vez más, necesitaría investigar un poco sobre lo que las plantas que tiene en mente necesitan específicamente y trabajar a su manera al diseñar el diseño. Si el suelo no coincide con lo que necesita la planta, considere agregar algunas camas altas o macetas donde se pueda colocar compost con fertilizantes para asegurarse de que las plantas crezcan de manera efectiva.

Considere el proceso de excavación

Diseñar un huerto familiar no se trata solo de dibujar un plan en papel; se trata de implementar ese plan en la vida real en el espacio de su patio trasero. Uno de los principales factores a considerar en el diseño de su jardín es el proceso de excavación, sobre el cual deberá informarse antes de proceder a plantar árboles y colocar semillas en el suelo. Hay algunas consideraciones de diseño que se deben tener en cuenta antes del proceso de excavación, incluido si su suelo es suficiente para el proceso o si necesitará agregar nuevo suelo sobre el existente. Algunos colonos optan por solo macetas y camas, en lugar de plantar en el suelo si el suelo no es adecuado. Todo se reduce a los diferentes factores que pueden afectar su decisión a la hora de diseñar.

Filas y Filas Anchas

Cuando se trata de planificar el diseño real de su jardín familiar, tendría varias opciones para colocar sus plantas o árboles de manera organizada. Las filas y las filas anchas se encuentran entre las formas más populares de establecer un diseño de jardín ordenado que permita una buena circulación de aire y abra el espacio para caminos de riego y carriles para caminar. Las hileras anchas, en particular, son ideales para jardines plantados en patios traseros pequeños, ya que permiten plantar una gran cantidad de plantas una al lado de la otra, y aún se ven elegantes y frescas. El diseño de hileras en los jardines de la granja también tiene la ventaja de mantener la tierra húmeda durante largos períodos de tiempo, para evitar gastar fortunas en regar demasiado las plantas.

Consulte los catálogos para obtener inspiración

Hay toneladas de ideas de diseño diferentes para los jardines de la granja. Dependiendo del tipo de espacio que tengas y del tipo de plantas que quieras tener en tu jardín, el diseño puede diferir enormemente. Muchas personas luchan por conformarse con un diseño o implementar un diseño determinado que tienen en mente para el tipo de espacio que ya tienen. Consultar los catálogos en busca de inspiración puede ayudar con ese proceso, ya que puede ofrecer ejemplos de la vida real que pueden poner en marcha su creatividad. Los catálogos de diseño pueden ayudarlo a hacer adiciones útiles para crear su jardín familiar ideal y ver todos los planos de distribución nuevos y geniales que se pueden incorporar en el espacio de su patio trasero.

Ser autosuficiente es algo que a muchas personas les gusta hoy en día. Al diseñar su propio huerto familiar eficaz, ¡puede hacerlo! Los jardines de Homestead se tratan de vivir de lo que haces. Al plantar los cultivos adecuados y criar suficientes animales, puede asegurarse de tener una cantidad suficiente de alimentos que necesitaría para toda la vida. Todo lo que se necesita es investigar un poco y realizar consultas profesionales con los jardineros, así como tomar decisiones inteligentes sobre el uso del espacio, y su jardín estará listo para florecer. Recuerde tener en cuenta el agua, el suelo y las condiciones climáticas en su diseño para asegurarse de que las plantas y los animales en su jardín sostenible se mantengan saludables y le ofrezcan una experiencia de granja pequeña que valga la pena.

Capítulo 5

Cuidado y Mantenimiento

L a jardinería es una experiencia maravillosa, especialmente para los propietarios de viviendas que se preocupan por mejorar la apariencia de sus hogares. La mayor ventaja de la jardinería es que puede hacerlo usted mismo siempre que tenga el equipo adecuado para usar y el conocimiento sobre cómo puede realizar las diferentes tareas necesarias para que las maneje con paciencia. Si bien es posible que muchos de nosotros no tengamos tiempo para ocuparnos de nuestros espacios al aire libre para que sean acogedores, los pequeños detalles pueden marcar una gran diferencia. Como tal, este capítulo destaca algunos consejos de cuidado y mantenimiento del jardín que puede considerar mientras mejora la apariencia de su jardín. Hay diferentes cosas que debe considerar para que pueda crear un espacio exterior ideal que pueda mejorar el valor de su área de vivienda.

Ubicación de su jardín

¿Sabe que la ubicación de su jardín juega un papel fundamental en la determinación del crecimiento y mantenimiento de diferentes plantas? Si elige el patio trasero como la ubicación principal para su jardín, es posible que no logre mucho en términos de mejorar la apariencia de su hogar a menos que se utilice estrictamente para cultivar vegetales. De todos modos, un huerto prospera en un lugar con acceso a abundante luz solar. También es importante asegurarse de ubicar su jardín de flores y césped en una posición estratégica que pueda mejorar la apariencia de toda la casa. Esto también ayuda a crear una impresión duradera en sus invitados.

Mantenimiento y cuidado del césped

El riego es un aspecto importante del mantenimiento del césped y es fundamental para mantenerlo uniformemente húmedo. Dependiendo del clima y las condiciones meteorológicas de su región, es esencial regar el césped al menos una o dos veces por semana. Otra cosa importante que debes tener en cuenta es que debes regar tu jardín por la mañana o por la noche para que se evapore menos agua. Si bien regar su jardín es beneficioso, debe saber que muchas enfermedades también prosperan en condiciones de humedad y requieren agua para crecer, al igual que las plantas. Por ejemplo, los patógenos en el suelo requieren agua para reproducirse, crecer y moverse, lo que propaga la enfermedad a diferentes lugares de su jardín.

Por esa razón, debe elegir métodos de riego que limiten la cantidad de humedad en el follaje. Puede lograr esto eligiendo riego por goteo o mangueras de remojo para regar su jardín. Si está regando su jardín a mano, asegúrese de evitar que el agua llegue a las hojas o las cabezas de las plantas, ya que esto puede provocar la formación de moho. Regar directamente sobre las plantas también provoca daños, y debes evitarlo.

Otro consejo importante que debes saber a la hora de regar tu jardín es que más no siempre es mejor. El exceso de agua puede provocar un suelo anegado, lo que, a su vez, afecta el crecimiento de sus plantas. El anegamiento sofoca las raíces de las plantas, lo que puede provocar descomposición y también puede promover el desarrollo de enfermedades no deseadas.

Sistema de riego

Si siempre está fuera de casa, esto no obstaculizará el crecimiento y el mantenimiento de un césped saludable. Puede considerar un sistema de riego computarizado para su jardín que pueda regular la cantidad de agua que recibe su césped cuando usted no está cerca. El momento ideal para regar su jardín, como ya sabe, es por la mañana antes de las 8 am o por la tarde después de las 4 pm. También necesita proteger su césped contra el calor excesivo, y puede hacerlo evitando cortar el césped cuando hace demasiado calor.

Prevenir el crecimiento de malezas

Para mantener su césped en buen estado, es fundamental prevenir el crecimiento de malas hierbas extrañas, que también pueden hacer que su jardín sea antiestético. Las malas hierbas del césped vienen en diferentes formas y pueden afectar la calidad de su jardín. Para evitar que las malas hierbas broten en su jardín, puede hacer uso de mantillo, pero debe tener cuidado en el proceso, ya que verá más adelante que también puede afectar la aireación del suelo. Asegúrese de que no haya parches en su césped si desea evitar el crecimiento de césped extraño.

También puede eliminar las malas hierbas extrañas con una herramienta especial como una paleta para desmalezar. Las mascotas, otros animales pueden traer las malas hierbas a su jardín, o el viento las puede arrastrar. Para eliminar las malas hierbas del jardín, es importante juntar toda la hierba con sus raíces. Puede hacer esto a mano para asegurarse de que todas las áreas de su jardín estén libres de césped no deseado. Alternativamente, puede usar un herbicida para matar la maleza, pero asegúrese de conocer diferentes herbicidas orgánicos que puede usar sin dañar sus plantas o las abejas circundantes si también está invirtiendo en una colmena.

Mejorar el drenaje

Es fundamental mejorar el sistema de drenaje de su jardín para favorecer el crecimiento saludable de su césped. Cuando su césped tiene un drenaje deficiente, se encharca durante varias horas o incluso días, lo que afecta negativamente su crecimiento. Esto provocará un retraso en el crecimiento o un crecimiento deficiente de su césped, por lo que debe asegurarse de que su jardín tenga un paisaje adecuado para promover la libre circulación del agua. El anegamiento también puede ser causado por la incapacidad del suelo para absorber agua, y esto depende principalmente del tipo de suelo que tenga. Por ejemplo, la compactación del suelo, las capas gruesas de paja y un alto nivel de arcilla pueden contribuir al encharcamiento. Estos factores evitan la absorción de agua y puede terminar acumulándose en la parte superior del suelo sin ningún lugar adonde ir.

Para mejorar la permeabilidad del suelo, la aireación es otra opción que puede considerar, ya que reduce significativamente la acumulación de agua. Cuando el suelo está bien aireado, el agua puede fluir fácilmente. Puede lograr esto agregando estiércol, que contiene partículas sueltas que promueven una aireación de calidad. Los materiales orgánicos que se encuentran en el estiércol ayudan a promover el proceso de descomposición y la degradación de sustancias, lo que ayuda a aflojar el suelo para promover la aireación. Otro método que puede considerar para mejorar la aireación del suelo es crear pequeños agujeros a ciertas profundidades e intervalos alrededor de su jardín. Puede usar su tenedor de jardín u otra herramienta especialmente diseñada para airear la tierra.

Dicho esto , también debe considerar darle forma a su jardín de tal manera que drene naturalmente el agua de su casa. Por ejemplo, puede mantener una pendiente que promueva el flujo de agua desde su jardín hasta el sistema de drenaje principal para evitar desafíos como el encharcamiento. Es esencial ajustar la pendiente del paisaje de su jardín para que pueda dirigir el exceso de agua al desagüe principal. También puede considerar agregar diferentes plantas que puedan prosperar en exceso de agua.

Segado y canteado

Otro aspecto crítico es cortar el césped con frecuencia según sea necesario para asegurarse de mantenerlo en buenas condiciones, tanto estética como funcionalmente. Al cortar el césped, debe utilizar la cortadora de césped adecuada que sea adecuada para el tamaño de su jardín para que pueda eliminar una longitud suficiente de césped. La frecuencia con la que corta el césped depende de diferentes factores, como las condiciones climáticas y la época del año. Durante el invierno, no cortarás tanto el césped, si es que lo harás, dependiendo de las condiciones climáticas. Por el contrario, la frecuencia de corte en verano aumenta dado que el clima más cálido promueve un crecimiento más rápido de la hierba.

Hay ciertos pasos que debe seguir al cortar el césped en su jardín. Es importante evitar cortar el césped cuando el césped y el suelo están mojados. Esto causará algún daño al césped y también puede afectar el crecimiento saludable del césped en el futuro. Después de cortar el césped, puede usar una herramienta para cortar bordes en forma de media luna o tijeras para cortar bordes para dar forma al césped alrededor de los bordes donde la cortadora de césped no puede alcanzar. Puede dar forma a su césped de la manera que desee para asegurarse de que mejora la apariencia estética de su jardín. También puede usar las tijeras para podar los arbustos y otras plantas de su jardín para mejorar su apariencia general.

Use un fertilizante adecuado

Es importante utilizar el fertilizante adecuado en su césped o en cualquier otra planta de su jardín. El problema con los fertilizantes es que pueden contener algunos químicos que pueden quemar las raíces si se usan en exceso. Esto afecta la capacidad de la planta para absorber agua y puede hacer que las plantas se marchiten y finalmente mueran. Si las plantas se debilitan con el fertilizante, se vuelven susceptibles al calor o al frío. Las plantas pequeñas generalmente se ven afectadas por el exceso de fertilizante, así que asegúrese de estar atento a algunas señales de alerta, incluidas las manchas o el amarilleo de las hojas. Demasiados nutrientes pueden estresar a una planta, por lo que si desea estar seguro, debe asegurarse de suministrar a su jardín solo las cantidades necesarias de fertilizante y no más.

Es importante hacer una prueba de suelo de vez en cuando para evitar que las plantas se marchiten. Puede hacerlo a través de su agencia de extensión local. Esto le ayuda a obtener información precisa sobre la calidad de su suelo y su nivel de nutrientes. El problema es que si carece de información correcta sobre la calidad de su suelo, todo lo que está haciendo puede ser simplemente una conjetura. Es posible que esto no le brinde los resultados deseados cuando use fertilizante porque no abastecerá su jardín con un nutriente en particular o lo exagerará, lo que puede afectar el crecimiento de las plantas. Al igual que los humanos, las plantas también deben obtener nutrientes equilibrados para mejorar la calidad del crecimiento.

También puede considerar el uso de abono orgánico o abono si desea mantener un jardín exuberante con un mínimo de molestias. El abono consiste en material de desecho que comprende principalmente pasto muerto, hojas y otros materiales biodegradables que pueden descomponerse para formar abono y apoyar el crecimiento de las plantas. El compostaje puede elevar la temperatura de su suelo, lo que conduce a la descomposición del material de desecho para formar estiércol. La ventaja de utilizar compost en su jardín es que no contiene productos químicos, ya que contiene nutrientes totalmente naturales. No hay miedo de sobreabastecer o subabastecer las plantas, siempre que se les proporcione suficiente agua.

Triturado

Antes de proceder a utilizar el abono disponible en su jardín, debe saber que debe evitar usar cualquier tipo de desperdicio que encuentre en su jardín, es decir, mantillo, en plantas sensibles. Nunca se puede saber si los desechos no están infectados con la enfermedad, y solo se arrepentiría más tarde después de infectar sus plantas sanas. La acumulación de escombros puede crear un bloqueo en el suelo que, en última instancia, evita que los nutrientes esenciales y la humedad penetren en el suelo para llegar a las raíces. Esto puede afectar el crecimiento del césped, así como de otras plantas que está cultivando en el jardín de su casa. Afortunadamente, puede identificar fácilmente los lugares afectados, ya que consisten en parches muertos en el césped y el suelo a menudo tendrá una sensación esponjosa.

Para evitar este problema, es fundamental eliminar la paja mediante un proceso llamado escarificación, que implica la eliminación del exceso de mantillo del césped. Puede utilizar una rejilla o un escarificador de césped especial para eliminar el mantillo del césped y promover la aireación del suelo y el libre movimiento del agua. Además, el exceso de mantillo en su césped también puede provocar enfermedades que finalmente afectarán su salud.

Sin embargo, al mantener un huerto, debe agregar mantillo alrededor de sus plantas para ayudar a mantener la tierra fresca. El mantillo también ayuda a retener el agua en el suelo y gradualmente se convertirá en abono, agregando así nutrientes al suelo para mejorar su calidad. El mantillo es un buen fertilizante para un huerto; sin embargo, debe tener cuidado al realizar este proceso y asegurarse de que el mantillo no importe elementos extraños que puedan afectar sus plantas. También debe verificar si el mantillo muestra signos de enfermedad antes de suministrarlo a su jardín. Como verá en la siguiente sección, este es un paso crucial para evitar que las enfermedades infecten sus plantas.

Control de plantas y enfermedades

Una de las cosas más frustrantes de su jardín es ver cómo sus plantas sucumben a la enfermedad. Tendrá más preguntas que respuestas tratando de resolver el rompecabezas de cómo llegó la enfermedad en primer lugar. También puede estar preocupado por si la enfermedad se puede tratar o controlar. Sin embargo, la forma correcta de hacerlo es prevenir enfermedades para garantizar que su jardín sea seguro; prevenir es mucho más fácil que curar. Las enfermedades de las plantas pueden ser causadas por hongos, virus o bacterias, y también pueden desarrollarse debido a condiciones ambientales como la sequía o la humedad. Si no se presenta ninguna de estas condiciones, no tendrá que preocuparse por la infección. Por lo tanto, es importante prevenir la enfermedad asegurándose de que no exista ninguna condición que pueda conducir al problema en primer lugar. No espere a que aparezca el problema en su jardín antes de actuar de manera adecuada. Es fundamental ser proactivo. Puede tomar diferentes medidas para evitar que la enfermedad dañe su jardín. He aquí cómo puede hacerlo.

¿Cómo prevenir la enfermedad

Debe vigilar de cerca su jardín y asegurarse de que esté libre de elementos extraños que puedan provocar enfermedades. Es una buena idea leer revistas sobre jardinería para que pueda obtener una visión detallada de lo que puede afectar la salud de las plantas. Sin embargo, como regla general, nunca debes llevar una planta con puntos muertos o pulgones a tu jardín, ya que puede ser una fuente de infección que luego puede extenderse a todo el jardín.

Una vez que la enfermedad se propaga, cada vez es más difícil deshacerse de ella, por lo que debe evitarla en primer lugar. También debe inspeccionar la raíz de la planta para verificar si está sana antes de plantarla en su jardín. Las raíces de las plantas sanas deben ser blancas y firmes. Por otro lado, si las raíces son oscuras, pueden pudrirse en cualquier momento y así afectar negativamente al resto de tu jardín. Debe verificar todas las plantas que desea plantar antes de colocarlas en su suelo, ya que esto también puede afectar la salud de su suelo.

Limpiar

El segundo paso que debe tomar para prevenir enfermedades es limpiar su jardín con regularidad, especialmente durante el otoño. Esto le ayuda a controlar cualquier enfermedad que ya pueda existir en su jardín y, al mismo tiempo, previene las condiciones que pueden conducir al desarrollo de una infección. Las hojas muertas y otros desechos pueden afectar las nuevas hojas de las plantas durante la primavera, por lo que debe asegurarse de que su jardín esté libre de ellas. Por ejemplo, enfermedades como las manchas negras en las rosas, las manchas de las hojas del iris y la estría de las hojas de los azucenas son algunas de las enfermedades que pueden evitarse si su jardín está libre de hojas muertas.

Podar las plantas

Podar árboles y otras plantas en su jardín ayuda a mantenerlo en buena forma mientras que al mismo tiempo previene la propagación de enfermedades entre sus plantas. Puede podar sus plantas a fines del invierno para que cualquier tipo de infección no se propague fácilmente a un nuevo crecimiento. Al podar sus plantas, es fundamental utilizar herramientas afiladas que no dañen el tejido vegetal, lo que puede hacerlo vulnerable a las infecciones. Al podar tus plantas, asegúrate de hacerlo cuando el clima sea favorable para que se curen rápidamente.

Además, debes saber que la poda es tan crucial como la cosecha. Necesita podar las plantas perennes en su jardín durante su temporada de inactividad. Tales plantas incluyen frutas y, como tal, debe deshacerse de las ramas viejas sin dañar la planta. Esto ayudará

366

a que se desarrollen nuevos brotes que den fruto. Otra ventaja de podar sus plantas es que las mantendrá saludables y pueden ser de gran ayuda para producir más frutos.

Espacie sus plantas

Debe asegurarse de que otras plantas de su jardín, además del césped, estén bien espaciadas para promover un crecimiento saludable y, al mismo tiempo, evitar la propagación de enfermedades. Cuando las plantas están abarrotadas, crean un exceso de humedad, lo que promueve la infección a través del óxido, el mildiú velloso y el mildiú polvoriento. El follaje se puede secar rápidamente cuando hay suficiente flujo de aire. Además, las plantas abarrotadas también compiten por el agua, la luz y los nutrientes, lo que puede afectar el crecimiento. También debe tener en cuenta que las plantas débiles son más susceptibles a las infecciones que sus cultivos más saludables, por lo que debe asegurarse de que obtengan suficientes nutrientes que puedan promover un crecimiento saludable.

Apoye a sus plantas

Ciertas plantas en su huerto pueden requerir apoyo, ya que serán pesadas como resultado de tener descendencia. Por ejemplo, los tomates requieren que se coloque una estaca en el suelo junto con una cuerda para atarlos, ya que es posible que no puedan soportar la carga pesada. La falta de apoyo a la planta puede provocar daños y también puede provocar que los productos se infecten si la planta se deja en el suelo. Apoyar sus plantas también puede ayudarlo a disfrutar de la libertad de movimiento en su jardín.

Incluir paisajismo duro

Aparte de estos consejos de cuidado y mantenimiento, también puede considerar el diseño de jardines alrededor de su casa para mejorar su apariencia y valor. Por ejemplo, los jardines duros que incluyen guijarros, pavimento o terrazas ayudan a mejorar el drenaje cuando llueve. El agua no se puede acumular fácilmente en una superficie dura con un gradiente inclinado que está diseñado para mejorar el flujo de agua lejos de su jardín. El paisajismo duro también puede proteger su propiedad de daños por agua. Dicho esto, el pavimento ayuda a marcar las aceras para que las personas no molesten las plantas de su jardín.

El cuidado y el mantenimiento del jardín ayudan a mejorar la apariencia de su hogar. Hay diferentes pasos que puede seguir para mantener su jardín y, afortunadamente, puede hacerlo usted mismo siempre que tenga las herramientas y los conocimientos adecuados. El mantenimiento del césped es una cosa importante en la que debe concentrarse, ya que cubre la mayor parte de su jardín. Para tener éxito en el mantenimiento del jardín, debe mantenerlo libre de enfermedades y también asegurarse de seguir los pasos necesarios para mantener el suelo en buenas condiciones para apoyar el crecimiento del césped.

Capítulo 6

Labranza y Plantación

En medio del ruido de la vida acelerada en la que vivimos actualmente, muchas personas han tomado una posición y han decidido desafiar el status quo. Con la esperanza de liberarse de las garras a veces asfixiantes de la civilización, estas personas buscan volver a lo básico. La agricultura familiar se ha convertido en una tendencia célebre entre aquellos que creen en la importancia de la autosuficiencia, desde el cultivo de su propia comida hasta el cuidado de su propia tierra. En los capítulos anteriores, hablamos sobre cómo diseñar y configurar su propio jardín y cómo puede seleccionar los tipos ideales de plantas para cultivar. En este capítulo, nos volveremos más técnicos y discutiremos los diferentes métodos de labranza y siembra que necesitará aprender para mantener su propiedad. Finalmente, cerraremos este capítulo con algunas sugerencias de flores que puede cultivar fácilmente en su patio trasero. Empecemos.

¿Qué es la labranza ?

Si es nuevo en este mundo y aún está aprendiendo sobre los conceptos básicos de la jardinería, es posible que no esté familiarizado con la labranza. La labranza se refiere a remover la tierra para airearla y mezclar las materias orgánicas para mantenerla saludable; también mejorará la calidad de sus cultivos. Sin embargo, la labranza no es un proceso aleatorio; hay una profundidad y frecuencia óptimas para la labranza; de lo contrario, puede dañar su suelo por completo. Según agricultores experimentados, la mejor manera de saber si su suelo está listo para labrar o no es probarlo usted mismo. Saque un puñado de tierra y haga una bola, luego golpéela suavemente con el dedo. Si se desmorona suavemente, es una clara señal de que puede comenzar a labrar. Estos son algunos de los métodos de labranza más populares para la agricultura que debe conocer.

Labranza manual

Para un jardín en el patio trasero, la labranza manual puede ser más que suficiente para trabajar la tierra antes de plantar. Usando una pala para excavar dos veces, puede comenzar esparciendo abono por toda la tierra, luego comenzar a cavar zanjas y mover las palas de una zanja a la siguiente. Este método es simple y no necesita una planificación compleja. Incluso puede hacer que sus hijos lo ayuden, se divertirán y será una buena manera de enseñarles los conceptos básicos importantes de la jardinería.

Rototilling

Si tiene un terreno más grande, sería difícil manipularlo hasta que la rotura podría ser una buena idea. Con un motocultor motorizado o de empuje, puede rotar su suelo y descomponer cualquier agrupación para que sea fácil de plantar. Sin embargo, si su suelo está lleno de tepes y malezas enredadas, es posible que desee dejar el trabajo de roturación a un agricultor experimentado para obtener los mejores resultados.

Métodos sin labranza

Los métodos de labranza cero se habían vuelto populares recientemente cuando los agricultores se dieron cuenta de que no era necesario alterar el suelo con la labranza para mantener su calidad. En cambio, utilizando métodos convencionales u orgánicos de labranza cero, puede desmalezar su suelo y deshacerse de cualquier sustancia nociva atrapada en su interior. La labranza convencional sin labranza depende de los herbicidas para hacer el trabajo. Sin embargo, si prefiere no utilizar productos químicos agresivos alrededor de sus cultivos, la labranza orgánica puede ser una mejor opción. Con la labranza orgánica sin labranza, usa una cubierta especial para matar las malas hierbas antes de poder rotar el suelo para plantar sus cultivos. La labranza cero es el método menos invasivo que puede utilizar para obtener los beneficios de la labranza sin comprometer su suelo. Como principiante, es posible que necesite algunas pruebas para hacerlo bien, por lo que es posible que desee consultar a un agricultor más experimentado para que le muestre cómo puede manejarlo por su cuenta.

Labranza poco profunda

La labranza poco profunda es un método intermedio que proporciona lo mejor de ambos mundos, los métodos convencionales y sin labranza. Aquí, el objetivo es alterar el suelo lo menos posible y, al mismo tiempo, aprovechar los beneficios de la labranza. Usar pocos o ningún equipo hace que la labranza superficial sea lo suficientemente suave para su suelo y ayuda a preservar su naturaleza fértil. Si tiene un patio trasero lo suficientemente grande para criar caballos de tiro, puede usar equipo tirado por caballos para realizar labores superficiales. Por supuesto, tendrá más trabajo para alimentar y cuidar a los caballos; sin embargo, es uno de los métodos más limpios y ecológicos para cultivar su tierra. Otra forma de labranza superficial es usar un arado de cincel. Un arado de cincel es un equipo simple que tiene palas de doble punta que se utilizan para desagrupar el suelo y aflojarlo en preparación para la siembra. Dependiendo del tamaño y la naturaleza de su suelo, usted decidirá qué método de labranza superficial es mejor y más fácil de manejar.

Independientemente del método de labranza que termine utilizando, debe comprender que tomará algún tiempo antes de que pueda dominar el proceso. Ahora que tiene su suelo libre de malezas, bien pulverizado y tiene toda la buena materia orgánica llenando su suelo hasta la superficie, es hora de comenzar a plantar. La razón principal por la que desea construir su propia casa en el patio trasero es probablemente para asegurarse de que su familia tenga acceso a alimentos orgánicos de alta calidad. Por lo tanto, asegúrese de tenerlo en cuenta al seleccionar uno de los muchos métodos de plantación que analizaremos en el resto de este capítulo.

¿Dónde empezar?

No se trata solo de lo que quieres cultivar. Tienes que entender cuáles son los cultivos que puedes cultivar. Decidir sobre las plantas y flores que cultivarás es un buen punto de partida. Cree una lista de los productos frescos que más usa, luego comuníquese con uno de los agricultores locales para discutir la posibilidad de cultivarlos en el jardín de su patio trasero. Los agricultores locales tienen mucho conocimiento sobre la naturaleza del suelo donde vive y el clima, por lo que pueden asesorar sobre los cultivos que tienen las mejores posibilidades de crecer y prosperar. Durante esta fase, trate de mantener la mente abierta y considere cultivar productos que pueda usar de muchas formas diferentes, incluso si no está particularmente familiarizado con ellos. Cuando empiece, es una buena idea elegir cultivos como lechuga y pepino, que son fáciles de cultivar y dan resultados rápidos, lo que le anima a seguir adelante. A continuación, será el momento de que compre las semillas. Navegue en línea para encontrar dónde puede comprar semillas de la mejor calidad en su área, ya que esto puede marcar una gran diferencia en el resultado de su cultivo.

Diferentes métodos de plantación

Aunque el tamaño de su patio trasero puede limitar sus opciones, todavía tiene varios métodos de plantación para elegir. A continuación, analizaremos los tipos más populares.

Jardinería intensiva

El jardín intensivo se refiere a reducir al mínimo el espacio desperdiciado de tierra. En otras palabras, significa llenar su patio trasero con tantos cultivos como sea posible. Este método no solo le permitirá cultivar todos los productos que sueña, sino que también simplificará sus tareas de jardinería y las hará más manejables. Es como golpear dos pájaros de un tiro: menos trabajo y más rendimiento .

Plantación a intervalos

Si desea aprovechar al máximo su jardín, la siembra a intervalos es un método de plantación inteligente del que puede beneficiarse. Usar la misma tierra para cultivar productos de invierno, y seguirlos con productos de verano cuando cambia la estación , es un ejemplo de siembra en intervalos o sucesión, como a veces se le llama. Incluso con cultivos similares, la siembra a intervalos es a veces la mejor opción para que pueda garantizar un suministro constante más pequeño que puede consumir según sus necesidades. De lo contrario, si planta todo de una vez, podría terminar con más productos de los que necesita y dejar que se desperdicie. Si desea experimentar con diferentes variedades del mismo cultivo, utilizando la siembra a intervalos, puede planificar tener una cosecha estacional temprana, tardía y primaria. La siembra a

374

intervalos requiere un conocimiento adecuado de los cultivos con los que está trabajando, por lo que podría ser una buena idea trabajar con un agricultor para evitar estropear sus cultivos durante la temporada.

Jardinería en cama elevada

La jardinería en camas elevadas es una buena manera de dividir su pequeño patio trasero para cultivar sus productos con un buen drenaje y lejos de las molestas plagas. El uso de cajas de jardinería sin fondo que se abren directamente en su suelo significa que aún puede cultivar sus tubérculos favoritos sin tener que preocuparse de que tengan suficiente espacio para crecer. Otro gran beneficio de la jardinería en camas elevadas es que le facilitará realizar sus tareas domésticas y desmalezar sus cultivos sin forzar la espalda durante largas horas. Si elige usar camas elevadas, también tendrá la ventaja de comenzar a plantar temprano antes de la temporada real, ya que el suelo en las cajas de jardín elevadas es más cálido y mejor drenado.

Jardinería vertical

Con la jardinería vertical, puede duplicar el tamaño de su terreno colgando algunas plantas que crecen en enredaderas extensas con postes y cuerdas especiales. Esta es una excelente manera de aumentar su rendimiento si no está listo para experimentar con la siembra a intervalos. Por lo general, colgar las plantas de esta manera hará que se sequen rápidamente, por lo que necesitarán un riego más frecuente. También debe tener en cuenta las plantas que planea cultivar debajo de las colgantes porque tendrán un acceso limitado a la luz solar. Puede dedicar este lugar a la rúcula y la espinaca, ya que pueden crecer y prosperar a pesar de la falta de sol.

Jardinería de marco frío

Si vive en un lugar frío y húmedo, debe comprender todo sobre la jardinería de marco frío. El método de jardinería Cold Frame le brinda la oportunidad de disfrutar de cultivos de clima cálido independientemente de la temporada. Los marcos fríos son básicamente cajas transparentes que pueden bloquear la energía solar para aislar las plantas del clima frío y las heladas del exterior. Para obtener los mejores resultados con armazones fríos, hay algunos consejos que debe tener en cuenta.

1. Encuentre la mejor ubicación para colocar los marcos fríos. Desea elegir un lugar que tenga la mejor exposición a la luz solar y, al mismo tiempo, esté protegido de los vientos fuertes.

2. Seleccione un material adecuado. Según el lugar donde vivas, decidirás qué material puede funcionar mejor para tus cuadros fríos. Si vive en un clima extremadamente frío, su mejor opción sería elegir marcos fríos hechos de ladrillos y policarbonato para proporcionar suficiente aislamiento para sus plantas en ciernes.

3. Ventile adecuadamente los marcos fríos. Puede equipar sus marcos fríos con un abridor de ventilación de manos libres que abrirá automáticamente la parte superior y aireará el interior del marco frío cuando suba la temperatura.

4. Limpie siempre la parte superior del marco frío. Las plantas que crecen dentro de marcos fríos ya tienen una exposición limitada a la luz solar, por lo que debe asegurarse de que no haya suciedad o escombros cubriendo la parte superior, lo que puede evitar que pase el poco sol que reciben.

5. Ayude a que sus armazones fríos retengan más calor durante más tiempo. Puede usar papel de aluminio para cubrir el interior de su marco frío para retener más calor para que sus plantas mantengan su crecimiento constante, asegurándose de no cubrir la parte superior.

Piense en la estética

Tener su propio jardín trasero no significa que tenga que pensar solo en la practicidad y en cultivar suficientes alimentos para comer. Tener en cuenta el aspecto estético es muy importante a la hora de cultivar tu jardín. Tienes que asegurarte de que sea agradable a la vista. Plantar algunas flores entre sus productos le dará un toque de embellecimiento y le permitirá, más adelante, hacer su propia apicultura, de la que hablaremos más adelante en la segunda parte de este libro. Cuando se trata de flores, como era de esperar, el mejor momento para comenzar es durante la primavera. Sin embargo, todo se reduce a qué flores le interesa cultivar. A continuación, encontrará algunas sugerencias para que las considere, así como detalles sobre cada flor.

Caléndula

Esta flor medicinal es un ingrediente común en los productos para el cuidado de la piel, ya que ayuda a combatir las inflamaciones de la piel. Las caléndulas son hermosas a la vista y son las favoritas entre los polinizadores de jardín. También actúan como repelentes naturales de plagas, por lo que es una buena idea plantarlos entre sus productos para protegerlos. Además, puedes utilizar la caléndula en la cocina como hierba aromática, o incluso beberla como té si padeces problemas digestivos como el reflujo ácido. No se necesita mucho esfuerzo para cultivar caléndulas. Todo lo que necesita es abundante luz solar y semillas de buena calidad para empezar. Después de que las flores florezcan, se recomienda cosecharlas con frecuencia, ya que esto hará que sigan creciendo.

Girasoles

Los girasoles no solo se ven bonitos, sino que también son increíblemente atractivos para las abejas si está pensando en la apicultura en su patio trasero. Esto puede resultarle una sorpresa, pero no todos los girasoles son iguales. Asegúrese de cultivar el tipo que tenga polen para sostener su colmena. Si también planea criar un pollo, los girasoles de final de temporada son una excelente fuente de nutrientes para sus aves. Como probablemente sepa, a los girasoles les encanta estar de cara al sol; de hecho, las cabezas de las flores se mueven a lo largo del día para asegurarse de que reciban la mayor cantidad de sol posible. No necesitará regar sus girasoles con demasiada frecuencia, ya que se sabe que son tolerantes a la sequía y pueden ser suficientes con poca hidratación. Recuerde guardar algunas semillas a un lado para que pueda tostar y disfrutar como un bocadillo saludable.

Caléndulas

Estas flores de color amarillo brillante, como los girasoles, juegan un papel importante para mantener a los insectos dañinos lejos de sus cultivos. Además, eliminan los parásitos que habitan en las profundidades del suelo y se alimentan de las raíces de sus plantas. Los agricultores recomiendan usar un método de labranza cero con caléndulas para mantener sus raíces intactas. Las caléndulas son comestibles y se pueden usar en una variedad de platos como guarnición, y también tienen una serie de beneficios para la salud. Las maravillas crecen mejor en climas cálidos donde no hay escasez de luz solar. Mantenga la tierra adecuadamente regada, pero asegúrese de no exagerar, ya que esto puede inhibir su crecimiento.

Borraja

La flor de borraja azul atrae a las abejas desde kilómetros de distancia. También puedes usarlos en la cocina, ya que tienen un sabor fuerte y distintivo. Lo especial de las borrajas es que después de absorber los nutrientes del suelo, pueden almacenarlos en sus hojas. Luego, pueden usarse como fertilizantes naturales para mantener su jardín orgánicamente exuberante durante todo el año. Las borrajas crecen igualmente bien bajo el sol y en la sombra. Sin embargo, si desea flores más grandes, manténgalas alejadas del sol. Estas flores son muy resistentes y pueden crecer prácticamente en cualquier tipo de suelo.

Consejos generales de plantación

Sería una pena dejar que tu jardín de flores se marchitara después de que pusiste todo el esfuerzo en labrar y plantar. Si bien cada tipo de flor necesita un tratamiento especial, existen algunos consejos generales que puede seguir para mantener todas sus flores.

* Utilice las herramientas adecuadas. Si desea que su jardín de flores sea un éxito, debe invertir en algunas herramientas de jardinería desde el principio. No tienen que ser elegantes, pero asegúrese de que estén hechos de material de alta calidad para que le duren los próximos años. Empiece con algo pequeño y amplíe su camino hacia equipos más sofisticados cuando su jardín crezca más exuberante.

* Perfecciona tu suelo. La calidad de su suelo hará o arruinará toda su experiencia de jardinería. Dale el tiempo y la atención que se merece hasta que lo consigas en un estado satisfactorio en el que puedas confiar para apoyar el crecimiento de tus preciosas plantas. No se desanime si falla un par de veces antes de que finalmente lo haga bien. Con el tiempo, aprenderá a identificar cualquier problema con su suelo de inmediato para que pueda solucionarlo. Haga que probar su suelo sea un hábito para asegurarse de que esté listo para usar. Las pruebas periódicas también lo ayudarán a saber cuándo llega el momento de reemplazar su suelo. En la medida de lo posible, manténgase alejado de los pesticidas químicos para mantener su jardín lo más verde posible.

* Mantenga un horario detallado. Es muy fácil ponerse nervioso y confundido con las diferentes fechas y tareas relevantes cuando recién comienza. Para facilitarte la vida, elabora un cronograma para cada planta de tu jardín,

destacando todas las fechas relevantes. Incluso puede usar una aplicación móvil para enviarle notificaciones antes de que se presenten estas fechas.

- Prepare sus propios fertilizantes. Su suelo de primera se merece fertilizantes de primera. Preparar sus propios fertilizantes es la mejor forma de garantizar su calidad. Use abono y produzca restos para enriquecer su suelo con nutrientes beneficiosos. La preparación de fertilizantes es una de las formas más saludables y ecológicas de deshacerse de los restos de comida.

- Quite siempre las malas hierbas. Las malas hierbas pueden socavar la integridad de su suelo y destruir sus cultivos. Asegúrese siempre de eliminar las malas hierbas con un método seguro y eficaz. Utilice una azada y un pico cada dos semanas para destruir las malas hierbas de forma natural.

- Proteja sus flores contra enfermedades. Las enfermedades causadas por bacterias y virus pueden viajar rápidamente a través de su jardín si no se tratan. Utilice métodos de limpieza de clanes para proteger sus flores de estos microorganismos dañinos. Además, tenga cuidado de no regar demasiado su jardín, ya que podría causar infecciones por hongos.

- Mantenga sus herramientas limpias. El hecho de que esté usando sus herramientas de jardinería en la tierra no significa que no tenga que limpiarlas. De hecho, debes limpiar y desinfectar tus herramientas antes de cada uso. Puede usar una toalla húmeda y un aerosol de alcohol isopropílico para restregar bien sus herramientas.

Como puede ver, hay toneladas de detalles que se utilizan para preparar la tierra y plantar sus flores. Cada planta necesita un cuidado especial para darte los mejores resultados. Sin embargo, mientras construye su casa cn cl patio trasero, trate de disfrutar el proceso y deléitese con el hecho de que está haciendo algo completamente nuevo y construyendo su propio refugio. Como se mencionó anteriormente, en la siguiente parte de este libro, aprenderá todo lo que hay que saber sobre la apicultura para que pueda construir su propia colmena.

SEGUNDA PARTE

Apicultura

Capítulo 7

Parámetros a Considerar

Su intención de convertirse en un granjero debe haber tenido algo que ver con su amor por la naturaleza y su deseo de hacerse amigo de nuestro planeta. En la primera parte de este libro, hablamos sobre el diseño y la instalación de su jardín de flores. A estas alturas, debería tener una idea clara sobre cómo preparar su jardín para sus habitantes más valiosos: las abejas. Las abejas son, sin duda, una de las criaturas más importantes de la cadena alimentaria. Dependemos de estas pequeñas criaturas para polinizar casi un tercio de los alimentos que los humanos consumimos a diario. Sin embargo, desafortunadamente, nuestro comportamiento descuidado y nuestras acciones imprudentes han puesto a las abejas en peligro y las han llevado a la extinción. La buena noticia es que todavía hay esperanza de salvar a las abejas si más personas como usted deciden construir sus propias colmenas y cuidar de nuestros amigos. Para comenzar esta parte del libro, discutiremos los parámetros que debe considerar para la apicultura en este capítulo. Cubriremos todo lo que hay que saber sobre el costo, la ubicación, el clima y todo lo demás. Pero antes de entrar en el meollo de este tema, primero echemos un vistazo a las otras razones menos obvias para criar abejas.

¿Por qué la apicultura?

Además de lo que mencionamos anteriormente acerca de que las abejas son las principales polinizadoras, existe una multitud de otros beneficios menos celebrados de tener abejas. A continuación, le mostramos cómo la apicultura puede ayudarlo a alcanzar sus objetivos de vivienda.

Manteniendo su delicioso jardín

Las abejas no solo chupan el néctar de sus flores para nutrir y producir miel; también tienen un efecto mágico sobre el rendimiento de los árboles que visitan.

Para la miel

Esto, en sí mismo, es una razón suficiente para criar abejas. El edulcorante natural tiene una gran cantidad de beneficios y es conocido por su potencia para curar muchas dolencias.

Comenzando su propio negocio

Si está buscando algo para hacer algo de dinero extra, puede intercambiar su miel de calidad en el mercado de agricultores local, o si lo desea, puede ir más grande y construir su propio imperio de la miel. Lo mejor del negocio de la miel es que no tendrá que preocuparse por el exceso de oferta, ya que nunca puede fallar.

Desarrollar el enamoramiento de sus hijos por la naturaleza

Ver a las abejas trabajar incansablemente en la colmena es nada menos que un milagro. Si desea que sus hijos tengan una mejor idea de por qué los desarraigó de la ciudad a los suburbios para convertirse en colonos, una colmena será un accesorio valioso al que puede consultar.

Fortalecimiento de su compromiso con la agricultura

Cuando comienza su hogar por primera vez, es natural sentirse desanimado en el momento en que se da cuenta de que hay mucho que aprender. Sin embargo, si da un paso atrás y contempla su colmena en crecimiento, se dará cuenta de lo que está contribuyendo al mundo. Te volverás aún más inflexible sobre ser un defensor del medio ambiente.

Ahora cambiemos de marcha y entremos en los tecnicismos de la apicultura. La preparación es clave en su viaje para convertirse en un apicultor de granja. Si desea construir una colmena resistente y asegurarse de tener la miel de mejor calidad, hágalo paso a paso y no se salte el aprendizaje de ninguno de los siguientes parámetros esenciales.

1. Los costos de la apicultura familiar

Además de los paquetes de abejas y la colmena, deberá invertir en algunos equipos para comenzar. Aquí hay un desglose aproximado del costo de cada uno y algunos factores importantes a considerar antes de comprar.

• **La colmena:** hay muchas variaciones de colmenas de abejas que puede comprar. Sin embargo, según los apicultores experimentados, una colmena Langstroth es la elección perfecta para los principiantes. Las colmenas Langstroth están hechas de cajas de madera apiladas una encima de la otra y marcos removibles que las abejas pueden usar para construir panales. Puede personalizar su colmena Langstroth como mejor le parezca. Comenzar con 3 cajas medianas que pesan 60 libras cada una es una buena configuración para comenzar. Aunque la colmena puede ser bastante pesada, en realidad es algo bueno, ya que te disuade de moverla, lo que se desaconseja enfáticamente. Una colmena Langstroth completamente equipada le costará alrededor de 200 USD. Esta es, por supuesto, una cifra redonda, ya que debe tener en cuenta los costos de envío y otras adiciones especiales que necesitará de acuerdo con la cantidad de capas que planea tener. Es posible que tenga la tentación de buscar opciones de segunda mano. A pesar de que el reciclaje y la sostenibilidad son pilares importantes en la agricultura, cuando se trata de comprar una colmena, siempre compre una nueva. Las colmenas pre-habitadas pueden ser portadoras de enfermedades y otros contaminantes dañinos que pueden poner en riesgo la vida de sus abejas, o peor aún, matarlas tan pronto como las suelte dentro. El riesgo es mucho mayor de lo que puede pagar, así que piense en su colmena como una inversión única a largo plazo que puede durar muchos años.

• **El equipo de la colmena:** para amueblar la colmena y prepararla para recibir a las abejas, deberá pintar y aislar un poco para asegurarse de que las abejas estén protegidas de las cambiantes condiciones climáticas. También tendrá que comprar un soporte de colmena para sostener la colmena y permitir la aireación. Estos artículos no son necesariamente caros; sin embargo, si planeas tener más de una colmena, definitivamente se sumarán. Dicho esto , 20 USD por cada colmena es una cifra suficiente para tener en cuenta.

• **Los Paquetes de Abejas:** Después de haber montado el hogar, llega el momento de los habitantes.

- Las abejas destinadas a la apicultura se venden en un paquete de abejas, que suele ser de 3 libras de abejas y aproximadamente 10,000 abejas obreras con una reina aislada, todas vendidas en una caja. Es importante liberar las abejas del paquete en la colmena una vez que las reciba, ya que los paquetes no están destinados a un uso prolongado. Las abejas melíferas más populares que se venden en paquetes son las abejas melíferas italianas y carniolanas. Los dos tipos difieren principalmente en el temperamento de las abejas, por lo que para un principiante como usted , podría ser mejor comenzar con las abejas italianas, ya que son más fáciles de manejar. Sin embargo, ambos tipos le costarán alrededor de 200 USD a 350 USD por paquete. La creciente demanda de abejas en comparación con la oferta menguante es la principal razón detrás del notable aumento de paquetes de abejas en los últimos años. Por mucho que desee creer que se trata de un costo único, la falta de la experiencia adecuada puede ser una razón por la que pierda sus abejas antes de lo esperado. Pero, con suerte, este libro le ayudará a hacerlo bien desde el principio, para que no tenga que preocuparse por perder más dinero para pagar el elevado precio de los paquetes de abejas.

- **Equipo de protección:** como apicultor principiante, debe asegurarse de tener todo el equipo de protección que necesita para atender a sus abejas. Puede encontrar muchos minoristas que venden equipos de protección para la apicultura a diferentes precios. Sin embargo, por un traje, con un velo de red y un par de guantes, debe esperar pagar entre 75 USD y 170 USD. Para asegurarse de que está obteniendo el valor de su dinero, asegúrese de comprar un traje de buena calidad que pueda mantener su forma después de varios lavados.

Además de la ropa, necesitará un par de herramientas para maniobrar los marcos de la colmena y raspar la miel. El elevador de marcos, el cepillo de miel y otras herramientas probablemente sumarán 150 USD. Otro elemento importante para la apicultura es el ahumador, que deberá usar para calmar a las abejas si comienzan a actuar de manera hostil. Un buen fumador con combustible debería costarle unos 50 USD o más.

Si bien los costos enumerados anteriormente solo tienen la intención de darle una idea general de cuánto le costará configurar su propia colmena, hay algunos factores que debe tener en cuenta si desea ahorrar algo de dinero. En primer lugar, debe considerar un kit de inicio de apicultura. Muchos minoristas venden todo lo que un principiante necesitaría a un precio significativamente más bajo. Alternativamente, puede comprar todos los artículos por separado a un minorista y solicitar un descuento. Hable con los apicultores locales y siga sus consejos sobre cuándo y dónde comprar su equipo; esto debería ahorrarle mucho tiempo y dinero.

2. Elegir una ubicación para su colmena

El segundo factor a considerar antes de aventurarse en la apicultura es encontrar la ubicación adecuada para su colmena. A continuación se ofrecen algunos consejos que le ayudarán a tomar esta decisión.

- **Algún lugar fresco** : Las altas temperaturas pueden cansar a las abejas, ya que tienen que esforzarse mucho para mantener fresco el interior de la colmena. Colocar su colmena en un cobertizo puede comprometer la producción de miel de sus abejas, ya que estarán ocupadas asegurándose de que su reina esté agradable y cálida. Una excelente ubicación para su colmena sería debajo de un árbol para darle suficiente sombra y, al mismo tiempo, tener acceso a algo de luz solar.

- **Lejos de la humedad** : una colmena húmeda fomenta el crecimiento de moho y hongos, que pueden representar un peligro real para las abejas y exponerlas a muchas enfermedades. Debe asegurarse de colocar la colmena en un lugar seco y protegerla de la humedad circundante que puede filtrarse al interior. Durante la temporada de lluvias, es una buena idea considerar invertir en una cubierta de colmena para asegurarse de que las gotas de lluvia se vayan y dejen la colmena seca.

- **Elevación** : levantar la colmena por encima del suelo evitará que la humedad del suelo la humedezca. También le permitirá trabajar cómodamente en su colmena y cosechar la miel sin forzar la espalda.

- **Fuente de agua** : las abejas necesitan beber con frecuencia, por lo que es una buena idea hacerles la vida más fácil y colocar su colmena en algún lugar cerca de una fuente de agua segura. No tiene por qué ser una gran fuente o una gran piscina; una olla pequeña de agua puede hacer el truco.

- **En algún lugar tranquilo** : las abejas pueden irritarse fácilmente con el ruido. Si desea mantener a sus abejas felices y relajadas, coloque la colmena en un lugar tranquilo. Encuentre un lugar apartado en su patio trasero, lejos del ruido, para instalar su colmena.

- **Protegido del viento** : los vientos fuertes pueden derribar su colmena y agravar a sus abejas; o peor aún, mátalos. La ubicación perfecta para una colmena debe estar protegida del viento.

- **Accesible** : al elegir una ubicación para su colmena, tenga suficiente espacio para caminar y trabajar cómodamente. No lo meta en algún lugar fuera de su alcance donde le costaría moverse.

- **Fuera del alcance de los depredadores** : puede consultar con su municipio para identificar si hay depredadores en el área, como osos, que puedan atacar su colmena. Si hay alguno, asegúrese de encontrar un lugar para su colmena que esté fuera del alcance de los depredadores.

- **Tenga suficiente espacio** : si planea tener más de una colmena, querrá mantener al menos una distancia de 2 a 5 pies de distancia de las otras colmenas. Esto permitirá que las abejas de diferentes colonias se muevan libremente sin interrumpirse entre sí. El espaciado también es importante para que tenga acceso a cada colmena y, como se mencionó anteriormente, trabaje cómodamente sin sentirse apretado. Sin embargo, una cosa a tener en cuenta es evitar que las entradas de la colmena se enfrenten entre sí.

Si lo piensa bien, encontrar la mejor ubicación para la ubicación de su colmena se trata más de seguir la lógica que la ciencia. Al aplicar los factores que discutimos anteriormente, su trabajo será mucho más fácil y podrá encontrar un lugar donde sus abejas prosperarán y vivirán una vida feliz y saludable.

3. Consideraciones climáticas

El clima en el que vive tendrá un gran impacto en su colmena y su bienestar. Tener en cuenta el clima es especialmente importante si planea convertir su apicultura en un negocio. El clima no solo afecta los niveles de actividad de las abejas, sino que también afecta la calidad y el rendimiento de la miel que producen. Hay una serie de preparativos relacionados con el clima en los que debe pensar antes de comenzar la apicultura.

• **En clima frío:** Si vive en un clima frío, su trabajo con la apicultura será diez veces más difícil. No es raro que incluso los apicultores experimentados pierdan sus colonias por las heladas. Sin embargo, si prestas mucha atención y haces los ajustes necesarios, tus abejas podrán sobrevivir.

1. Considere mover su colmena. Aunque se recomienda encarecidamente abstenerse de mover la colmena, los tiempos drásticos requieren medidas drásticas. Cuando se acerquen los meses fríos, trate de encontrar un lugar más

cálido para su colmena para que sus abejas puedan mantenerse activas y realizar sus tareas habituales.

2. Reducir la colmena. Al reducir el número de cajas de colmena, les dará a las abejas la oportunidad de acurrucarse para calentarse. Dicho esto , es más probable que la estructura más pequeña resista las corrientes frías y proteja a las abejas de la congelación.

3. Mantenga a las abejas bien nutridas. Cuando hace frío afuera, se desanima a las abejas para que abandonen la colmena en busca de alimento. Para asegurarse de que sus abejas se mantengan bien alimentadas durante el invierno y de que no se alimenten de la miel que producen, ponga algo de comida en la colmena. Puede comprar fondant en la tienda local o simplemente preparar un poco en casa para poner dentro de la colmena antes de que lleguen los duros meses de invierno.

4. Controle con frecuencia a sus abejas. No necesita hacerlo todos los días, pero al menos un par de días a la semana, debe revisar su colmena para asegurarse de que todo se vea bien. Agregue más comida si se está acabando y considere buscar un lugar más cálido si las abejas parecen inactivas o si encuentra algunas muertas.

• **En clima cálido**

Aunque el clima más cálido es relativamente mejor para la apicultura, el calor excesivo puede tener efectos dañinos duraderos en su colmena. Si bien las abejas generalmente hacen un gran trabajo para mantener el interior de la colmena cómodamente fresco, cuando el clima se vuelve extremadamente caluroso, hay algunas cosas que puede hacer para ayudarlas.

1. Aísle la colmena. Al igual que lo haría en invierno, es igualmente importante aislar la colmena desde el interior para protegerla del aumento de temperatura que puede derretirla.

2. Aumente el suministro de agua más de lo que lo haría durante un clima favorable. Debería estar más interesado en proporcionar a sus abejas suficiente agua limpia para enfriarlas. Los apicultores experimentados aconsejan colocar un balde de agua cerca de la colmena y llenarlo con algunos corchos de vino para que las abejas puedan usarlos como escalones para beber sin mojarse los pies.

3. Utilice cubiertas con malla. En lugar de usar una cubierta regular en la parte superior de la colmena, use una con malla para aumentar el flujo de aire y mantener el interior ventilado.

4. No dejes que la colmena se abarrote. Puede quitar una capa de su colmena Langstroth de 3 cajas para aumentar el flujo de aire dentro y evitar que las abejas se agrupen y se sobrecalienten.

5. Reemplace el techo de metal. Si su colmena tiene un techo de metal, es una buena idea reemplazarlo por uno de madera,

ya que el metal es un buen conductor de calor y se sobrecalienta inmediatamente.

4. Reglas y regulaciones locales

Para convertirse en apicultor, debe cumplir con algunas leyes y regulaciones locales para asegurarse de cumplir con las normas y evitar estar sujeto a implicaciones legales. Las reglas tienen como objetivo principal garantizar la seguridad del público y mitigar los daños potenciales causados por insectos y pesticidas. Las regulaciones variarán según el lugar donde viva; sin embargo, hay algunos genéricos que puede beneficiarle conocer. Aquí hay algunas reglas para implementar antes de practicar la apicultura.

1. Adquirir una licencia de apicultura. Por lo general, puede obtener uno haciendo una cita con el departamento de Agricultura. Un inspector visitará su colmenar para asegurarse de que todo esté en su lugar y de que califique para la licencia. Es importante tener en cuenta que su licencia deberá renovarse todos los años, así que asegúrese de no perder la fecha de renovación.

2. Cuelgue el número de registro en un lugar visible. Por lo general, el exterior de la caja de la colmena es un buen lugar para exhibir su número de registro donde los inspectores puedan verlo.

3. Informe cualquier sospecha de enfermedad que afecte a su colmena a las autoridades locales. De esta manera, puede

ayudar a otros apicultores locales a tomar conciencia de los peligros potenciales.

4. Obtenga el permiso adecuado para transportar su colmena. Si planea trasladar su colmena a través de las fronteras de su estado, es crucial obtener el permiso requerido de antemano.

5. Lleve a cabo una contabilidad precisa. Registre todos los gastos, ventas y ganancias relacionados con sus actividades apícolas. Esto no solo lo ayudará a realizar un seguimiento de su negocio, sino que también estará listo para cualquier auditoría sorprendente.

6. Regístrese para recibir beneficios de compensación. En muchos estados, cuando te registras como apicultor, puedes beneficiarte de una compensación en caso de daños en la colmena debido a infecciones y enfermedades endémicas.

7. Informar a las autoridades en caso de eliminación de colmenas. Si decide deshacerse de la colmena o venderla, debe notificar a las autoridades locales dentro de una semana a partir de la fecha de eliminación.

8. Hágase pruebas de miel con regularidad. Para cumplir con las reglas locales, debe estar preparado para que se analice su miel de vez en cuando para garantizar su calidad y que pueda usar frases como 'orgánico' y 'libre de químicos' al comercializar su producto.

Tener en cuenta los parámetros que afectan sus actividades apícolas es el primer paso en su emocionante viaje para convertirse en un apicultor legítimo. Como ha leído a lo largo de este capítulo, le llevará mucho tiempo poder cubrir los muchos detalles involucrados. Sin embargo, este libro lo guiará paso a paso para simplificar el proceso y hacer que la apicultura sea más fácil de lo que hubiera imaginado. En los siguientes capítulos, hablaremos sobre las herramientas de apicultura que mencionamos en este capítulo, pero con más detalle. También se le proporcionará una guía de colmena de bricolaje y algunos consejos interesantes sobre cómo cuidar y mantener su colmena.

Capítulo 8

Herramientas de Apicultura

L a apicultura puede ser un proceso complicado, dado que las abejas pueden ser muy peligrosas si se las provoca. Las abejas deben mantenerse en un lugar seguro donde no interfieran con las personas u otros animales alrededor de su hogar. No obstante, la apicultura es una experiencia maravillosa siempre que sepa cómo manejar los insectos. La recolección de miel orgánica es una de las experiencias más gratificantes del proceso, ya que la miel es buena para nuestra salud y se considera un remedio natural que puede tratar o prevenir diversas afecciones. Además, la cera obtenida de los panales se puede utilizar en la elaboración de diferentes productos cosméticos. También hay muchas otras ventajas de tener abejas, pero para tener éxito en esta empresa, necesita tener las herramientas adecuadas. Este capítulo describe algunas herramientas de apicultura que debe tener para que su esfuerzo sea alcanzable.

Colmenas de abejas

Al comenzar, debe considerar la posibilidad de obtener las colmenas adecuadas donde vivirán las abejas. Hay diferentes tipos de colmenas disponibles en el mercado, por lo que debe investigar un poco y elegir el tipo que se adapte a sus necesidades. Debe decidir si tendrá abejas como pasatiempo o si desea iniciar una empresa comercial. Esto lo ayudará a determinar el tipo correcto de colmenas que puede obtener para su jardín de abejas. Cuando haya seleccionado la colmena correcta, también debe elegir los marcos correctos donde las abejas construirán sus panales. Nuevamente, hay diferentes tipos de marcos que se discutirán con más detalle en el próximo capítulo, por lo que debe elegir los correctos que facilitarán que las abejas comiencen a producir miel.

Dependiendo de su espacio, debe colocar estratégicamente sus colmenas para que estén a salvo de depredadores naturales como hormigas y escarabajos. Es una buena idea colocar las colmenas en soportes en lugar de directamente en el suelo. Un soporte para colmenas eleva la colmena del suelo para evitar que sufra los caprichos del clima, como la humedad causada por el rocío. Esto también ayuda a mantener sus colmenas a salvo de las malas hierbas que pueden interrumpir el movimiento de las abejas. Dicho esto, siempre debes evitar que las colmenas estén hechas de madera, ya que las termitas pueden infectar este material si colocas la colmena en el suelo. Un solo soporte de colmena puede albergar más de dos colonias. Los soportes para colmenas pueden estar hechos de madera, paletas, ladrillos o bloques de concreto, por lo que debe elegir algo que se adapte a su entorno y hogar. También debe asegurarse de que sus colmenas estén aseguradas con una cerca perimetral para evitar que extraños accedan a ellas.

Aceites esenciales

Cuando coloque sus colmenas en la posición correcta, puede usar aceites esenciales para atraer abejas a las cajas. Los aceites esenciales también se pueden utilizar para proporcionar alimentación complementaria a las abejas durante la época del año en que escasean los alimentos. También puede usar aceites esenciales para expulsar a los escarabajos de su colmena, ya que pueden perturbar a sus abejas y evitar que produzcan miel. El problema con los escarabajos es que se multiplican rápidamente y pueden obligar a las abejas a salir de la colmena. Puede comprar diferentes aceites esenciales como lavanda, limón y menta verde, ya que todos sirven para el mismo propósito alrededor de su colmena.

Ropa protectora

Si está interesado en tener abejas, lo primero que debe considerar es la ropa protectora. Un traje de abeja de calidad es una buena inversión, ya que está diseñado para ofrecerle protección contra las abejas. Hay diferentes tipos de trajes para abejas disponibles en el mercado, y su elección final es una cuestión de preferencia personal. Puede obtener trajes de abeja completos que están diseñados para cubrir todas las partes de su cuerpo de la cabeza a los pies, y esto ayuda a brindarle la máxima protección. Un traje completo suele ser caro y viene con diferentes componentes, que incluyen pantallas faciales, para garantizar que cada parte de su cuerpo esté cubierta de forma segura.

También puede obtener equipo de protección en piezas individuales. Algunas personas optan por usar solo una combinación de velo y chaqueta. Hay diferentes tipos de chaquetas disponibles en estilos de mezcla de algodón sólido y otras están ventiladas. Además, también puede obtener pantalones por separado de las chaquetas. Algunos equipos de protección consisten en cremalleras, mientras que otros estilos tienen elásticos alrededor de sus dobladillos para ofrecer un ajuste seguro y una protección ajustada contra las abejas para que no encuentren su camino dentro de su traje. Con el equipo adecuado, puede cosechar fácilmente su miel de sus colmenas sin ningún problema. Sin embargo, esto es imposible si no tiene equipo de protección.

Chaqueta con velo

Si no desea obtener un traje de abeja completo, puede considerar una chaqueta con velo que puede usar junto con pantalones largos. Las abejas tienen receptores de dióxido de carbono en su antena y estos sensores les permiten detectar exhalaciones humanas, lo que las hace responder de manera agresiva para proteger la colmena. Las abejas también pueden sentir miedo y pueden atacar si te sientes nervioso como principiante. Sin embargo, algunos apicultores experimentados se sienten tan cómodos con las abejas que no usan ningún equipo de protección en algún momento de sus vidas, después de formar un vínculo con sus colonias.

Tenga en cuenta que las abejas no atacan sin razón, sino que solo lo hacen cuando sienten que su colmena corre peligro. Es una buena idea conseguir el equipo de protección adecuado para asegurarse de que no le piquen las abejas cuando las manipule. Además de obtener el traje de abeja adecuado, también hay otros elementos que puede considerar por su seguridad si está interesado en la cría de abejas.

Zapatos

Es crucial asegurarse de que sus pies estén cubiertos adecuadamente antes de excavar en su colmena. Puede lograrlo si obtiene las botas adecuadas que estén diseñadas específicamente para ese propósito. Cuando esté trabajando en sus colmenas, es importante usar botas de goma flexibles, ya que están diseñadas para brindar una gran protección a sus pies. También debe asegurarse de que sus botas sean de material de calidad para que las abejas no puedan picarlo a través del material. Como ya sabes, las abejas atacan si creen que quieres perturbar su colmena, por lo que siempre debes estar preparado.

Guantes

Los guantes también son importantes, ya que ofrecen protección a sus manos. Cuando elija guantes, debe asegurarse de que sean de material resistente y que sean lo suficientemente largos como para cubrir su brazo. También debe asegurarse de que los extremos estén hechos de elásticos para un ajuste ceñido para asegurarse de que ninguna abeja se escabulle para atacarlo. De todos modos, debes asegurarte de que los guantes estén diseñados para tener una ventilación adecuada para evitar que tu cuerpo se sobrecaliente mientras cosechas miel. Si bien algunas personas pueden optar por no usar ninguna ropa protectora, debe saber que las picaduras son inevitables y son parte de la cría de abejas. Siempre es esencial asegurarse de que las partes delicadas de su cuerpo estén completamente protegidas.

Hay diferentes opciones de ropa que puedes considerar, pero debes saber que las abejas suelen responder dependiendo de cómo te acerques a sus colmenas. Las abejas responderán en paz si no eres agresivo y estás a gusto. Las abejas también pueden darse cuenta de lo aprensivo que estás y pueden dejarte para que hagas lo tuyo. En el momento en que intentas acercarte a la colmena, las abejas se ponen alerta y están listas para atacar. Por lo tanto, cuando elija su ropa protectora, debe considerar sus necesidades personales, no lo que otros sugieran. Elegir acercarse a sus colonias sin ningún equipo de protección es algo que puede hacer eventualmente, después de que las abejas se hayan dado cuenta de quién es su cuidador y de que su acercamiento no es peligroso para su bienestar. Las abejas pueden ser peligrosas, así que esté siempre en el lado seguro y obtenga el equipo adecuado que se adapte a sus necesidades.

Abeja reina

La abeja reina es la encargada de poner huevos para asegurar la supervivencia y continuidad de la colonia de abejas. Una reina es un componente necesario de cualquier proceso de apicultura. Es esencial identificar a la abeja reina y, si no puede, es posible que deba volver a reina. Alternativamente, es posible que deba presentar una nueva reina a la colmena para garantizar su supervivencia. Para hacer esto, debes aprender cómo atrapar a la reina y mantenerla separada de otras abejas en la colmena si surge la necesidad.

Aquí es cuando un cazador de reinas es útil si eres un apicultor. Cuando revise sus colmenas, debe verificar si la colmena ha encontrado una reina para que pueda tomar una decisión informada sobre si introducir una nueva o criar una. Sin embargo, afortunadamente, la reina en la colmena puede quedarse todo el tiempo que quiera ya que siempre está protegida. Si desea atrapar un enjambre después de presentar a la reina a una colmena, también puede usar la misma herramienta. Debe saber que es posible que las abejas no lleguen a su colmena de forma natural, y es posible que deba atraparlas y llevarlas a su colmena.

Del mismo modo, cuando eres un principiante en la cría de abejas, es importante tener un marcador de reina que pueda ayudarte a identificar la abeja reina. Puede usar un marcador brillante para resaltar sus cuartos traseros para que pueda identificarla fácilmente. Esto te ayuda a localizarla si quieres transferirla a otra colmena para que puedas cultivar tu jardín de abejas.

Alimentadores

En algún momento, necesitará un comedero que pueda ayudarlo a proporcionar alimentación complementaria a sus abejas. Por ejemplo, cuando las plantas aún no han florecido, debes ayudar a tus abejas con un suministro de alimentos para que no tengan dificultades para sobrevivir. Puede hacer esto mezclando partes iguales de azúcar y agua que dispensa con un alimentador. Un alimentador no es una herramienta sofisticada como puede pensar. Puede usar un balde abierto con la solución de azúcar donde las abejas puedan acceder fácilmente.

Es importante comprar azúcar a granel para que las abejas se puedan multiplicar rápidamente y aumentar el número de colmenas. Si tiene muchas colmenas, también debe aumentar el número de comederos para que sus abejas puedan acceder fácilmente a los alimentos complementarios. Debes colocar tus comederos en posiciones estratégicas, lejos de tu casa, para que no interfieras con las abejas mientras buscan comida. Debes vigilar de cerca los comederos para que estén libres de hormigas, y también debes asegurarte de que no sean accesibles para otros animales o mascotas que tengas en casa.

Un fumador

Un ahumador es otra herramienta invaluable que todo apicultor debe tener, ya que está diseñado para hacer dóciles a las abejas agresivas. Esta herramienta está diseñada para confundir a las abejas para que piensen que hay un fuego veld cerca, lo que las obliga a comer la miel rápidamente en preparación para trasladarse a otro lugar. Con el estómago lleno, las abejas se vuelven físicamente inactivas y experimentan dificultades para inclinar su abdomen en preparación para picar. Esto puede ayudarlo a cosechar miel sin problemas, ya que las abejas estarán inactivas.

La otra ventaja de usar un fumador es que actúa como una máscara para prevenir el sistema de alarma de feromonas que a menudo levantan las abejas en guardia. Esto minimizará las reacciones defensivas de otras abejas, ya que no podrán comunicarse de una manera que les permita defender la colmena. Cuando hay humo en la colmena, las abejas se desorientan temporalmente y no pueden picar porque no pueden enviar advertencias por toda la colmena. Cuando las abejas están desorientadas, el apicultor puede fácilmente realizar sus tareas de inspeccionar las colmenas, extraer la miel, así como realizar la remoción de marcos sin desafíos como picaduras de abejas.

Existen diferentes tipos de ahumadores, pero el común es de acero inoxidable, y además consta de un escudo térmico. Un ahumador también viene junto con una chimenea sólida para mejorar la combustión. El humo flotará suavemente a través de la chimenea hacia la colmena, y debes esperar un momento antes de comenzar el propósito de extracción para permitir que el humo se extienda por toda la colmena. Esto ayudará a reducir la comunicación entre las abejas para que se vuelvan menos agresivas.

Herramienta de colmena

Una herramienta para colmenas es crucial ya que se utiliza para diferentes propósitos, particularmente cuando se realizan inspecciones de sus colmenas. Una herramienta de colmena es una herramienta plana de metal sólido que consta de un extremo curvo cónico y un extremo cónico afilado en el otro lado. Estas herramientas también constan de colores brillantes como el amarillo y el rojo para que sean fáciles de ubicar en el patio de abejas o incluso de noche.

Las herramientas de la colmena se utilizan principalmente para quitar los marcos que están pesados con propóleo, también conocido como pegamento de abeja. Esta es una sustancia pegajosa que está hecha de resina de árbol. También puede usar una herramienta de colmena para raspar el propóleo o abrir la colmena para cosechar un poco de miel. La herramienta también se puede utilizar para aplastar a intrusos no deseados como escarabajos.

Cepillo de abeja

Un cepillo para abejas puede ser más útil de lo que imagina, ya que se utiliza para diversos fines. El cepillo consta de cerdas suaves y se usa para sacar las abejas de los panales y otros lugares donde no quieres que estén, especialmente cuando estás recolectando miel. También puedes usar el cepillo para reparar un panal roto, pero debes usarlo con cuidado ya que las abejas pueden intentar picarlo. No aplique fuerza cuando esté usando el cepillo, ya que puede causar daño a las abejas. El uso inadecuado del cepillo también puede enojar a las abejas, lo que conduce a un aumento de las feromonas y una mayor agresión. Solo debe usar el cepillo cuando sea necesario para evitar causar problemas que puedan afectar su actividad apícola.

Libros sobre apicultura

La apicultura es una experiencia dinámica que cambia constantemente dependiendo de su entorno. Para tener éxito en esta práctica, es esencial leer muchos libros de apicultura para que pueda obtener una idea de las medidas necesarias que puede tomar para lograr sus objetivos deseados con más detalle. Tus abejas pueden verse afectadas por diferentes factores ambientales que debes conocer, y puedes obtener más conocimientos sobre la apicultura en diferentes libros. Otra cosa que debe saber es que cada colonia de abejas es diferente, por lo que debe tomar decisiones de manejo adecuadas en función de la colonia que tenga.

Cuando decida tener abejas, debe ser flexible y poder estudiar por qué las abejas se comportan de cierta manera. También debe saber cómo determinadas acciones pueden afectar el bienestar de determinadas abejas. Más importante aún, debe tener paciencia cuando se dedica a la apicultura. Hay muchos pasos involucrados y el progreso no ocurre de la noche a la mañana. Debe comprender las mejores prácticas de apicultura y obtener las herramientas adecuadas que pueden ayudarlo a lograr sus objetivos. Además, también puedes consultar a expertos en el campo de la apicultura para que puedas hacer lo correcto y evitar frustraciones que te desvíen.

Equipo de extracción

Los extractores de miel a menudo funcionan de la misma manera, ya sea que se utilicen para fines comerciales o a pequeña escala. Puedes conseguir un extractor de miel manual o eléctrico. Constan de cuerpos de acero inoxidable que son cilíndricos y tienen muchas cestas diseñadas para contener los marcos de miel. La miel se extrae de los marcos mediante fuerza centrífuga, y esto se aplica cuando se utiliza un extractor eléctrico o manual. La miel gotea por la pared interior del extractor, donde pasa a un grifo colocado en la parte inferior. Luego, la miel pasará por un colador de grado alimenticio, donde debe dejarse reposar durante aproximadamente 24 horas en los cubos de embotellado antes de embotellarla.

Si usted es un apicultor serio y tiene la intención de cosechar miel varias veces al año, debe invertir en equipos de extracción y embotellado. Puedes disfrutar de la extracción espontánea de la miel durante cualquier época del año siempre que tengas la certeza de que está lista para la recolección. Alternativamente, puede alquilar extractores de miel en su tienda local, ya que esta puede ser una opción más económica. Lo importante es asegurarse de extraer correctamente la miel.

Además de obtener las herramientas y el equipo adecuados para la apicultura, es fundamental operar con un presupuesto que pueda ayudarlo a obtener los artículos que se adapten a sus necesidades. Algunas herramientas para abejas vienen en forma de juegos y sus precios varían significativamente según factores como la calidad y el tamaño. Al elegir las herramientas, también debe comprender su propósito y cómo usarlas para no desperdiciar su dinero en artículos que tal vez nunca use. La cantidad de colonias que pretende conservar también puede ayudarlo a obtener el equipo adecuado.

Al igual que cualquier otro pasatiempo, si está interesado en la apicultura, debe invertir en las herramientas y equipos adecuados que puedan facilitar su esfuerzo. La apicultura ha evolucionado a lo largo de los años, por lo que debe investigar un poco que pueda ayudarlo a comprender las diferentes cosas que están involucradas en esta empresa. Si bien existen diferentes herramientas de apicultura disponibles en el mercado, es importante elegir el equipo que pueda satisfacer sus necesidades. Debe saber que los elementos que pueden funcionar para otras personas pueden brindarle resultados diferentes. Por lo tanto, debe atenerse a lo que cree que puede ayudarlo a alcanzar sus objetivos con menos molestias. Con las herramientas adecuadas, puede hacer de la apicultura un pasatiempo emocionante o una empresa lucrativa. De todos modos, siempre debes recordar que las abejas pueden ser muy peligrosas, así que asegúrate de que tu jardín de abejas esté ubicado en un lugar seguro que esté a salvo de la interferencia de humanos y animales.

Capítulo 9

Colmenas de Bricolaje

Como ha leído hasta ahora en este libro, le proporcionamos todas las herramientas que necesita para construir su propia casa en el patio trasero. Después de haber discutido la relevancia de la apicultura y cómo tendrá un impacto tan positivo en los rendimientos de su jardín, es hora de hablar sobre las colmenas de bricolaje. Al final de este capítulo, podrá identificar todo lo que necesita para comenzar con la colmena de su jardín. Ya sea que esté pensando en vender su cosecha de miel o simplemente quiera autoabastecerse, es un proyecto interesante que no requiere mucho tiempo ni dinero. Continúe leyendo lo siguiente para descubrir todo lo que necesita saber sobre las colmenas de bricolaje.

1. Colmena de bricolaje

Construir su propia colmena significa que no hay solo una forma de hacerlo, puede usar diferentes herramientas y materiales siempre que la colmena termine siendo adecuada para sus abejas. Los diferentes tipos de colmenas incluyen:

• *Colmena Langstroth*

Como mencionamos anteriormente en el capítulo 5, la colmena Langstroth es una de las más populares preferidas por los apicultores principiantes y experimentados por varias razones.

1. Tiene una estructura apilable, lo que significa que puede agregar y quitar capas como mejor le parezca.

2. Es muy común, por lo que le resultará muy fácil encontrar accesorios y accesorios ya hechos para su colmena.

3. Requiere poco o ningún mantenimiento.

4. Le ahorrará espacio. Esta es una característica esencial si tiene un espacio limitado en su patio trasero.

Sin embargo, para tomar la decisión correcta, también debe comprender los inconvenientes de la colmena Langstroth. Por lo general, es pesado, por lo que es posible que no pueda cambiar su ubicación una vez que lo configure. Además, una estructura típica de colmena de Langstroth no tiene aberturas para permitirle ver su interior.

Para construir una colmena Langstroth, deberá tener troncos de madera resistentes y algunas herramientas básicas como una sierra de mesa, un taladro y tijeras para hojalata. Aquí hay una descripción general de lo que comprende una colmena.

1. La colmena Langstroth consta de un cajón inferior, que es el único lugar por el que las abejas pueden entrar y salir.

2. Un reductor de entrada es más o menos un accesorio; sin embargo, lo necesitará para controlar la temperatura dentro de la colmena, especialmente durante el invierno, cuando querrá proteger a sus abejas del clima frío. Sin embargo, durante el verano, cuando es la temporada de recolección de miel, no necesitará el reductor de entrada, y es mejor quitarlo por completo para permitir una mayor producción de miel.

3. El cuerpo de la colmena es el lugar donde viven las abejas. Puedes construir dos cuerpos de colmena, uno para las abejas y el otro para su comida. Si vive en un clima relativamente más frío, los expertos aconsejan usar solo un cuerpo de colmena para mantener calientes a las abejas.

4. También hay un excluidor de reinas en cada colmena, ya que la abeja reina no participa en la fase de producción de miel. Necesitará el excluidor de reinas para separar entre el cuerpo de la colmena y el súper miel, que se coloca en la parte superior. El excluidor de reinas también evitará que la abeja reina ponga huevos en su producción de miel.

5. La súper miel tiene una forma idéntica a los cuerpos de la colmena, pero por lo general es menos profunda. Aquí es donde se produce la miel que obtendrás de tus abejas. Como apicultor principiante, no necesitará más de una súper caja de miel. Sin embargo, a medida que agrega más abejas a su colonia, puede agregar más súper cajones de miel para acomodar el aumento correspondiente en la producción de miel.

6. En cada colmena, encontrará marcos. Las abejas usan marcos para construir el panal. Debe asegurarse de que los marcos estén equipados con una hoja de base adecuada hecha de cera de abejas o plástico.

7. La cubierta interior de la colmena es una sencilla bandeja de madera con un agujero en el medio. Esto permite que el aire entre y salga de la colmena.

8. La capa más externa que se usa para proteger a sus abejas del mundo exterior es la cubierta superior. Para una protección adicional contra las condiciones climáticas cambiantes, puede colocar una lámina de material aislante hecha de tapajuntas de aluminio en la parte superior de la cubierta exterior.

Este es un proyecto simple que puede realizar durante un fin de semana. Busque en línea para encontrar una guía paso a paso que lo guíe a través del proceso si no se considera un gran manitas. Construir su propia colmena Langstroth le ahorrará mucho dinero y le permitirá personalizar su colmena para que se ajuste a sus necesidades personales.

• *Colmena de barra superior*

La colmena de la barra superior es otra variación de las colmenas que puede construir usted mismo en su patio trasero. Esta colmena es uno de los estilos más antiguos que los apicultores han estado usando durante años. La colmena Top Bar parece una pequeña mesa de comedor con barras de madera colocadas encima de la cavidad de la colmena, y generalmente tiene un cuerpo rectangular o en forma de bañera. Las abejas usan las barras guiadas para construir sus panales y dejarlos colgar derechos. Las colmenas Top Bar son fáciles de manejar y menos complicadas que las colmenas Langstroth. Los principales beneficios de las colmenas Top Bar incluyen los siguientes:

1. La estructura simple de este tipo de colmena significa que su construcción es extremadamente barata.

2. Es móvil gracias a su estructura ligera y minimalista.

3. Requiere maniobras mínimas para mantener, lo que significa que sus abejas tendrán interrupciones mínimas.

4. Los peines de barra de madera son fáciles de mover y permiten una fácil inspección.

5. Proporciona una mejor observación que el Langstroth debido a su configuración horizontal plana.

416

6. Reduce la posibilidad de ser picado por las abejas, por lo que es muy recomendable para apicultores principiantes como usted .

Sin embargo, en el lado negativo, las colmenas Top Bar requieren un trabajo de mantenimiento frecuente y se sabe que producen menos miel que otros tipos de colmenas. Además, si desea cultivar su colonia de abejas, necesitará un gran espacio para acomodarla si está utilizando una colmena Top Bar .

Para hacer bricolaje en su colmena Top Bar, deberá hacer lo siguiente:

1. Puede usar un barril de plástico viejo cortado por la mitad para hacerse pasar por el cuerpo de la colmena. Asegúrate de limpiar bien el barril y frotar su interior con cera de abejas para que sea más atractivo para tus abejas.

2. Usando madera de madera resistente como cedro o madera contrachapada, use su sierra para crear un marco para cubrir los cuatro lados de su barril, luego fíjelo con algunos tornillos y pegamento para madera resistente que es resistente a la temperatura.

3. De acuerdo con su propia altura, construya las patas de madera para llevar el barril a una altura adecuada que le permita trabajar cómodamente sin forzar la espalda.

4. Atornille las patas de madera al cañón y asegúrese de que estén bien fijadas.

5. Mide la longitud de tu barril y corta las barras de madera que las abejas usarán para construir sus panales. Asegúrese de agregar una guía para que los panales salgan derechos y no se colapsen. Puede colocar un cordel recubierto de cera de abejas en cada una de las barras.

6. Construya el techo de la colmena con una hoja de hojalata, pero asegúrese de dejar aproximadamente un cuarto de pulgada en cada lado para asegurarse de que el techo cierre correctamente el barril.

7. Asegure los pedazos adicionales del techo de hojalata atornillándolos a los lados de la circunferencia del marco de madera del cañón.

8. Para asegurarse de que el techo permanezca en su sitio y no se vuele; puede utilizar un alambre para atarlo al cuerpo de la colmena.

Las colmenas Top Bar son simples y fáciles de construir. Puedes conseguir terminar el tuyo en cuestión de horas.

• *colmena Warre*

Una colmena de Warre se parece mucho a una colmena de Langstroth por fuera. Sin embargo, las colmenas Warre tienen algunas características distintivas que las hacen únicas. En general, las colmenas Warre constan de 3 capas principales colocadas verticalmente una encima de la otra. Cada una de estas capas, la base, las cajas y el techo tienen un propósito. Las colmenas de Warre son excelentes por las siguientes razones:

1. Proporcionan el entorno más natural para las abejas.

2. Son los más fáciles de mantener y se consideran livianos en comparación con la colmena Langstroth de forma similar.

3. Las colmenas Warre permiten una perturbación mínima para las abejas.

4. La orientación vertical de las colmenas Warre las hace eficientes en cuanto al espacio.

Construir una colmena Warre te costará más que una barra superior o una colmena Langstroth. Además, no son tan livianos como la barra superior, lo que dificulta moverlos si es necesario.

Con habilidades de carpintería intermedias, puede construir una colmena Warre siguiendo los pasos a continuación:

1. Empiece por construir el cuerpo de la colmena. Usando troncos de madera de calidad, puede construir el cuerpo de la colmena con dimensiones de 300X300X210 milímetros para crear el espacio donde sus abejas pasarán la mayor parte de su tiempo.

2. A continuación, puede proceder a construir las barras Topp. Puede cortar 8 barras de madera de 24X315 milímetros para crear las barras superiores en las que las abejas construirán sus panales.

3. La tabla del suelo sería su próximo paso. Básicamente, es compatible con toda la colmena, por lo que debe asegurarse

de hacer un gran trabajo con ella. Se recomienda encarecidamente construir patas de madera a partir de madera tratada para transportar la colmena Warre en lugar de colocarla directamente en el suelo. Esto mantendrá su colmena segura y fuera del alcance de animales curiosos como roedores. La elevación también protegerá tanto la tabla del piso como el suelo debajo. Para construir el entarimado, puede cortar una bandeja de madera de 338X338 milímetros con un espesor mínimo de 15 milímetros. Puede agregar una tabla de aterrizaje debajo para que sea más fácil para las abejas ingresar a la colmena desde el exterior.

4. La caja de la colcha, por otro lado, es la capa que se encuentra justo debajo del techo. Puede usar las mismas medidas que usó para el cuerpo de la colmena para construir la caja del edredón. Sin embargo, no es necesario que sea tan grueso, ya que solo soportará el peso del techo. Llena la caja de la colcha con virutas de madera para controlar la humedad dentro de la colmena y ayudar a aislarla de las condiciones climáticas externas.

5. Puede usar madera o metal para construir su tejado a dos aguas y dejar que las gotas de lluvia y la nieve caigan de la colmena. Es importante crear una abertura de ventilación en el techo para mantener fresca la colmena durante el verano. Normalmente, el techo debería tener 120 milímetros de profundidad. Si le resulta más fácil, puede construir la caja del edredón y el techo como una sola estructura.

Lo mejor de las colmenas de Warre es que no es necesario vigilarlas constantemente. Requieren una intervención mínima de su lado y brindan a sus abejas el mejor ambiente para hacer lo suyo.

Colmenas de bricolaje más simples

Si los modelos anteriores te parecen un poco intimidantes, no te preocupes, tenemos otras alternativas para que elijas. Aquí hay algunas ideas para colmenas de bricolaje más simples que puede "construir" a partir de artículos reciclados que puede encontrar fácilmente en casa o comprar en una tienda de segunda mano.

• *Caja de computadora vieja*

La estructura ya hecha significa que necesitará una carpintería mínima para construir una cubierta básica para su colmena. Debido al tamaño limitado, esta es una colmena de inicio que solo se adaptará a una pequeña colonia de abejas. Sin embargo, es un gran lugar para comenzar a experimentar con la apicultura y perfeccionar sus habilidades.

• *Colmena Mason Jar*

Los tarros de cristal son básicos en los proyectos de bricolaje. Puede ser una sorpresa, pero en realidad puedes usar estos frascos versátiles para construir tu propia colmena peculiar. Lo mejor de esta alternativa es que el panal y la miel ya estarán dentro de los frascos, lo que te ahorrará la molestia de cosechar las estructuras de colmena más tradicionales.

• Colmena Nucleus

Piense en la colmena del núcleo como la versión compacta de las colmenas estándar de Langstroth o Warre. Puede usarlo para comenzar con algunos marcos hasta que domine la apicultura, y luego puede pasar a versiones más legítimas.

• Colmena de troncos

Usando el tronco de un árbol que se derrumba en su patio trasero, puede crear huecos simples para que aniden sus abejas. Esta es la colmena de bricolaje más barata que puedas construir.

• Colmena de neumáticos viejos

Dado que este libro está destinado a guiarlo para que se convierta en un granjero profesional, se le anima a explorar nuevas formas de reutilizar y reciclar los elementos que ya tiene. Con un par de neumáticos viejos, puede construir un hogar para que sus abejas prosperen y produzcan la mejor miel orgánica a un costo mínimo.

2) Añadiendo las abejas

Ahora que tiene muchas opciones de colmenas para elegir, es hora de agregar sus abejas melíferas. Puedes comprar o atrapar abejas.

• Compra de abejas

Por lo general, tiene un par de opciones para comprar abejas:

1. Paquete de abejas: Por lo general, se trata de entre 2 y 5 libras de abejas, incluidas las obreras y una abeja reina selladas por separado. El paquete también viene con un alimentador lleno de jarabe para alimentar a sus abejas. Puede obtener paquetes

de abejas en línea o de un proveedor local que le brindará toda la información que necesita sobre cómo instalar las abejas en su colmena y la mejor manera de presentar a la reina.

2. Colmena de núcleo: Las colmenas de núcleo, como se las conoce comúnmente, suelen estar formadas por 5 marcos, que incluyen el panal, las abejas, las abejas bebés (cría) y una reina. Aunque comprar una colmena núcleo le permite comenzar a cosechar su miel, se considera que es un enfoque más arriesgado, ya que nunca puede estar seguro de la salud y seguridad de la colmena del donante.

• *Atrapando las abejas*

Si está buscando ahorrar dinero y las leyes de su estado permiten la captura de abejas silvestres, puede recolectar un enjambre de abejas silvestres. Durante la primavera, encontrará grupos de abejas que viajan juntas en busca de un nuevo espacio para acomodar su creciente colonia. Aunque recolectar abejas mientras pululan es relativamente fácil, ya que las abejas tienden a estar tranquilas, debes asegurarte de llevar la ropa adecuada en caso de que te piquen. Además, tener un fumador a mano puede ser útil si las abejas comienzan a ponerse nerviosas. Los expertos recomiendan que consulte con su asociación de apicultura local para que le ayude a encontrar las mejores formas de garantizar la salud de sus enjambres y que la reina esté viva y sana.

3) Apicultura

Ahora que tienes tu colmena llena de abejas, comienza el verdadero trabajo. Puede registrarse para asistir a clases de apicultura en línea o unirse a la asociación de apicultura local para asegurarse de tener suficiente conocimiento sobre cómo mantener a sus abejas saludables y felices. Conéctese con apicultores experimentados y pregunte si puede seguirlos para ver cómo manejan sus colmenas y aprender sobre los pequeños consejos y trucos. Después de un tiempo, podrá dominar la apicultura y comprender todo lo que necesita hacer para una empresa exitosa.

Además de los numerosos beneficios que mencionamos en capítulos anteriores sobre la apicultura, también puede ser un pasatiempo interesante. El cuidado de sus abejas le enseñará mucho sobre la naturaleza y apreciará las cosas simples de la vida. Ahora que nos acercamos al final de este libro, el siguiente capítulo le proporcionará información importante sobre las mejores prácticas en apicultura. También aprenderá sobre las herramientas que necesita para mantener su colmena para que pueda prosperar y crecer más cada día.

Capítulo 10

Mejores Prácticas y Mantenimiento

Cada apicultor se preocupa por el bienestar y el equilibrio de sus colmenas y se esfuerza por mantener las colonias con los más altos estándares. Para asegurarse de que la colonia esté bien mantenida, se deben seguir ciertas prácticas para que las abejas vivan en las mejores condiciones posibles. Desafortunadamente, en el mundo de hoy, se ha vuelto cada vez más desafiante mantener el bienestar de la colmena y garantizar que las abejas sigan siendo productivas y saludables, ya que la contaminación junto con otros factores ambientales y humanos pueden disuadir eso. Sin embargo, no es imposible ofrecer un buen cuidado a sus abejas melíferas y mantener sus colmenas con estándares de calidad que no solo serían rentables para usted como cuidador, sino también para el planeta en su conjunto. Estas son algunas de las mejores prácticas y consejos de mantenimiento que pueden ayudarlo a comenzar con su colmena de abejas melíferas.

Nutrición para abejas

Lo primero que debe estar en la lista de mantenimiento esencial y mejores prácticas para las abejas de cualquier apicultor es saber cómo mantener la colmena viva y en buena salud. Las abejas son como cualquier otro ser vivo; necesitan una buena nutrición para sobrevivir y ser productivos. De hecho, las abejas se encuentran entre las criaturas más productivas que se encuentran en la tierra, y necesitan suficiente nutrición para mantenerse fuertes e incluso aumentar esa productividad en algunos casos, dependiendo de para qué se las mantenga. Un apicultor exitoso siempre debe estar atento al tipo de nutrición que reciben sus abejas y cómo responde la colmena a ese tipo de nutrición. Hay varias formas de mantener a las abejas en buen estado de salud en lo que respecta a su nutrición, y cada una de ellas depende de diferentes factores ambientales y físicos.

• Forraje natural

Las abejas han estado sobreviviendo solas, y todavía lo hacen, sin ninguna intervención humana en su cuidado. Son criaturas muy inteligentes que saben cómo cuidarse y alimentarse en consecuencia con una nutrición equilibrada. Es por eso que en muchos casos de apicultura, los cuidadores pueden simplemente confiar en la forja natural como una forma de nutrición para las abejas, donde pueden moverse y obtener la comida que necesitan de los cultivos que las rodean. El trabajo del apicultor, en este caso, sería simplemente colocar la colmena en un lugar adecuado donde haya una diversidad saludable de polen natural en colecciones florales que permitiría a las abejas alimentarse por sí mismas de manera segura y depender de sí mismas para su nutrición. El apicultor también debe evitar la sobrepoblación de un lugar de cultivos florales con demasiadas abejas y una gran cantidad de colmenas. En cambio, deberían dividir las colmenas, si hay más de una, en grupos separados en diferentes lugares adecuados para que las abejas puedan obtener la nutrición suficiente que necesitan sin competir por el polen.

• *Alimentación suplementaria*

En ciertos lugares, las condiciones climáticas pueden ser muy extremas o bastante favorables, y la colmena puede encontrar un desafío para obtener el tipo correcto de nutrición de manera tradicional o natural. En tales circunstancias, el apicultor debe trabajar para proporcionar alimentación complementaria a la colonia, donde proporcionan empanadas de polen de proteína para que las abejas se alimenten durante la temporada de almendras si son abejas melíferas. Dicho esto, las empanadas de polen de proteína son esenciales para los apicultores que buscan construir colonias fuertes en condiciones climáticas no adecuadas, donde pueden mejorar enormemente las tasas de supervivencia y rendimiento de la colmena. Las hamburguesas de proteína son extremadamente nutritivas y fáciles de absorber para las abejas, ya que no representan ningún riesgo artificial para la salud de la colonia, sino que ayudan a mejorar el bienestar general de las abejas.

• *Hidratación*

Al igual que cualquier otro ser vivo del planeta Tierra, las abejas necesitan agua para sobrevivir. Los apicultores deben proporcionar una gran cantidad de fuentes de agua para que las abejas encuentren y se mantengan hidratadas, especialmente durante las temporadas de sequía, donde muchas colonias pueden enfrentar mayores riesgos de muerte por deshidratación más que cualquier otra cosa. Incluso si hay una fuente de agua natural en el área circundante donde se encuentra la colmena, es trabajo del apicultor asegurarse de que esa fuente de agua esté limpia y sea segura para que la consuman las abejas. Ver la mayor cantidad de fuentes naturales de agua pueden infectarse con insecticidas o fertilizantes dañinos que pueden ser mortales para las abejas. El apicultor puede construir sus propias fuentes de agua artificiales que serían fácilmente accesibles para las abejas para que puedan seguir buscando polen mientras se mantienen bien hidratadas.

Control de plagas

La peor pesadilla de un apicultor es encontrar plagas en la colmena. La colmena es el hogar de las abejas y, al igual que cualquier hogar, necesita un mantenimiento regular y un alto nivel de limpieza para garantizar que las abejas estén seguras y gocen de buena salud. Para evitar que las plagas se cuelen en la colonia y se dirijan a la colmena, el cuidador debe tomar numerosas medidas. Se sabe comúnmente que diferentes tipos de plagas y virus afectan a las colmenas, y algunos de ellos pueden ser extremadamente peligrosos e incluso mortales si no se detectan temprano y se eliminan de manera efectiva. Ciertos tipos de toxinas y el virus Varroa se encuentran entre los riesgos más comunes que puede enfrentar cualquier colmena.

• *Métodos de verificación*

El control de plagas en la colmena comienza con chequeos regulares en la colonia. Las toxinas se pueden detectar fácilmente con un equipo profesional que puede detectar cualquier aire venenoso o insecticidas persistentes. Buscar Varroa, sin embargo, puede ser un poco más desafiante, pero igualmente esencial. Puede verificar la presencia de Varroa usando tablas adhesivas para determinar con precisión el recuento de ácaros y averiguar cómo se pueden tratar en consecuencia en un momento posterior. Es posible que el apicultor también necesite usar un lavado con alcohol junto con azúcar o un rollo de éter para estar seguro de dónde se encuentra la Varroa en la colmena y cómo se puede eliminar.

• *Eliminando métodos*

Una vez que verifique si hay plagas y las encontrará en la colmena, el siguiente paso lógico sería eliminarlas y trabajar en formas que aseguren que nunca puedan regresar. En el caso de Varroa, es probable que el uso de polvo de azúcar en polvo y ciertos productos químicos suaves sirva para eliminar el virus por completo. Los ácaros de Varroa pueden reaparecer durante la temporada de verano si los tratamientos no se realizan de forma regular, por lo que debe asegurarse de que los ácaros se hayan ido antes de que comiencen a duplicarse en número. Por otro lado, cuando se trata de otros tipos de toxinas, ser consciente del tipo de exposición a las toxinas cerca de su colonia es clave para eliminar cualquier problema antes de que se desarrollen más. Renovar la cera de abejas de vez en cuando también puede garantizar que todas las toxinas encontradas en la colmena se eliminen todos los años.

Mantenimiento del equipo

Los apicultores utilizan una variedad de herramientas y equipos cuando se trata de mantener las colmenas y cuidar a las abejas. Para poder cuidar a las abejas y mantener las colmenas con los más altos estándares, es esencial asumir la práctica de mantener el equipo en sí. Esto se puede hacer revisando regularmente los marcos podridos o los cabos sueltos en la colmena y arreglándolos rápidamente antes de que colapsen con la colonia. También es importante asegurarse de que su atuendo de apicultor esté en buen estado para que no arriesgue su propia salud en el proceso de apicultura así como la de las abejas. Puede ser conveniente realizar la mayor parte del trabajo de mantenimiento en las colmenas durante los meses de invierno, ya que facilita las cosas tanto para el cuidador como para las abejas si es necesario realizar algún reemplazo.

Seguridad de la colmena

Tener una colmena en su granja puede ser extremadamente valioso. Las abejas melíferas, en particular, son muy buscadas y los ladrones las vigilarán. Es por eso que asegurarse de practicar los últimos estándares de seguridad de las colmenas es enormemente esencial, especialmente si tiene una gran cantidad de colmenas en su propiedad. A medida que aumenta el valor polinizador de los cultivos en su propiedad, aumenta el riesgo de robo de colmenas. Para asegurarse de que sus colmenas estén seguras y protegidas del riesgo de robo, asegúrese de mantener todas sus colmenas identificadas o numeradas de manera que sea fácil identificarlas. También debe verificarlos de manera regular e instalar los sistemas de vigilancia necesarios que le notifiquen de cualquier incumplimiento. También es esencial practicar la discreción cuando se trata de mostrar a diferentes personas alrededor de su propiedad, o el patio donde se guardan las colmenas.

Monitoreo de la colonia

Un apicultor exitoso siempre debe conocer todos los entresijos de la colonia y cada pequeño detalle de las colmenas. Monitorear la colonia significa conocer las necesidades de cada grupo de abejas que tienes. Estos chequeos son algo que debe hacerse de forma regular y activa para asegurar que la colmena no pierda su productividad y fuerza bajo la nariz del apicultor. Si una colonia muestra signos de debilidad, es esencial mantenerla separada de otras fuertes y concentrarse en devolver esa colonia a su fuerza completa, mientras se trabaja en analizar y comprender las causas del problema para evitar que vuelva a suceder.

Gestión prudente de las acciones

El mantenimiento de las colmenas no es una tarea fácil e implica una gran cantidad de herramientas, equipo y existencias de todo lo necesario para un estándar de alta calidad de las colonias. Las existencias, en este caso, no son solo elementos utilizados para el cuidado de las abejas, sino que también incluyen existencias de colonias de abejas, por lo que elegir los tipos correctos y mantenerlos de manera efectiva son pasos cruciales para administrar adecuadamente sus colmenas. Algunas colonias de abejas pueden ser extremadamente agresivas en lugar de productivas. Esas existencias de colonias no son las que necesita en su propiedad, ya que no tendría ninguna ventaja mantenerlas. Es aconsejable mantener la productividad de las colonias existentes volviéndolas a reinar anualmente para garantizar que la productividad no disminuya y que la polinización nunca se detenga.

Mejores prácticas de mantenimiento para la apicultura como negocio

Algunas personas crían abejas como una especie de pasatiempo o con fines personales. Sin embargo, si está criando abejas para comenzar o trabajar en un negocio rentable, su escala de mantenimiento y el tipo de prácticas que usted o cualquier empleado necesitan para ser profesionales y eficientes. Esto asegurará el éxito de ese negocio, y tener contratos que cubran cada pequeño detalle con respecto a cualquier trato realizado con respecto a las colonias de abejas es un paso esencial que debe tomar cualquier apicultor comercial. Garantiza la seguridad de todas las partes involucradas, así como la seguridad de las colmenas.

• *Eficiencia*

Cualquier negocio requiere un alto estándar de eficiencia para ser practicado, mantenido y para asegurar su éxito. Lo mismo ocurre

432

con el negocio de la apicultura. Es esencial que los apicultores profesionales estén completamente al tanto de todos los detalles relacionados con sus colonias y trabajen en registros sólidos que puedan atraer a los productores y otras partes interesadas a sus colmenas. El uso de equipos de calidad y el cumplimiento de altos estándares de cuidado también es esencial para mantener la eficiencia del negocio, así como para mantener productivas las colonias de abejas.

• *Aprendizaje continuo*

La apicultura es una experiencia educativa de la que los apicultores nunca dejan de aprender. Hay nuevos desarrollos en el campo del mantenimiento de la apicultura y se están creando constantemente prácticas inteligentes que pueden ayudar a los dueños de negocios a llevar un negocio apícola más exitoso. Hay numerosas revistas de apicultura y artículos científicos que se publican constantemente con todos los desarrollos esenciales de los que los apicultores podrían beneficiarse, así que asegúrese de mantenerse actualizado con las noticias y metodologías apícolas. Si es apicultor, también puede valer la pena unirse a grupos y organizaciones apícolas para establecer contactos y aprender de otros profesionales en el mismo barco que usted.

• *Creatividad e inclusión*

Dirigir un negocio apícola exitoso requiere ser creativo, ya que el mercado actual está lleno de ideas innovadoras y avances tecnológicos que dificultan que cualquiera se destaque entre la multitud. Para obtener esa ventaja adicional de creatividad como apicultor, es importante retribuir a su comunidad al incluir nuevos talentos y trabajar con ellos para incorporar nuevos avances a sus estrategias tradicionales de apicultura. Incluir nuevos talentos significa retribuir a la industria y mantenerse creativo. Los apicultores también pueden contribuir a nuevas investigaciones sobre abejas y colonias y permitir a los científicos monitorear sus colmenas, así como generar nuevas investigaciones que puedan beneficiar a todos, incluido usted y su entorno.

Abejas y prácticas agrícolas

Los cultivos y la apicultura son dos cosas que van de la mano de una manera muy armonizada. El mantenimiento de las colmenas junto con los cultivos agrícolas depende en gran medida de la ubicación de las colonias en relación con la de los cultivos, de modo que el proceso de polinización se pueda realizar fácilmente con facilidad de acceso y conveniencia. También es esencial que los apicultores vigilen los tipos de productos químicos que se utilizan en las áreas agrícolas cercanas, ya que en la mayoría de los casos, estos productos químicos pueden ser extremadamente tóxicos para las colonias. Asegurar que el proceso de cuidar los cultivos de forma segura y al mismo tiempo vigilar a las abejas y a dónde van es esencial para el bienestar de las abejas y el éxito del negocio.

Fundamentos de polinización

El proceso de polinización suele ser un acuerdo entre un productor y un apicultor. No es muy común encontrar un dueño de negocio que sea ambos. Entonces, cuando se trata de polinización, ambas partes se benefician del proceso. Es por eso que es una práctica esencial firmar contratos justos para ambas partes, donde todos los detalles están claramente establecidos para que todos estén de acuerdo y se beneficien. También es importante que el apicultor esté cerca y vigile las colonias durante el período de polinización para ver a las abejas en acción y monitorear el proceso en consecuencia.

Seguridad con abejas

Las abejas son seres muy amigables; sin embargo, requieren prácticas muy cuidadosas cuando se trata de cuidarlos y mantener sus colmenas para garantizar que el apicultor esté seguro y alejado de cualquier riesgo. Un apicultor profesional siempre debe llevar ropa adecuada cuando se acerque a la colmena y practicar una higiene impecable para no infectar la colonia con bacterias u otras toxinas. Todo el equipo utilizado con las abejas debe limpiarse y desinfectarse regularmente con productos químicos suaves que no dañen a las abejas de ninguna manera para ayudar a los apicultores a realizar su trabajo en un entorno seguro.

La apicultura es una práctica tan antigua como los tiempos. Las abejas son seres vivos muy productivos que mantienen el equilibrio en nuestro planeta, por lo que tiene sentido que los apicultores deban esforzarse y trabajar duro para mantener una vida de alta calidad para el bienestar de sus colonias de abejas. La apicultura es un viaje educativo, por lo que, como apicultor, es importante seguir aprendiendo e investigando siempre que intente cuidar a las abejas y mantener sus colmenas para asegurarse de obtener la experiencia más gratificante en la apicultura.

Conclusión

Una granja es una inversión bastante grande en su futuro, que gira en torno a la sostenibilidad, la experiencia y la mano de obra que usted pone. Varios enfoques de propiedad varían en dificultad y nivel de experiencia requerido. Esto se tomó en consideración ya que este libro fue escrito pensando en principiantes y entusiastas sin experiencia.

Su primer contacto práctico con la experiencia de la vivienda será a través de la elección del equipo adecuado que va a necesitar. El tipo de equipo que se requiere depende principalmente del tipo de vivienda que va a hacer. Ya sea que vaya a utilizar un hacha para cortar leña para una chimenea o un tractor para cultivar muchos acres, querrá asegurarse de invertir el tiempo suficiente en comprender la necesidad de estas herramientas en su situación específica de vivienda.

Dado que el enfoque del libro es principalmente la jardinería y la apicultura, es importante asegurarse de tener guantes, paletas de mano y palas para jardinería. Herramientas para colmenas, cepillos para abejas, lupas, drones, kits de marcado de reinas y muchos otros. Por eso es importante leer atentamente el capítulo sobre las herramientas y el equipo necesarios para la construcción de viviendas, ya que puede resultar confuso cuando compra equipo por primera vez sin una brújula que lo guíe. Tampoco desea comprar una herramienta una vez que surja la ocasión para su uso; es mejor estar preparado porque apresurarse a comprar equipo no suele ser práctico.

Dicho esto, la creación de un jardín en el patio trasero requiere una evaluación cuidadosa de sus necesidades, al tiempo que se tiene en cuenta la necesidad de escalarlo más o diversificarlo más adelante. No querrá gastar su dinero en establecer el tipo incorrecto de propiedad en el patio trasero para sus necesidades. Es por eso que el tamaño, el tipo y las condiciones de la propiedad son los factores más importantes que definen cualquier proyecto de propiedad. Un patio trasero que sea más adecuado para la jardinería no debe utilizarse como terreno para criar ganado. Las áreas rurales que no tienen fuentes estables de electricidad pueden necesitar un generador o paneles solares para mantenerse alimentadas de manera más eficiente. Notará que tomará sus decisiones basándose en la imagen final de la granja que tiene en mente, así que asegúrese de que sea lo suficientemente elaborada para llevarla a cabo.

Por supuesto, tener poca experiencia con las flores puede hacer que el proceso de elegirlas para el jardín de su patio trasero sea más difícil de lo que realmente es. Querrá asegurarse de incluir plantas aptas para polinizadores, ya que es posible que desee atraer abejas para la apicultura de su patio trasero. Las plantas aptas para los polinizadores juegan un papel importante en el ecosistema de cualquier jardín, por lo que es su principal prioridad cuando elige los tipos adecuados para su jardín. Las flores a menudo se clasifican en tres categorías estacionales diferentes. Son anuales, que pueden florecer durante toda la temporada y algunas incluso se siembran por sí solas; bienales, que tardan un año más en florecer; plantas perennes, que duran más tiempo pero son las más caras, ya que tienden a morir rápidamente.

También es esencial realizar un seguimiento de la logística y las dimensiones de su futuro jardín. No solo está plantando flores con fines decorativos; está buscando proporcionar algo de sustento utilizando los productos de las plantas que va a plantar en el jardín. Es por eso que este libro se centra en las condiciones climáticas cuando se trata de elegir los cultivos para los que su jardín es más adecuado. Este es uno de los aspectos más agradables que experimentará en la agricultura. Diseñar un jardín puede hacer que se entregue a las tradiciones de jardinería occidental y oriental. No obstante, encontrar formas creativas de definir visualmente los límites de su jardín puede ser una experiencia desafiante pero divertida.

El jardín que diseñes va a tener un microclima que se puede aprovechar si eliges los cultivos adecuados para él. Puede echar un vistazo a los jardines de sus vecinos para ver qué tipo de plantas se ven más saludables y conocer las especies nativas que pueden funcionar en un clima similar. ¡No querrás plantar un árbol del tamaño incorrecto en el lugar incorrecto!

Algo tan simple como los tomates que tardan unos días en ser transportados desde las granjas a las tiendas de abarrotes y finalmente a la puerta de su casa comenzará a tener un sabor bastante insípido cuando los compare con los tomates que está cosechando en su patio trasero. En general, consumirá muchas más verduras cuando sea usted quien las esté plantando. Esto se debe a que podrá probar estas verduras en el mejor estado posible y también disfrutará comiendo algo por lo que ha trabajado duro.

Por otro lado, el contenido de vitaminas de la vegetación que cosechas y comes de tu jardín será mucho más alto que el que ha sido tratado con pesticidas tóxicos y fertilizantes artificiales. Incluso el ejercicio físico que harás para plantar flores, verduras o árboles mantendrá tu cuerpo en forma durante mucho tiempo, siempre que lo mantengas. Mucha gente trata la jardinería en el patio trasero como una actividad para aliviar el estrés que les permite tomar el sol y ayudarles a sentirse rejuvenecidos.

Dicho esto, cuando tienes el control de los cultivos y la tierra, es fácil trasladar los cultivos a otra área si no funciona como esperabas. No necesita un equipo de personas con experiencia para mover sus plantas de un área a otra cuando tiene una casa en el patio trasero. Esto también es bastante beneficioso para los cultivos que son vulnerables a las plagas, ya que el área pequeña no hará que sea propensa a ser atacada por insectos en enjambres como ocurre en las granjas. Esto también significa que podrá mantenerlo fácilmente sin muchos costos adicionales.

Y, por supuesto, quienes están familiarizados con la miel cruda saben lo cara que puede ser. Es conocido por sus útiles enzimas que generalmente se pierden cuando se empaquetan de manera convencional para venderlas en las tiendas de comestibles. La miel orgánica que cosechas tú mismo en tu propia granja, por otro lado, es bastante segura de consumir si se recolecta correctamente, con la ayuda de las famosas propiedades antibacterianas que la protegen de los gérmenes y bacterias cuando se almacena.

Aparte de la deliciosa miel cruda, tendrás acceso a; La apicultura fue elegida para este libro por una gran variedad de beneficios. Nada puede hacer que su granja sea tan sostenible financieramente como la apicultura podría agradecer su gran valor financiero. Sin embargo, no debe vender sus abejas a la baja y pensar erróneamente que la miel es el único producto que puede obtener de ellas. La cera, el propóleo y la cera real se encuentran entre los productos más caros que las abejas producen fácilmente. Algunos colonos apícolas deciden convertirse en criadores de reinas para suministrar abejas a los apicultores locales interesados. Por otro lado, el veneno de abeja es un área en la que muchos expertos ven el potencial debido a cómo se usa en la medicina moderna, lo que hace que la producción de veneno también sea una especialización viable y rentable.

Un elemento que hace que la apicultura y la jardinería sean una de las mejores combinaciones para los propietarios principiantes y expertos es la forma en que se sinergizan y se complementan entre sí. Una gran parte de todos los cultivos que se producen en el mundo depende completamente de polinizadores, que son principalmente abejas. El efecto ecológico de proteger a las abejas y proporcionarles un entorno seguro que les permita reproducirse hará que su empresa sea beneficiosa para usted y para el medio ambiente. Como apicultor, aprenderá cómo toda una especie de plantas o insectos pueden afectar drásticamente el medio ambiente.

Si está pensando en expandir la apicultura de su patio trasero, también podría tener en cuenta los beneficios fiscales que realmente puede obtener de esta empresa. Los beneficios fiscales agrícolas se otorgan a quienes tienen más de 50 colmenas, que es una operación un poco más grande que la que manejan los aficionados a la apicultura, pero aún así es plausible. Como pasatiempo, sigue siendo una experiencia muy gratificante que le permite disfrutar de la cría de criaturas beneficiosas sin las molestias y los gastos necesarios para criar ganado.

Además, como nuevo colono, hay algunas cosas que siempre debe tener en cuenta al iniciar cualquier proyecto. Como regla general, nunca debe emprender un proyecto porque parece simple; La vida de un colono puede ser simple, pero no es exactamente fácil. Espere enfrentar muchas dificultades mientras intenta equilibrar su nueva vida con su carrera y su vida personal, especialmente si es un principiante total. También es mejor tener a alguien con más experiencia a tu lado para que te ayude a aprender a manejar rápidamente, ya sea un vecino o un amigo.

No hay nada que pueda impedirle expandir una simple granja en el patio trasero a una granja completa en muchos acres, pero es importante asegurarse de que percibe la curva de aprendizaje correctamente. No acepte proyectos complicados o costosos en las primeras etapas de su viaje; Primero, asegúrese de haber recibido la capacitación suficiente para tener éxito y evitar desperdiciar mucho dinero y trabajo. Las guías detalladas para la jardinería y la apicultura en este libro deben hacer que su esfuerzo sea exitoso y, al mismo tiempo, brindarle información creativa.

Referencias

https://homesteading.com/best-homesteading-tools/

https://www.survivalsullivan.com/homesteading-tools-you-need/

https://www.thespruce.com/compost-bins-and-how-they-work-2131027

https://www.motherearthnews.com/homesteading-and-livestock/top-20-homesteading-tools-zmaz01amzsel

http://www.imperfectlyhappy.com/5-easy-steps-into-backyard-homesteading-2/

https://www.tenthacrefarm.com/start-a-homestead/

https://homesteadandchill.com/how-to-start-a-homestead/

https://grocycle.com/how-to-start-a-homestead/

https://morningchores.com/irrigation-system/

https://www.homestead.org/frugality-finance/small-scale-homesteading/

https://homesteadandchill.com/easy-annual-companion-flowers/

https://homesteadandchill.com/top-23-plants-for-pollinators/

https://www.wildhomesteading.com/perennial-biennial-annual-plants/

https://homesteading.com/types-of-flowers-to-plant-summer-flowers/

https://www.goodhousekeeping.com/home/gardening/a32638/sunflower-fun-facts/

https://morningchores.com/farm-layout/

https://www.almanac.com/content/garden-plans-homesteads-and-small-farms

https://www.sugarmaplefarmhouse.com/planning-a-homestead-garden/

https://thetinylife.com/basic-tips-for-homestead-gardens/

https://www.thehomesteadgarden.com/how-to-plan-your-garden/

https://www.thespruce.com/designing-vegetable-gardens-1403407

https://www.thespruce.com/prepare-your-soil-3016982

https: //farmhomestead.com/gardening-methods/

https: //learn.eartheasy.com/guides/raised-garden-beds/

https: //www.justdabblingalong.com/how-to-plant-homestead-vegetable-garden-easy-steps/

https: //savvygardening.com/cold-frame-gardening/

https: //homesteadandchill.com/easy-annual-companion-flowers/

https: //homesteading.com/gardening-tips-and-tricks/

https: //dengarden.com/gardening/Cómo-para-Tomar-cuidado-de-sus-plantas-flores

https://www.theprairiehomestead.com/2014/05/get-started-honeybees.html

https://commonsensehome.com/homestead-bees/

https: //www.almanac.com/news/beekeeping/beekeeping-101-why-raise-honeybees

https: //www.almanac.com/news/beekeeping/beekeeping-101-supplies-clothing-and-equipment

https: //www.kelleybees.com/blog/kelley-beekeeping/thinking-keeping-bees-part-1-costs-time-intangibles/

https: //beebuilt.com/pages/langstroth-hives

https: //backyardbeekeeping101.com/beekeeping-cost/

https: //www.keepingbackyardbees.com/8-proper-beehive-placement-tips/

https: //beekeepclub.com/tips-for-beekeeping-in-cold-climates/

https: //www.keepingbackyardbees.com/protect-your-bees-in-hot-weather-zbwz1807zsau/

https: //baynature.org/article/helping-bees-beat-heat/

https: //www.beekeepers.asn.au/news/2017/10/19/new-rules-of-beekeeping-made-simple

https://www.housebeautiful.com/uk/garden/a585/top-tips-garden-maintenance/

https://www.lovethegarden.com/uk-en/article/7-lawn-care-tips

https://morningchores.com/vegetable-garden-care/

https://www.thespruce.com/how-and-when-to-prune-plants-1403009

https://www.finegardening.com/article/10-ways-to-keep-your-garden-healthy

CPSIA information can be obtained
at www.ICGtesting.com
Printed in the USA
LVHW080533030622
720372LV00011B/203

9 781955 786287